Peggy Sue et les fantômes

La Bête des souterrains

DU MÊME AUTEUR

OUVRAGES POUR LA JEUNESSE

PLON

Série Peggy Sue et les fantômes
[traduite en 23 langues]

1. *Le Jour du chien bleu*
2. *Le Sommeil du démon*
3. *Le Papillon des abîmes*
4. *Le Zoo ensorcelé*
5. *Le Château noir*

BAYARD

Le Maître des nuages
Prisonniers de l'Arc-en-ciel

LE LIVRE DE POCHE JEUNESSE

L'Œil de la pieuvre
La Fiancée du crapaud

J.-C. LATTÈS

Série Sigrid et les mondes perdus

1. *L'Œil de la pieuvre*
2. *La Fiancée du crapaud*
3. *Le Grand Serpent*
4. *Les Mangeurs de murailles*

POCKET JUNIOR (POCHE)

Le Jour du chien bleu
Le Sommeil du démon
Le Papillon des abîmes

SERGE BRUSSOLO

Peggy Sue et les fantômes

La Bête des souterrains

Plon

ISBN : 2-259-20079-6

Sommaire

Les personnages

Peggy Sue

Peggy Sue Fairway a 14 ans. Elle est blonde, coiffée en queue de cheval avec deux mèches rebelles sur le front. Elle est également très myope. Elle est habillée d'un haut à rayures roses et d'un jean vert. Elle porte de petites bottes. Longtemps, elle a affronté les Invisibles, des créatures extraterrestres qu'elle était seule à voir et qui s'amusaient à semer le chaos sur la Terre. On la croyait folle, et même ses parents avaient honte d'elle. Après bien des aventures, elle a réussi à vaincre les Invisibles. Hélas, comme le dit sa grand-mère : « Il existe autant d'espèces de fantômes que de races de chiens ! », si bien que, à chaque aventure, elle doit se battre contre de nouvelles créatures plus ou moins spectrales. Peggy Sue ne va plus au collège, elle a décidé de vivre avec sa grand-mère et d'ouvrir soit un restaurant de tartelettes aux fruits, soit une boutique de vêtements qu'elle fabriquerait elle-même. Elle ne sait pas encore très bien... Il faut qu'elle réfléchisse à tout ça à tête reposée, entre deux catastrophes ! Une chose est sûre : elle ne veut ni devenir sorcière (les formules magiques sont trop difficiles à apprendre et elle n'a aucune mémoire) ni posséder des pouvoirs extraordinaires. Elle ne souhaite qu'une chose : mener la vie d'une fille normale de son âge. En fait, Peggy Sue est une fille ordinaire à qui il arrive des aventures extraordinaires !

Granny Katy

Son vrai nom est Katy Erin Flanaghan. C'est la grand-mère maternelle de Peggy Sue. Elle exerce le métier de sorcière campagnarde. Elle vend des manteaux absorbeurs de fatigue ou des chats de sérénité qui s'imprègnent de la nervosité de leurs maîtres et leur permettent ainsi de redevenir calmes. Elle est un peu folle mais très gentille et toujours prête à se lancer dans une nouvelle aventure. Elle a peu de pouvoirs. Son animal fétiche est un crapaud péteur qui répand d'épouvantables odeurs.

Le chien bleu

Au départ, c'était un pauvre chien errant, mais son cerveau a été irradié par un soleil maléfique qui l'a rendu très intelligent (et même un peu fou pendant quelque temps)... Son pelage a pris une étrange teinte bleuâtre. Il a la manie de porter une cravate autour du cou ! Il a le pouvoir de communiquer avec les humains par transmission de pensée. Il est râleur, gourmand, mais très courageux. Il aime bien se battre et nourrit une véritable passion pour les os. Il n'a pas de nom et ne veut pas en porter, car c'est une manière pour lui d'affirmer son indépendance vis-à-vis des Hommes. C'est le fidèle compagnon de Peggy Sue à qui il a sauvé la vie des dizaines de fois.

Sebastian

C'est le petit ami de Peggy Sue. Il a 14 ans depuis... 70 ans ! Pour fuir la misère, il avait trouvé refuge dans le monde fabuleux des mirages où les années passent sans qu'on vieillisse d'un seul jour, si bien que le temps a filé sans que Sebastian grandisse. Au terme d'une incroyable aventure, il a réussi à fuir sa prison. Hélas, pour rester avec Peggy Sue, il avait dû accepter de devenir une statue de sable vivante qui tombe en poussière dès qu'elle n'était plus humidifiée. Son existence n'était pas simple et il a tout fait pour se débarrasser de cette malédiction (ces aventures sont contées dans *Le Château noir*). Il est beau, avec de longs cheveux noirs et des yeux bridés. Sa peau mate lui donne l'allure d'un jeune Indien apache. N'étant pas réellement humain, il est d'une force colossale mais malheureusement il a tendance à être trop sûr de lui, ce qui lui vaut bien des déboires.

N'oublie pas de découvrir
à la fin du volume
la nouvelle série
de Serge Brussolo !

Trois cachets bleus...

Ce soir-là, après avoir regardé la télévision, Peggy Sue se coucha. Deux heures plus tard, elle fut réveillée en sursaut par un affreux vacarme et découvrit que la maison de sa grand-mère était remplie de chevaliers vêtus d'armures cabossées. Ils portaient des casques effrayants et d'immenses épées, comme s'ils se préparaient à livrer bataille.

Voici comment la chose arriva...

Il devait être 1 heure du matin quand des éclairs électriques jaillirent des lampes et des appareils électroménagers. Le réfrigérateur se mit à cuire les yaourts, le four explosa, quant au lave-linge, son tambour entreprit de tourner à 30 000 tours/minute, ce qui l'arracha de son axe et le propulsa droit dans le ciel (depuis il s'est satellisé autour de la Terre et les astronomes l'ont rangé dans la catégorie des Objets Volants Non Identifiés).

Peggy s'assit dans son lit, le chien bleu bondit sur ses pattes (son poil dressé le faisait ressembler à un hérisson). Une odeur bizarre flottait dans la maison, mélange de caoutchouc brûlé et de gaz de ville.

La jeune fille se frotta les yeux. Tout à coup, elle prit conscience qu'un chevalier bardé de fer se tenait debout au pied du lit. Elle poussa un cri de surprise. Puis le guerrier ôta son casque, démasquant son visage. C'était un homme âgé, à la barbe grise tressée en nattes fines. Une cicatrice lui fendait le front ; ses yeux étaient durs. Il n'avait pas l'air d'un joyeux drille !

— Salut à toi, dit-il d'une voix sourde, je suis Anabius Torkeval Massalia, général en chef des armées de Kandarta, sixième planète du système solaire de la galaxie du Singe vert. Et je viens de traverser le cosmos pour implorer ton aide.

Peggy Sue se sentait un peu idiote dans son pyjama rose à pois verts face à cet individu empaqueté d'acier. Elle chercha sa robe de chambre à tâtons. (Elle se rappela que le vêtement en question n'était pas très propre ; en fait plein de taches de café au lait sur les revers ! De quoi allait-elle avoir l'air ?)

Elle entendit Granny Katy qui, au rez-de-chaussée, pestait contre les envahisseurs :

— Vous êtes peut-être chevalier, mais cela ne donne pas le droit à votre cheval de manger les coussins de mon canapé ! criait-elle. De plus votre épée arrache toute ma moquette !

— Fort bien, balbutia Peggy, descendons discuter de ça en bas.

Elle se donnait du mal pour essayer de ressembler à une princesse habituée à ce genre de situation, mais elle n'en menait pas large car l'homme n'avait pas l'air commode. Toutefois, il la suivit sans regimber, ses souliers de fer cliquetant de manière effroyable.

Dès qu'elle fut dans l'escalier, Peggy comprit que le général n'était pas venu seul. Une dizaine d'hommes en cuirasse occupaient le salon de Granny Katy. Certains n'étaient même pas descendus de cheval et leurs casques frôlaient le plafond, y inscrivant de longues éraflures.

Sebastian apparut à son tour, les cheveux ébouriffés.

— Hé ! bâilla-t-il, c'est quoi ? On tourne un film ?

— Je suis désolé de cette intrusion, coupa Anabius Torkeval Massalia qui s'impatientait, mais nous avons traversé les dimensions grâce à un sortilège pour vous rencontrer. Notre temps de présence sur la Terre ne dépassera pas cinq de vos minutes, aussi dois-je faire vite.

— D'accord, fit Peggy qui s'évertuait à se recoiffer avec ses doigts (elle venait de voir dans le miroir du salon qu'elle avait une tête épouvantable !), de quoi s'agit-il ?

— Vos exploits sont aujourd'hui connus dans tout l'Univers, déclara Massalia. Nous savons comment vous avez triomphé des Gloubolz, des Zétans et des sangsues de l'espace [1], voilà pourquoi nous venons implorer votre aide. Notre monde, Kandarta, est victime d'un terrible fléau. Une créature infernale vit dans le sous-sol, au cœur de la planète, elle s'y déplace grâce à des milliers de souterrains. C'est une bête gigantesque dont nous n'arriverons jamais à bout sans une aide extérieure. La terreur règne. Vous devez nous prêter main-forte. *Il en va de la vie de milliers d'enfants.* La menace grandit chaque jour. Nous ne savons plus que faire. Voulez-vous venir étudier la situation ? Peut-être trouverez-vous une solution ?

---

1. Voir les différentes aventures de Peggy Sue.

Il tira un drageoir de sa ceinture et le déposa sur la table basse. La petite boîte contenait trois cachets bleus.

— Un pour vous, Peggy Sue, un pour Sebastian, le dernier pour le chien, annonça le vieux chevalier. Votre grand-mère ne supporterait pas le voyage, elle est trop âgée. Si vous avalez ces comprimés, vous serez projetés dans l'espace-temps, à travers les dimensions, et vous débarquerez sur Kandarta sans avoir besoin d'un vaisseau spatial. Ces cachets sont très rares, c'est un grand honneur que nous vous faisons en vous les offrant. D'ordinaire, seuls les rois ont le droit de les utiliser.

— Wao ! fit Sebastian. Ça paraît super. Je ferais bien un petit voyage au bout de l'Univers.

— Les enfants de notre planète ont réellement besoin de votre aide, répéta le chevalier. Depuis que je vous parle, des dizaines d'entre eux ont été enlevés par la bête des souterrains... et cela continuera tant que personne ne se dressera contre elle. Alors qu'il prononçait ces mots, des étincelles crépitèrent aux jointures de son armure.

— Hé ! s'étonna Peggy, vous devenez transparent !

— Notre temps de présence est écoulé, soupira Massalia. Nous allons être rappelés sur Kandarta. J'espère de tout mon cœur que vous m'y rejoindrez le plus vite possible. Pensez aux enfants...

Peu à peu, les guerriers présents dans le salon de Granny Katy devinrent translucides, à tel point qu'on aurait pu les prendre pour des statues de verre... ou des fantômes.

— Ils s'effacent ! glapit le chien bleu. Regardez ! Ils vont disparaître...

C'est exactement ce qui se produisit. Les chevaliers et leurs montures parurent se dissoudre dans l'air, et, très vite, il ne resta plus rien d'eux.

— Si les coussins du canapé n'étaient pas à moitié dévorés je douterais de ce que nous venons de vivre... fit Granny Katy.

— Grand-mère, murmura Peggy Sue, crois-tu que nous devions avaler ces cachets?

— Si la vie de milliers d'enfants en dépend, soupira la vieille dame, il n'y a pas à hésiter. Pourtant je suis inquiète à l'idée de vous laisser partir là-bas tout seuls. J'aurais bien aimé vous accompagner.

— Il ne faut pas, protesta Sebastian, surtout si cela risque de vous rendre malade. Je veillerai sur Peggy et sur le chien.

— Imbécile! gronda le petit animal, je n'ai besoin de personne pour veiller sur moi, j'ai encore assez de dents pour me défendre... et je crois que Peggy peut en faire autant.

— Assez! ne vous disputez pas! intervint la jeune fille.

Elle était angoissée à l'idée de s'embarquer pour cette nouvelle aventure sans sa grand-mère, mais sans doute devait-elle se faire à l'idée qu'il était temps pour elle de commencer à se débrouiller seule? Après tout, elle n'était plus une débutante et Granny Katy aspirait à un repos bien mérité. A son âge, on n'avait plus envie de passer ses journées à affronter des monstres...

Peggy regarda les trois cachets bleus que le général Massalia avait posés sur la table basse. Trois cachets qui ouvraient la porte du cosmos.

« Une bête qui s'en prend aux enfants, songea-t-elle. Je crois que je n'ai pas le choix... »

Les mystères de Kandarta

Après avoir avalé la pilule magique, Peggy Sue, Sebastian et le chien bleu furent aspirés par un formidable tourbillon qui leur fit traverser le cosmos en sautant d'une dimension à l'autre.

Au terme de ce saut extraordinaire à travers l'espace-temps, ils se retrouvèrent au milieu des décombres d'un château, au seuil d'une cité en ruine. Ils étaient dans le même état que s'ils venaient de faire trente mille tours de manège dans une fête foraine, et le chien bleu se sentait près de vomir toutes les croquettes qu'il avait englouties au cours des six derniers mois.

Le général Massalia les attendait ; toujours vêtu de son armure cabossée, il était grimpé sur un cheval de bataille couturé de cicatrices. Peggy Sue regarda autour d'elle. Le paysage de Kandarta était pour le moins étrange. A travers la brume, on distinguait des bâtiments effondrés. D'interminables crevasses sillonnaient le sol qui paraissait formé de plaques rocheuses juxtaposées.

« On dirait un puzzle gigantesque mais mal emboîté... » pensa-t-elle.

— Ce n'est pas très riant, marmonna le chien bleu. Vous avez vu ces lézardes? Certaines sont assez larges pour nous avaler. Elles ressemblent à des gueules de requins entrebâillées.

— Je suis heureux que vous soyez venus, lança le chevalier en levant son gantelet de fer. Ne traînons pas, la nuit va bientôt tomber. Je dois vous conduire en lieu sûr. Suivez-moi, et éviter d'enjamber les crevasses, c'est plus prudent.

Peggy ne jugea pas cela de bon augure.

Les trois amis obéirent. Ils avancèrent en regardant leurs pieds car il y avait *énormément* de lézardes. A croire que les tremblements de terre étaient la principale activité de la planète.

A cause du brouillard, ils ne virent pas grand-chose de la ville qui semblait constituée de bâtiments délabrés; tantôt modernes, tantôt si anciens qu'on se serait cru au Moyen Âge. Ils arrivèrent enfin au pied d'une forteresse gardée par des soldats affublés de casques coniques et de cottes de mailles. Une inscription en lettres gothiques s'étalait au-dessus de la porte :

Dortoir de sécurité

— Bizarre, chuchota Sebastian. J'ai connu des maisons hantées plus attrayantes.

— Ça ressemble à une prison, reconnut Peggy. Il n'y a pas une seule fenêtre!

— J'espère que nous ne sommes pas tombés dans un piège, grommela le chien bleu. Ça pourrait être une espèce de fourrière pour chiens errants.

Peggy Sue était désorientée, tout paraissait si... moyenâgeux!

— Le voyage à travers les univers parallèles vous a brouillé l'esprit, déclara Massalia en descendant de sa monture. Je préfère donc ne rien vous dire ce soir. Vous allez vous reposer, je vous mettrai au courant demain. Passez une bonne nuit ; ici vous pourrez dormir en paix, les murs font trois mètres d'épaisseur et il n'y a aucune fenêtre. Ne prenez pas ombrage des serrures et des barreaux, ils sont là pour votre bien.

Peggy Sue s'inclina et Massalia tourna les talons. Son armure cliquetait, ce qui fit ricaner le chien bleu, peu sensible à l'allure martiale du chef de guerre.

— Il fait plus de bruit que dix boîtes de conserve dans un sac à provisions, chuchota-t-il.

Peggy lui intima de se taire, et les trois amis pénétrèrent dans la forteresse dont les gardes venaient d'entrebâiller les portes bardées de fer.

Dès le seuil, ils furent pris en charge par un valet muni d'un impressionnant trousseau de clefs. Ils durent franchir trois grilles avant d'accéder aux chambres de repos. Peggy nota que les principaux occupants des dortoirs étaient des enfants, regroupés par tranche d'âge.

« On dirait une colonie de vacances, pensa-t-elle. Une colo qui aurait l'allure d'une prison... »

Il n'y avait aucun chahut. Les gamins, trop sages, offraient un tableau curieusement silencieux. Inhabituel si l'on considérait l'absence de surveillants.

— Ils ont peur, déclara le chien bleu. Je le sens.

— Pourquoi fixent-ils les murs ? s'étonna Sebastian. Vous avez remarqué ? Ils scrutent les murailles *comme si quelque chose allait en sortir.*

Le valet les fit grimper à l'étage. A chaque palier, il déverrouillait une nouvelle grille. Cela commençait à devenir pénible !

Peggy Sue nota que de larges crevasses sillonnaient les murs. On les avait rebouchées avec du ciment ; elles n'en demeuraient pas moins visibles.

— Voilà, annonça le serviteur, les chambres de vos seigneuries sont ici. Dois-je descendre le chien aux écuries ?

— Non ! protesta Peggy, il dormira avec moi.

— Comme vous voudrez, fit l'homme en s'inclinant. Ce sont de bonnes chambres, vous pourrez y dormir en toute tranquillité, les cloisons y ont été renforcées avec des tiges d'acier, le général Massalia y a veillé.

— Je tombe de sommeil, bâilla Sebastian. Ce voyage m'a tué, je sens que je vais m'écrouler. Depuis que je suis redevenu humain je ne suis plus aussi résistant qu'avant. J'avais oublié ce que signifiait le mot fatigue. Je ne me réveillerai pas avant midi, même si un monstre me tire par les pieds au cours de la nuit !

Après avoir embrassé Peggy, il poussa la porte de sa chambre et disparut. La jeune fille pénétra dans la cellule qu'on lui avait réservée.

— Une vraie geôle, fit le chien bleu. Il y a même un pot de chambre ! Quel confort ! Quelque chose me dit qu'il ne doit pas y avoir beaucoup de touristes sur Kandarta.

N'osant se déshabiller, Peggy Sue se contenta d'ôter ses souliers et de s'étendre sur le lit. L'absence de fenêtre l'oppressait.

— J'ai l'impression d'avoir été emmurée vivante, murmura-t-elle.

— Je suis trop fatigué pour m'en inquiéter, soupira le chien en se roulant en boule sur le dallage.

On reparlera de ça demain matin... si personne n'est venu nous égorger pendant la nuit !

A peine la truffe posé sur les pattes, il s'endormit. La jeune fille, elle, resta les yeux ouverts, à fixer le plafond. Elle avait beau être très fatiguée, elle ne pouvait se résoudre à s'abandonner au sommeil. Tout était trop bizarre... Cette colonie de vacances aux allures de prison, ces enfants terrifiés... Non, elle devait rester aux aguets.

Au bout d'un moment, elle commença à percevoir des grattements lointains, comme si quelqu'un était occupé à creuser une fosse dans les fondations du bâtiment. *Non, ce n'était pas cela...* Le bruit semblait monter vers la surface. C'était comme l'écho d'un mystérieux travail de sape [1]. Quelqu'un creusait sous la maison, sous la ville, avec une régularité opiniâtre, et le bruit des pioches raclant la pierre s'élevait dans les murs, s'épanouissait dans les appartements qui devenaient autant de caisses de résonance. C'était là, à la fois tout proche et très éloigné.

« C'est... c'est l'écho des abîmes », songea Peggy Sue, sans savoir d'où lui venait cette étrange idée.

Incapable de trouver le sommeil, elle demeura assise sur son lit tandis que le chien bleu ronflait sur le plancher en bavant (comme à l'ordinaire).

Au bout d'un moment, n'y tenant plus, Peggy entrouvrit la porte de sa chambre et se glissa dans le couloir. Le surveillant d'étage dormait, assis à sa

---

1. Ruse qui consiste à creuser des souterrains sous les murailles d'un château-fort pour s'introduire dans la place en passant par en dessous !

table, la tête dans les bras. Se déplaçant sur la pointe des pieds, l'adolescente s'approcha de lui, s'empara du trousseau de clefs et déverrouilla les différentes grilles qui permettaient d'accéder aux escaliers menant à la cave. Elle voulait en avoir le cœur net. Il se passait ici de drôles de choses!

Une fois en bas, elle fut surprise par l'étendue de la crypte. C'était une caverne voûtée aussi vaste qu'un parking, dominée par une voûte ogivale qui aurait été plus à sa place dans une église. Des cages vides y étaient classées par tailles et formaient des tas distincts, comme dans un hypermarché. Une étiquette était accrochée à chacune d'elles. Peggy fut stupéfaite par ce qu'elle y lut. Il y avait écrit :

Cage en acier indéformable pour enfant de 10-12 ans. Serrure de sûreté brevetée.

Un peu plus loin, une autre étiquette annonçait : *Cage pour bébé, barreaux très serrés assurant une parfaite sécurité. Modèle fourni avec une chaîne permettant de l'attacher à un pilier ou à un anneau fixé dans le sol. Acier trempé.*

Collé au mur, un panneau publicitaire proclamait :

La cage en acier? Le repos du bébé!

« Qu'est-ce que ça signifie? se demanda Peggy Sue, interdite. Où suis-je tombée? »

Par malheur, l'éclairage défectueux laissait une grande partie des lieux dans l'obscurité, et la jeune fille s'immobilisa, l'oreille en alerte, à la lisière de ce bloc de nuit au sein duquel elle n'osait s'aventurer. Elle ne mit pas longtemps à repérer les bruits. C'étaient des grattements réguliers, comme auraient pu en produire des griffes inscrivant de profonds sillons sur une falaise de craie. Cela ne s'arrêtait jamais, c'était tantôt lointain, tantôt tout proche, comme si la bête montait vers la surface, puis replongeait au plus profond des abîmes. Peggy Sue songea que les tunnels sillonnant le sous-sol devaient propager les sons au petit bonheur, loin de leur lieu réel d'émission. Chaque galerie jouait le rôle de porte-voix, et les échos s'entrecroisaient, allant et venant pour se fondre en un brouhaha étouffé qui finissait par faire croire qu'une armée creusait une sape sous vos pieds. Pour se rassurer elle tapa du poing contre la paroi ; mal lui en prit. La muraille lui parut friable, constituée de pierres branlantes qu'elle n'aurait eu aucun mal à arracher. Ce rempart poreux représentait une médiocre protection contre un éventuel envahisseur, et, l'espace d'un instant, elle imagina que le mur s'entrouvrait pour laisser le passage à quelque chose de repoussant : un tentacule boueux, un pseudopode [1] se terminant par une corne ou une dent. Cette bouffée fantasmagorique la fit battre en retraite. Elle ne devait à aucun prix se laisser contaminer par l'atmosphère de superstition qui planait sur Kandarta. Faisant un effort pour se ressaisir, elle revint sur ses pas. Alors qu'elle allait quitter la cave, une ombre formidable s'interposa, lui arrachant un cri. Elle reconnut Massalia, bouclé dans son armure bosselée, le visage sombre.

— Excusez-moi, balbutia Peggy, je ne voulais pas être indiscrète mais...

— C'est bien, coupa le chevalier. Tu te mets au courant, cela entre dans le cadre de ta mission. Il est important que tu prennes conscience des

1. Espèce de patte.

dangers qui t'entourent. Demain, tu en apprendras davantage. Je t'emmènerai écouter les pleureuses, sur le forum [1].

Ces paroles énigmatiques prononcées, il s'enfonça dans la nuit sans même un salut.

Peggy se dépêcha de regagner sa chambre dont elle verrouilla la porte à double tour.

Le chien bleu dormait toujours... et bavait tout autant.

---

1. Grande place où, dans l'Antiquité, le peuple se rassemblait pour discuter des problèmes de la cité.

Le sous-sol de la peur

Le lendemain matin, à l'heure du petit déjeuner, Massalia se présenta pour emmener les adolescents. Peggy Sue s'était bien sûr empressée d'avertir ses amis de ses trouvailles nocturnes.

— Comme je vous l'ai déjà dit, expliqua le chevalier, Kandarta est victime d'un terrible fléau. Une créature infernale vit dans le sous-sol, au cœur de la planète, elle s'y déplace grâce à des milliers de souterrains. La nuit, elle glisse ses tentacules dans les maisons et enlève nos enfants.

— Et qu'en fait-elle ? balbutia Peggy.

— Elle les mange, répondit le général. C'est pourquoi on la surnomme la Dévoreuse. Il s'agit d'une bête gigantesque, une espèce de pieuvre. La terreur règne dans les villes, les gosses n'osent plus s'endormir. Le sol ne cesse de se fendiller pour laisser passer de nouveaux tentacules. Vous devez nous prêter main-forte. Il en va de la vie de milliers d'enfants.

— *Les chats...* fit le chien bleu. Mange-t-elle aussi les chats ?

— Non, répondit Massalia, seulement les enfants et les adolescents. Elle dédaigne les adultes, sans doute ne les trouve-t-elle point à son goût.

— Ah bon, grommela le chien, déçu. Si elle avait mangé les chats, on aurait pu considérer qu'elle n'était peut-être pas tout à fait mauvaise...

— La menace grandit chaque jour, martela le général.

— Hum, grommela le chien bleu, cette bête... elle ne mange pas les chiens, disiez-vous, cher baron ?

— Ni les chiens, ni les chats ni les adultes, répéta Massalia. Seulement les enfants, et les adolescents, jusqu'à l'âge de quinze ans environ.

Il se tut car ils venaient de déboucher sur une place publique. Là se pressait une foule gémissante d'hommes et de femmes qui se lamentaient en levant les bras au ciel. De temps à autre, un orateur se hissait sur le piédestal d'une statue brisée et faisait une déclaration.

Les femmes pleuraient, agitant leurs mains tremblantes. Elles criaient et marmonnaient des prières. Peu à peu le cercle des visages se resserrait, formant un mur de corps soudés. Les citadins parlaient tous ensemble, et Peggy avait du mal à saisir le sens de leurs propos. Elle tendit l'oreille. Il lui sembla qu'ils revendiquaient le droit de dormir en paix ; ils parlaient de leur peur de voir leurs enfants enlevés. Les petits, disaient-ils, devaient être protégés des maléfices de la nuit, de la gourmandise de celle qui se cachait au centre du monde.

— Un bébé devrait pouvoir dormir tranquille dans son berceau, cria une femme.

La foule approuvait d'un hochement de tête et en marmonnant d'une voix sourde un *Oui-c'est-vrai-c'est-ainsi-que-cela-doit-être*.

— A une époque, nos enfants jouaient sans crainte, déclara un homme. Les nurseries étaient des lieux de repos et de sécurité. Aucun drame ne s'y produisait jamais...

— *Oui-c'est-vrai,* scanda la foule.

— Un temps l'on a cru qu'il en serait toujours ainsi. Et puis... Et puis la Dévoreuse s'est réveillée, la vieille bête cachée au cœur de la planète. L'ogresse qui se nourrit d'enfants. Avec le temps, elle est devenue de plus en plus forte et les planchers d'acier, les barreaux aux fenêtres n'ont plus suffi à défendre nos gosses de son horrible appétit. Elle a commencé à déjouer nos ruses, nos systèmes de protection. Elle trouve toujours le moyen de s'infiltrer dans la chambre des gamins pour les emporter dans son repaire...

— Oui, gronda un homme. Au début, ses ongles étaient mous, ils s'effritaient sur l'acier des grilles. On savait qu'elle était là mais on ne la craignait pas vraiment. On pensait qu'elle saurait se contenter des animaux offerts en sacrifice.

— Mais elle a grandi, chevrota un vieillard en se cachant le visage dans les mains. Et sa faim a grandi avec elle. Elle a commencé à dédaigner les offrandes. Elle voulait d'autres proies... plus succulentes. Il lui fallait des enfants. Et ses ongles, entre-temps, étaient devenus des griffes capables de sectionner le fer. Elle se moquait désormais des portes blindées. Elle broyait les grilles entre ses doigts comme on écrase une noix. Elle a commencé à voler les bébés, la nuit, pendant leur sommeil... Ses tentacules profitaient de la moindre fissure pour s'introduire dans les maisons à l'insu des parents...

— Oui, la Dévoreuse est sortie de son engourdissement, confirma l'orateur, et cela signifie qu'elle va bientôt quitter sa coquille pour mettre le nez au-dehors, qu'elle va crever le sol pour jaillir à l'air libre. Et ce sera un spectacle terrible, car personne ne connaît son apparence qui est paraît-il affreuse. Oui, elle fera exploser Kandarta et déploiera ses ailes dans la nuit du cosmos, prête à prendre son vol après des millénaires d'attente.

Dans la foule, des femmes tombèrent à genoux et se cognèrent le front sur le sol. Une grande lamentation courait de bouche en bouche. Peggy Sue saisit le général par le coude pour l'entraîner derrière un pilier mais le chevalier se dégagea d'un coup sec.

— C'est quoi, cette histoire de coquille? chuchota l'adolescente. *Ils ont l'air de croire que Kandarta est un œuf.*

Massalia lui jeta un regard étonné.

— Tu n'as pas encore compris? fit-il. Bon sang, vous êtes lents à la détente, vous les Terriens! Il va donc falloir que je vous explique tout! Mais c'est la vérité pure : *Kandarta est un œuf.* Un œuf gigantesque suspendu dans le cosmos. Un œuf pondu par une bête des premiers âges et abandonné là, dans le vide de l'espace. Un œuf destiné à éclore lentement, et au sein duquel s'est développé l'embryon d'un animal énorme dont on ignore à peu près tout.

— Mais... bégaya Sebastian, c'est une légende?

— Pas du tout, rétorqua Massalia. C'est la pure vérité. Nous vivons à la surface d'une coquille. Nous avons bâti des villes à la surface de cette même coquille. Lorsque nous marchons nous allons et venons au-dessus d'une bête assoupie, roulée en boule, et qui un jour, lorsqu'elle aura atteint le stade final de son développement organique, fera éclater l'œuf que nous appelons Kandarta. Alors nous mourrons tous. La planète explosera en mille morceaux et la Dévoreuse prendra son envol.

Peggy Sue était abasourdie mais n'osait contredire son interlocuteur. Après tout il s'agissait d'une croyance parmi tant d'autres, et il ne lui appartenait pas d'en discuter. Toutefois, à l'idée d'être en ce moment même juchée sur une coquille susceptible de se fendre, elle éprouvait une angoisse terrible. *Un œuf?* Un œuf géant qui flottait dans le cosmos, un œuf dont le diamètre était celui d'une petite planète? Allons! C'était grotesque! Un conte à dormir debout. Une superstition de paysans analphabètes, voilà tout. Mais elle avait beau tenter de se rassurer, quelque chose la poussait à fixer du regard le sol entre ses pieds.

— Tu n'y crois pas, hein? fit Massalia, goguenard. Les Terriens n'y croient jamais, et pourtant c'est vrai. La Bête est là, comme un énorme poussin. Un poussin très laid dont l'embryon a pris mille ans pour mûrir. Voilà pourquoi elle mange les enfants : pour achever son développement. Elle enlève les gosses parce qu'ils sont sans défense, tout près d'elle, à sa portée. Elle peut s'en emparer sans prendre de risques. Il lui suffit de glisser l'une de ses pattes au hasard des galeries qui sillonnent sa coquille et de s'insinuer dans une maison, la nuit.

Le chevalier fit une pause, comme s'il cherchait ses mots, puis murmura :

— Il faut vous mettre dans la tête que c'est une coquille poreuse, sur le point d'éclater, déjà fissurée en de nombreux points. C'est par ces lézardes qu'elle passe la patte.

— Déjà fissurée? répéta Peggy Sue.

— Oui, l'œuf a frôlé le stade de l'éclosion il y a dix ans. Si la planète n'a pas éclaté, c'est parce qu'on a enfermé les enfants dans des forteresses aux parois très épaisses, et qu'on a mis la Dévoreuse à la diète. La Bête s'est retrouvée privée de nourriture et son développement corporel s'est ralenti. Vous comprenez : *elle ne peut pas mourir de faim.* Si elle n'a plus rien à manger, elle entre en léthargie comme les reptiles. Elle hiberne. Elle attend. Elle peut attendre un siècle ou deux. Elle n'est pas pressée. Le temps ne représente rien pour elle.

— Mais pourquoi les colons n'ont-ils jamais essayé de la tuer? questionna Peggy Sue en se maudissant de s'être laissé entraîner dans une pareille discussion.

— Certains veulent la tuer, soupira le général avec lassitude, d'autres non... ils disent que c'est elle qui nous donne la chaleur, qu'elle est notre feu central. Qu'elle sécrète notre oxygène. Son magnétisme nous tient les pieds collés au sol. Si elle se ratatinait au centre de sa coquille, pour mourir, nous mourrions avec elle. C'est du moins ce qu'ils prétendent. Voilà pourquoi la Dévoreuse a survécu aussi longtemps. Mais je suis décidé à mettre un terme à ses crimes. Je vais lui faire une guerre sans merci... et je la tuerai, avec votre aide si vous acceptez cette mission.

Peggy Sue hocha la tête pour gagner du temps. Elle n'avait pas traversé le cosmos pour s'occuper de telles balivernes. Elle était venue là pour résoudre le problème des enlèvements d'enfants, mais elle avait toujours cru qu'elle aurait à affronter une bête *réelle,* pas un animal de légende. Elle s'était dit qu'il s'agirait d'une bestiole peu ragoûtante, mais qui n'aurait rien de commun avec cette espèce de... dragon auquel Massalia faisait allusion.

— Alors, dit Sebastian un peu sottement, c'est elle qu'on entend marcher sous la terre ? Quand elle s'embête, elle fait les cent pas à l'intérieur de son œuf.

Le général haussa les épaules et s'éloigna, se frayant un chemin dans la foule. Peggy Sue se précipita dans son sillage. Elle se sentait mal à l'aise au milieu de ces gens en larmes. Quand elle eut rattrapé le chevalier, elle essaya de lui prendre la main, mais il se dégagea d'un mouvement sec.

— Je suis déçu, fit-il avec une sorte de lassitude. Vous êtes des crétins. J'attendais des héros, et je me retrouve en face de stupides petits adolescents ricaneurs. J'espérais que vous auriez l'esprit plus ouvert. Si vous continuez à jouer les incrédules vous ne comprendrez rien à ce qui se passe sous nos pieds. Nous sommes entrés dans la phase finale. La Dévoreuse est tout près de l'éclosion. Elle est presque entièrement constituée et songe à sortir. Sa faim augmente ; son impatience aussi. Elle en a assez de la réclusion, elle veut prendre son vol, déployer ses ailes et partir à la découverte des galaxies. Elle ne désire plus qu'une chose : achever la construction de son organisme, entrer en possession de tous ses pouvoirs.

— C'est pour ça que vous voulez la tuer ? s'enquit Peggy.

— Oui, gronda Massalia. Mais ce ne sera pas facile. J'ai beaucoup d'ennemis. La Dévoreuses a ses partisans. Des fanatiques qui la défendent. Ils ont déjà tenté de m'assassiner à plusieurs reprises.

— Quel intérêt ont-ils à servir ce monstre ? s'étonna Sebastian.

— Ce sont des sorciers, répondit le général. Or la bête des souterrains possède d'immenses pouvoirs. Elle utilise les crevasses du sol (je devrais plutôt dire :

de la coquille) pour souffler des gaz magiques qui provoquent de curieuses métamorphoses. Car ce n'est pas du gaz carbonique qui s'échappe de sa gueule, mais des émanations mystérieuses qui peuvent transformer un humain en n'importe quoi... Les sorciers tirent de grands profits de ces bourrasques maléfiques qu'ils s'empressent de mettre en bouteille. La Dévoreuse est la source de leur puissance, voilà pourquoi ils tiennent à ce qu'elle reste en vie, même si pour cela elle doit manger tous les enfants de Kandarta. Vous devrez vous méfier d'eux, car ils essayeront de vous supprimer en employant tous les moyens à leur disposition.

— Qu'est-ce que vous comptez faire ? demanda Sebastian. Jeter une bombe au fond d'une crevasse ?

— Je vais vous raconter une histoire, soupira Massalia. La mienne. Jadis, je servais le roi Walner, qui vit à Kromosa. J'avais fait construire une flèche gigantesque et une arbalète de la même taille. Nous l'avions installée sur l'une des terrasses du palais royal. De là, nous dominions l'une des crevasses les plus larges de Kandarta. Elle nous offrait un merveilleux angle de tir. Mon dessein était d'expédier la flèche géante au centre de la terre, pour transpercer le monstre et mettre fin à ses méfaits.

— Et alors ? interrogea Sebastian.

— Alors Ranuck, le grand vizir, m'a éloigné de la ville sous des prétextes qui ne tenaient pas debout. Il m'a fait nommer aux confins des territoires. J'ai fini par comprendre qu'il n'avait aucune intention d'utiliser l'arbalète. En réalité, il fait partie de ces illuminés qui défendent la Bête et qui se font appeler les « compagnons de la pieuvre ».

— Pourquoi nous avoir fait venir ? s'enquit Peggy Sue.

— Parce que je n'ai confiance en personne... Les compagnons de la pieuvre sont partout. Ils complotent dans l'ombre. Mes hommes ont peur, certains ont déjà déserté. Vous êtes des héros, tout le monde a entendu parler de vous. Les enfants vous connaissent, ils lisent vos aventures et vous aiment. Si vous êtes de mon côté, les gens reprendront espoir et me suivront.

— Quel est votre plan de bataille? s'inquiéta Sebastian.

— Je voudrais que vous vous introduisiez dans le palais royal, à Kromosa, sous un prétexte quelconque... et que vous lanciez la flèche géante dans la crevasse. Ce n'est pas compliqué, mon maître de guerre, Zabrok, vous expliquera comment faire.

— Cette nuit, j'ai vu des cages dans la cave du dortoir, fit Peggy. A quoi servent-elles?

— Les parents y enferment leurs enfants, répondit Massalia. Ils espèrent ainsi les protéger de la Dévoreuse. Beaucoup de gosses passent des années bouclés dans une cage. Quand ils sont grands, on y ajoute des roulettes pour leur permettre de se déplacer.

— Ils n'en sortent jamais?

— Non, la plupart des parents s'y opposent. Ils croient que les cages protégeront les enfants de la gourmandise de la Dévoreuse, mais ils se trompent. (Il parut réfléchir puis ajouta :) A présent, allez donc manger... Je devine que vous n'êtes pas encore convaincus. Tout à l'heure je vous montrerai une chose qui vous prouvera que je ne suis pas fou.

Quand le chevalier se fut éloigné, Sebastian se frappa la tempe avec l'index.

— Moi, je crois qu'il est zinzin, grogna-t-il.

— Je n'en suis pas aussi sûr, protesta le chien bleu, mon flair me signale une présence sous nos pieds... une présence formidable... C'est un peu comme si je reniflais à l'entrée d'un terrier... l'ennui c'est qu'il s'agit d'un terrier aussi grand qu'une planète. Je n'ai pas très envie de rencontrer la bête qui s'y cache.

— Quoi qu'il en soit, soupira Peggy, il faut aider ces enfants. Si quelqu'un vient les enlever, nous devons le neutraliser, qu'il s'agisse d'une bande de sorciers ou... d'un monstre.

Les trois amis s'en allèrent déjeuner. A la cantine du dortoir, on leur servit de la soupe et du pain qui sortait du four. C'était délicieux. Néanmoins, ils demeuraient indécis.

— Moi, j'ai peur mais j'ai envie de tenter le coup, déclara le chien bleu. J'aime mieux grelotter de frayeur que m'ennuyer. Cela fait des mois qu'il ne se passe plus rien. Ça ne m'amuse pas de devenir un chien de salon, j'ai envie d'un peu d'action. Et puis ce monstre doit avoir de gros os... si j'en rapportais un, je pourrais passer le reste de ma vie à le grignoter ! Vous imaginez ça ? Un os grand comme un paquebot !

— En admettant que la bête des souterrains existe bel et bien, fit Sebastian, le problème c'est de savoir s'il faut effectivement la tuer... Peut-être y a-t-il une autre solution ?

— Je pense comme toi, dit Peggy Sue. Massalia est aveuglé par la haine, il ne faut pas prendre tout ce qu'il dit au pied de la lettre.

En sortant de la cantine, les trois amis firent quelques pas sur la place du marché. Sebastian s'agenouilla près d'une faille et se pencha pour regarder dedans.

— Tu crois que la Bête est là ? demanda-t-il, tout au fond, et qu'elle nous espionne... Si j'avais une lampe-torche je pourrais peut-être voir son œil fixé sur nous ? Il doit être énorme, non ?

Peggy frissonna. Elle saisit le garçon par le col de sa chemise pour l'empêcher de se pencher davantage. Elle avait peur qu'il perde l'équilibre et bascule au fond du trou.

Le chien bleu s'était mis à renifler à l'entrée de ce gigantesque terrier, comme s'il allait débusquer un lièvre.

— Tu sens quelque chose ? s'enquit la jeune fille.

— Oui, fit l'animal. Et l'on entend aussi bouger.

— Il peut s'agir de l'écho d'une rivière souterraine, soupira Sebastian. Comment être sûr de l'existence de ce monstre ? Les gens de Kandarta ont l'air très superstitieux.

Peggy Sue ne répondit pas. Elle fixait le gouffre noir de la lézarde, terrifiée à l'idée d'apercevoir tout à coup un œil géant fixé sur elle.

Le métro du cauchemar

Au début de l'après-midi, le général vint les chercher.

— Je sais que vous n'êtes pas encore convaincus, déclara-t-il, mais une petite visite dans le métro devrait avoir raison de vos hésitations.

— Vous avez le métro ? s'étonna Sebastian. Vu la façon dont vous êtes tous habillés, je pensais que vous viviez plutôt comme au Moyen Age.

— Kandarta n'a pas toujours été ainsi, dit tristement Massalia. Aux premiers temps de sa colonisation, c'était même une planète fort moderne, mais la Dévoreuse a détruit nos industries, nous faisant peu à peu régresser. Le métro date de cette époque. Il ne fonctionne plus.

A ce moment, Peggy Sue constata que Massalia portait en bandoulière une puissante lampe à dynamo.

— Les couloirs sont en principe encore éclairés, observa le général, hélas, on est toujours à la merci d'une panne. Si cela se produit, ne paniquez pas.

Il se voulait rassurant, mais Peggy Sue le sentait nerveux. Ils sortirent du dortoir et gagnèrent une place au centre de laquelle s'élevait une statue de bronze assez laide dédiée à la mémoire d'un roi oublié. L'entrée du métropolitain se trouvait là. Banale. Des ordures s'amoncelaient sur les marches d'accès, et ils durent s'ouvrir un chemin à coups de pied pour parvenir jusqu'à la porte.

Peggy Sue s'était préparée à une déambulation au cœur d'un labyrinthe sinistre. Il n'en était rien. Les couloirs qui s'étiraient devant elle étaient vides et propres, éclairés par des batteries de tubes néon diffusant une lumière blême qui scintillait sur le carrelage humide. On avait beau tendre l'oreille, on ne détectait aucun bruit de cavalcade, aucun roulement de rame, aucun claquement de portières. Les ténèbres ne régnaient qu'à de rares endroits, là où les tubes d'éclairage avaient grillé, mais ces poches de nuit n'excédaient jamais vingt mètres de long. Peggy Sue ne pouvait toutefois s'empêcher de presser le pas chaque fois que Massalia leur faisait traverser ces sections obscures.

Au fur et à mesure qu'ils s'enfonçaient, les adolescents prirent conscience que le silence des lieux était illusoire.

Tout en bas, quelque chose rampait, se frottant aux parois.

Cette reptation s'interrompait parfois pour se changer en un grattement féroce comme aurait pu en produire une main griffant la pierre d'une muraille. Massalia, pâle, ne disait rien. Il avançait moins vite à présent qu'on avait atteint les quais.

— C'était une erreur d'installer un métro, haleta-t-il au moment où ils débouchaient sous la voûte d'une station. On aurait dû prévoir que les tunnels constitueraient de merveilleuses voies de circulation pour la Dévoreuse. Elle s'y est précipitée. C'était ça de moins à creuser ! Elle y a introduit ses tentacules, s'y déplaçant comme dans un terrier. Peu à peu elle a envahi tout le réseau ferroviaire souterrain, provoquant de nombreux accidents. Les gens ont cessé d'emprunter ce moyen de transport, et les rames ont rouillé au long des rails.

Malgré sa peur, Peggy éprouva le besoin de regarder au fond du tunnel.

— Alors, dit-elle, d'après vous, la Bête est quelque part là-dedans ?

Massalia haussa les épaules.

— Pas tout entière, chuchota-t-il. Seulement certains de ses tentacules. C'est un animal gigantesque qui se tient assis au centre du monde comme un poussin dans sa coquille. Je vous l'ai déjà expliqué. Elle considère que tout ce qui occupe la surface de l'œuf lui appartient. Les villes, les hommes... *les enfants.*

Peggy Sue ne trouva rien à objecter. Massalia perçut cependant sa méfiance car il éprouva le besoin d'expliquer une fois de plus :

— C'était un œuf de pierre, en suspension dans le vide sidéral, à la coquille si dure, si épaisse, qu'on peut la confondre avec la roche. Cette coquille était gorgée de minéraux de grande valeur ; voilà pourquoi les premiers colons y ont installé une exploitation minière. Les gisements paraissaient inépuisables, les filons d'une richesse sans égale. *Et puis, peu à peu, ils ont découvert la vérité.* Il leur a fallu des années pour admettre qu'une bête vivait sous leurs pieds, leur fournissant la chaleur dont ils avaient besoin, que c'était elle qui — par l'enveloppe poreuse de l'œuf — rejetait dans l'espace assez d'oxygène pour constituer une atmosphère artificielle. S'ils avaient été sensés, ils auraient dû prendre la fuite, mais le goût de l'argent les a maintenus sur place. Tout cet or... Pour rien au monde ils n'auraient voulu y renoncer. En creusant des puits de mine ils ont ouvert mille passages dans lesquels la Dévoreuse s'est engouffrée, se rapprochant de la surface.

— Et l'appétit de l'animal a grandi, compléta Peggy Sue. Plus elle se développe, plus elle a faim. Mais que fera cette... chose quand elle sera sortie de sa coquille ?

— Elle s'envolera ; elle ira se percher de planète en planète, comme un vautour. Elle planera dans la nuit, cherchant les mondes où l'on compte les enfants par millions. Elle se mettra à grappiller dans les nurseries, les écoles, les collèges.

Peggy Sue frissonna, il lui semblait presque entendre claquer les ailes de ce ptérodactyle de légende, des ailes capables d'obscurcir le soleil et de plonger une planète entière dans la nuit.

— Mais quel est son aspect ? demanda-t-elle. Vous devez bien en avoir une idée ?

Massalia la prit par la main et la conduisit devant la paroi carrelée de la station. Des fresques rudimentaires s'étalaient sur le mur, ébauchant les formes d'animaux fantastiques. C'était tantôt une pieuvre aux tentacules grouillants qui attendait au sein de sa coquille, tantôt une énorme araignée.

— Qui a dessiné ça ? fit Peggy Sue, la gorge nouée.

— Les gens qui voyageaient dans les rames renversées par la Dévoreuse. Ils ont peint ces images pour témoigner de ce qu'ils avaient entraperçu.

Peggy se détourna des dessins.

— Venez, ordonna le vieux chevalier. Cette fois je vais vous montrer quelque chose qui vous convaincra. Il va falloir s'engager dans le tunnel, mais vous n'aurez pas peur, *n'est-ce pas,* puisque vous ne croyez pas à l'existence de la Dévoreuse?

Ne laissant pas le temps aux adolescents de répondre, il sauta du quai pour descendre sur les rails. Peggy et ses amis ne purent refuser de le suivre. Toutefois leur estomac se serra lorsqu'ils s'engagèrent sous la voûte du tunnel de circulation. Massalia actionna la manivelle de la lampe à dynamo, emplissant la galerie d'une lueur tremblotante qui accentuait l'aspect fantastique des lieux. Peggy se rendit compte qu'elle n'avait plus une goutte de salive dans la bouche.

Massalia longeait maintenant les wagons renversés d'une rame jetée hors de ses rails par une collision. La mauvaise lumière ne permettait guère de détailler les formes tourmentées des voitures.

De grandes crevasses sillonnaient le sol. Peggy, prise de vertige, souleva le chien bleu dans ses bras.

— Regardez, haleta tout à coup le chevalier à l'armure bosselée. C'est là, en tête du convoi. La motrice l'a coupé au moment de l'impact, et c'est resté sur place, à se dessécher.

Peggy plissa les yeux. La lanterne tremblait au bout du bras de Massalia, et sa lueur éclairait une bête recroquevillée.

Non, ce n'était pas une bête, plutôt... *une main?* Une main aussi grande qu'un wagon de chemin de fer, une main se terminant par trois longs doigts griffus. La chair en paraissait écailleuse, tendue sur les os par le processus de momification. Dans le mauvais éclairage cela pouvait passer pour le cadavre d'une araignée géante, mais c'était bien une main aux doigts effilés. La chose, quoique ratatinée, n'en dégageait pas moins une formidable puissance. C'était là un outil naturel conçu pour déchirer les matières les plus résistantes.

— C'est l'extrémité d'un tentacule, dit Massalia. Son bout préhensile [1]. La rame l'a tranché net au moment de la collision, il y a de cela trente ans. Il est là depuis tout ce temps. On raconte qu'il a mis une éternité à mourir. Bien que coupé, il rampait au long des wagons, essayant encore de s'y introduire pour s'emparer des jeunes voyageurs.

Le général se tut, incapable d'en dire plus. Peggy Sue prit conscience qu'elle était en train de marcher à reculons, s'éloignant malgré elle de l'étrange débris obstruant le tunnel. Elle trébucha sur un rail et faillit perdre l'équilibre. Sebastian la rattrapa par la manche et la remit d'aplomb.

— Attention, murmura Massalia, toutes ces crevasses mènent directement au centre du monde. Si vous tombiez...

La jeune fille se détourna.

— Alors, fit le chevalier, vous y croyez maintenant ?

L'adolescente ébaucha un mouvement pour se diriger vers la sortie, Massalia l'arrêta.

— Où allez-vous ? gronda-t-il. La visite n'est pas terminée.

Il était sans pitié, et les trois amis durent encore le suivre jusqu'à une autre station où il leur désigna la voûte. Des lézardes la fendaient de bas en haut, comme si elle avait encaissé de formidables coups de bélier.

1. Qui permet d'attraper des objets.

— Vous voyez, dit Massalia. Les tentacules remontent le long des tunnels jusqu'ici, pour marteler le plafond. Au-dessus de nos têtes se dresse l'immeuble du dortoir où vous avez dormi. La Dévoreuse le sait. Elle a senti la présence des enfants. Elle voudrait provoquer un affaissement de terrain. Si la maison s'écroulait, les gosses seraient avalés par les crevasses du sol ; la Bête pourrait alors s'en emparer. Elle ne se contente pas d'attendre passivement, dès qu'elle renifle la présence d'une proie, elle met tout en branle pour s'en saisir. Regardez, combien de temps croyez-vous que la voûte résistera encore ?

Il allait ajouter quelque chose quand un grattement retentit derrière eux. Ils se figèrent, en alerte.

— Hé... chuchota le chien bleu, ça vient du tunnel... *On dirait qu'un truc s'y déplace.*

Peggy sentit la chair de poule lui couvrir les bras. Se tournant vers le général, elle balbutia :

— Dites-moi que je rêve, ça ne peut pas être...

Elle n'osa terminer sa phrase.

Le grattement se rapprochait.

« Un rat, pensa l'adolescente. Un énorme rat... »

Tous les regards étaient désormais fixés sur l'orifice du tunnel à demi obstrué par les wagons rouillés. La « chose » gratta de plus belle, bien décidée à sortir.

— C'est le tentacule, haleta Sebastian. Il n'était pas mort ! Bon sang, général, vous nous avez jetés dans la gueule du loup !

Le chevalier dégaina son épée et s'avança au bord du quai.

— Votre odeur l'a réveillé, grogna-t-il. Ainsi, il n'était qu'endormi ? Je croyais pourtant...

Il ne put en dire plus. Les doigts du pseudopode venaient d'apparaître, griffant la tôle oxydée des wagons.

— On dirait une main de momie ! s'exclama le chien bleu. Bouh ! qu'elle est vilaine !

Les griffes bougeaient au ralenti, encore prisonnières de l'engourdissement du sommeil. Cela ne les empêchait nullement de se tourner vers les visiteurs imprudents.

D'un brusque sursaut, le débris de tentacule s'extirpa du tunnel et retomba sur les rails. La seconde d'après, il escaladait le quai. Massalia lui porta deux coups d'épée. Les blessures, quoique profondes, ne saignèrent pas.

— Sortons d'ici ! lança Sebastian. Ce truc va se débrouiller pour nous couper la retraite.

Il prit Peggy Sue par la main pour l'entraîner vers le couloir menant à la sortie. Devinant qu'ils allaient s'enfuir, le tentacule tranché se propulsa dans leur direction. Par bonheur, il manquait de force. L'un de ses ongles frôla la cuisse de Peggy, crissant sur la toile du jean... La jeune fille eut un sursaut qui lui fit perdre l'équilibre. Elle tomba sur le dos. Immédiatement, la main momifiée se jeta sur elle, la recouvrant de son ombre. Ce fut comme si un crabe géant s'apprêtait à l'enlever dans ses pinces ! L'adolescente hurla, battit des jambes pour lui expédier des coups de bottes...

Puis elle prit conscience que les doigts de cuir ne bougeaient plus.

— Il s'est rendormi ! souffla Massalia. Il n'avait pas assez d'énergie pour remuer plus longtemps. Vite ! Sors de là.

Peggy ne se fit pas prier.

Ils quittèrent le métro en se retournant tous les dix mètres pour s'assurer que l'horrible chose ne les avait pas pris en chasse. Dès qu'ils eurent retrouvé la lumière du jour, Peggy Sue se remplit les poumons d'air frais et déclara :

— Ça va, nous acceptons la mission, mais ne vous faites pas d'illusions, quoi que vous pensiez, nous ne sommes pas des super-héros comme l'Araignée, Hulk ou Batman... Ces gens-là n'existent que dans les BD. Il va falloir régler ce problème avec les moyens du bord. J'espère que votre idée d'arbalète est bonne.

— Si tu en as une meilleure, je suis tout disposé à l'étudier, grommela le chevalier.

*

Le lendemain, alors qu'elle se promenait dans la ville, Peggy Sue prêta davantage attention aux lézardes des trottoirs. Chaque fois qu'elle enjambait l'une d'entre elles, elle jetait un coup d'œil dans l'entrebâillement de la bouche d'asphalte [1] pour tenter de sonder cette obscurité d'où montait une puissante odeur de terre remuée.

Une comptine idiote, agaçante, lui trottait dans la tête : « Loup y es-tu ? Entends-tu ? Que fais-tu ? » Elle marcha plus vite, les yeux rivés au sol. Le bitume étendait son réseau de craquelures à travers toute la cité, découpant le goudron en cases hexagonales presque régulières.

1. Revêtement goudronneux qui recouvre les rues.

La petite chanson continuait à tourner dans la tête de Peggy : *Loup y es-tu? Entends-tu? Que fais-tu?*

Soudain, alors qu'elle enjambait une nouvelle crevasse, elle crut voir briller quelque chose dans les ténèbres. Un œil perdu à des kilomètres sous ses pieds, un œil énorme et luisant. Une braise vivante braquée sur elle, et pleine d'une affreuse malice. Elle décida de ne pas s'arrêter.

La comptine retentit une dernière fois dans son esprit : *Loup y es-tu? Entends-tu? Que fais-tu?*

Il lui sembla alors qu'une voix monstrueuse résonnait sous ses pieds, faisant vibrer le trottoir, et cette voix disait :

J'y suis, je t'entends... et je vais m'occuper de toi, misérable petite Terrienne!

La colo de l'enfer

Le lendemain, Massalia déclara :

Afin de vous familiariser avec les particularités de Kandarta, j'ai fait le nécessaire pour que vous exerciez, l'espace d'une semaine, la fonction de moniteurs dans un dortoir fortifié. Cette expérience vous sensibilisera aux dangers de la planète et augmentera vos chances de survie. Vous connaissez le vieil adage : « La plus grande force du vampire, c'est de réussir à faire croire qu'il n'existe pas. » Il en va de même pour la Dévoreuse, moins on croit à son existence, plus on est en danger.

Avant d'avoir eu le temps de réagir, Peggy, Sebastian et le chien bleu se retrouvèrent au pied d'un bâtiment cubique qui ressemblait davantage à un tombeau qu'à un dortoir.

— Je dois vous prévenir qu'il s'agit d'un abri réfrigéré, fit le chevalier.

— Un quoi? glapirent les trois amis.

— Comme tous les animaux qui vivent dans un œuf la Dévoreuse déteste le froid, expliqua Massalia. Elle n'aime que le chaud et se tient à l'écart de la glace ou de la neige. Cela nous a donné l'idée de cacher nos enfants dans d'immenses réfrigérateurs aménagés en dortoir. Ainsi la température est trop basse pour que la bête vienne leur chercher noise. C'est une ruse assez habile, je trouve.

N'osant le contredire, Peggy examina le bâtiment dont les parois de brique étaient couvertes de buée.

— Un frigo... souffla-t-elle. Un frigo d'une hauteur de dix étages... c'est bien ça?

— Oui, jusqu'à présent le stratagème a donné de bons résultats. Mais fabriquer du froid coûte cher, aussi cet abri est-il payant. On y accueille uniquement les enfants des seigneurs ou des riches marchands. Je vous souhaite un bon séjour.

Les gardes en faction entrebâillèrent les portes du bâtiment; aussitôt Peggy fut giflée par une bourrasque polaire qui la fit reculer.

— Entrez! ordonna la sentinelle, le froid est en train de s'échapper, on ne peut pas laisser la porte ouverte plus de cinq secondes. Vous trouverez des anoraks au vestiaire.

Et, d'une bourrade, il propulsa les adolescents dans le vestibule.

Peggy Sue écarquilla les yeux. Le plancher était couvert de givre et des pendeloques de glace hérissaient le plafond.

— On se croirait à l'intérieur d'un iceberg! murmura Sebastian.

— On pèle de froid, oui! grogna le chien bleu. J'ai déjà les pattes gelées. Je vous préviens, je n'ai pas la vocation de chien de traîneau!

Une armoire à demi ensevelie sous la neige trônait dans l'entrée, Peggy batailla pour en ouvrir les portes que le gel avait soudées. De vieux anoraks reprisés pendaient à une tringle. Elle s'en empara.

A peine avait-elle enfilé le sien qu'elle reçut une boule de neige durcie en plein visage.

Elle avait été lancée par un gosse d'une dizaine d'années qui venait de surgir au bout du couloir.

— Vous êtes les nouveaux monos? leur cria-t-il. j'espère que vous connaissez des jeux amusants, on s'ennuie comme des rats morts ici!

Il portait un bonnet de laine rouge enfoncé jusqu'aux sourcils, et ricanait méchamment.

— Comment t'appelles-tu? s'enquit Peggy Sue.

— Eric de la Lande noire du Bois-Joli, lança l'enfant, et je suis fils de baron. Si tu me punis, mon père te fera bâtonner par ses valets! Vous, les monos, vous n'êtes que des serviteurs, alors n'essayez pas de faire la loi. V'z'êtes prévenus!

« Charmant bambin », songea Peggy en se forçant à sourire.

— Si tu nous faisais visiter la maison? proposa-t-elle.

— Non! grogna le garçonnet, ça m'ennuie, débrouillez-vous tout seuls. C'est quoi ce chien bleu idiot? Est-ce qu'on pourra lui attacher des casseroles à la queue?

— Tu peux toujours essayer, gronda l'animal, du moins si tu n'as pas peur de perdre trois ou quatre doigts, car mes crocs tranchent encore assez bien la viande de marmot.

Eric lui lança une nouvelle boule de neige que le chien bleu esquiva sans peine, puis il s'enfuit en hurlant : « Les nouveaux monos! Les nouveaux monos sont arrivés, z'ont l'air de vrais crétins! »

— Ça commence bien, marmonna Sebastian. Je sens que je vais botter un certain nombre de fesses dans les jours à venir.

— Du calme, fit Peggy. Ecoutons ce que ces mioches ont à nous dire. Nous devons en apprendre le plus possible sur les coutumes de la planète.

Monter les escaliers s'avéra difficile car les marches étaient tapissées de glace. Il fallait se cramponner à la rampe pour éviter de perdre l'équilibre et de dévaler les étages sur le dos. Les enfants se pressaient sur les paliers pour accueillir les nouveaux moniteurs. Certains leur disaient poliment bonjour, mais d'autres leur adressaient de vilaines grimaces. Ils étaient tous emmitouflés dans des anoraks plus ou moins déchirés.

— Où dormez-vous ? leur demanda Peggy.

— Dans des igloos, expliqua une petite fille prénommée Chloé. Les anciens monos les ont construits dans les dortoirs parce qu'il faisait trop froid pour dormir dans des lits.

Peggy put vérifier qu'elle ne mentait pas. Chaque dortoir abritait une dizaine de gros igloos.

— On s'ennuie, se lamenta Chloé, au début c'était comme des vacances à la neige, on faisait du ski et de la luge dans les escaliers, mais ça dure depuis trop longtemps. Maintenant on veut rentrer chez nous.

Peggy Sue essayait de dominer son étonnement. Des bonshommes de neige trônaient dans les couloirs, les escaliers avaient été aménagés en piste de ski. L'eau avait gelé dans les baignoires et les lavabos.

— Le seul truc bien, ricana un garçon, c'est qu'on ne peut plus se laver depuis des semaines !

Au détour d'un corridor, Sebastian découvrit deux adultes gelés qu'il prit d'abord pour des statues bleuâtres. Les malheureux étaient morts pendant leur sommeil.

— Qui est-ce? demanda-t-il.

— Les anciens monos, répondit Chloé. Ils ne voulaient pas nous laisser rentrer chez nous, alors Eric leur a mis du sirop pour dormir dans leur café. Ils se sont écroulés avant d'avoir pu rentrer dans leur igloo, et ils sont morts gelés.

— C'est affreux, s'exclama Peggy Sue.

La petite fille haussa les épaules.

— C'étaient juste des serviteurs, fit-elle distraitement. Et puis ils étaient très ennuyeux. Ils ne savaient pas inventer des jeux amusants. J'espère qu'on rigolera davantage avec vous.

Sebastian bouillait de colère.

— Si je comprends bien, il va falloir se tenir sur nos gardes, fit-il, les dents serrées.

*

Le dortoir réfrigéré abritait une centaine d'enfants issus des plus riches familles de la ville. Ils étaient tous maussades et multipliaient les mauvaises blagues pour tuer le temps. Peggy Sue tint à examiner les murs. La petite Chloé (qui en réalité se nommait Chloé Adélaïde Sophie de la Roche verte du Lac-Bleu... et était fille de duc) lui désigna les endroits où, en grattant le givre, on pouvait mettre au jour les balafres de ciment par où s'introduisaient, jadis, les tentacules de la Bête.

Se saisissant d'un racloir, Peggy frotta la paroi. Elle ne tarda pas à tomber sur des colmatages témoignant qu'on avait obturé de gros trous dans la maçonnerie.

— C'était avant qu'on installe le système de congélation, commenta obligeamment la petite fille. Ici, c'était un dortoir pour enfants pauvres. On se contentait de les enfermer dans des cages... Ça ne marchait pas, parce que la Dévoreuse est assez forte pour tordre les barreaux. Le froid est une meilleure protection. La Bête n'aime pas se geler les pattes.

Peggy examina la balafre de ciment.

— Les murs sont épais, fit Chloé, mais la Dévoreuse enlevait les briques une à une, pour s'ouvrir un passage. Ça finissait par creuser une espèce de couloir dans l'épaisseur de la cloison... et personne ne s'en rendait compte jusqu'au moment où sa patte jaillissait pour attraper un gosse de pauvre.

— Elle ne mange que des enfants?

— Oui, elle n'aime pas le goût des adultes. Moi, à sa place je ferais pareil, sauf que je ne prendrais pas des enfants pauvres qui sont plutôt sales et sentent mauvais. Je mangerais des fils de duc ou de comte. Des princes, si j'en trouve.

Peggy Sue tapa dans ses mains pour se réchauffer. Quelqu'un lui lança méchamment une boule de neige remplie de cristaux de glace.

— Tu vas inventer de nouveaux jeux? s'enquit Chloé. Tu as intérêt, parce que sinon Eric et ses copains t'en feront voir de toutes les couleurs.

Un peu plus tard, l'adolescente rejoignit Sebastian à la cantine. Le cuisinier, un gros homme jovial nommé Zavrapa, leur fit mille recommandations.

— Ce sont de sales gosses, grommela-t-il dans sa barbe. Et méchants avec ça! On pourrait même dire dangereux. Je vous conseille d'ouvrir l'œil.

— Ça fonctionne, cette histoire de froid? interrogea Sebastian, pratique.

— Oui, dit Zavrapa. La bête déteste se geler le bout des pattes. Avant, c'était une autre chanson. J'en ai vu de pauvres mioches disparaître dans les murs, un tentacule noué autour du ventre.

— Mais les cages? s'étonna Peggy.

Le cuisinier haussa les épaules.

— Du pipeau, ma jolie! La Bête les tordait et les éclatait comme si c'était du fer-blanc. Les chambres fortes, elle les ouvrait comme j'ouvre une boîte de haricots à la tomate. Le problème, c'est qu'on est en permanence à la merci d'une panne de compresseur. Si le système frigorifique cessait de fabriquer du froid, la température grimperait vite... et la Dévoreuse le sentirait. Elle ne mettrait pas longtemps à revenir faire son marché chez nous. (Il eut un mauvais sourire, baissa la voix, et ajouta :) Des fois, ces sales gosses m'énervent tellement que je dois me retenir d'aller saboter la machine, pour avoir la satisfaction de les offrir en pâture à la bête... mais, chut! ça doit rester entre nous.

La nuit venue, Peggy Sue, Sebastian et le chien bleu se calfeutrèrent dans leur igloo tandis que Zavrapa se barricadait dans sa cuisine pour échapper aux mauvaises blagues d'Eric et de ses copains.

*

Dans les jours qui suivirent, Peggy Sue essaya vainement de nouer des liens d'amitié avec les enfants; la plupart se détournèrent d'elle avec dédain car, à leurs yeux, elle n'était qu'une servante, et il eût été indigne de leur rang de « copiner » avec une inférieure.

Sebastian fit de son mieux pour organiser des séances d'escalade sur les murs, des courses de toboggan dans les escaliers gelés, et le chien bleu accepta de jouer le rôle du loup dans les jeux des garçons.

— Ça me plaît bien, confia-t-il à Peggy, le problème c'est que j'ai le plus grand mal à me retenir de les dévorer *pour de vrai!*

Peggy Sue, elle, sondait les murs et visitait les lieux. Dans les caves du bâtiment elle découvrit un grand nombre de cages tordues, aux portes arrachées. A n'en pas douter, la bête des souterrains jouissait d'une force peu commune.

Un jour qu'elle était plongée dans sa contemplation, elle entendit Eric ricaner dans son dos.

— Ça devait être super ! lança le garçonnet. Les tentacules qui sortaient des murs, tout ça... Ça devait être vraiment *top*...

— Tu sais qu'elle attrapait les gosses de ton âge pour les dévorer ? souligna Peggy.

— Oui, siffla l'enfant, mais au moins ils ne s'ennuyaient pas, *eux!* Moi, j'aurais attendu l'arrivée des tentacules avec une hache... et tchac ! Tchac ! je les aurais coupés en rondelles, comme du saucisson.

— Toi, tu es très fort, se moqua Peggy.

— Bien sûr, se rengorgea Eric. Les autres, c'étaient des enfants pauvres, des fils de palefreniers, de valets ; ils ne savaient pas y faire. Moi, j'ai du sang de chevalier dans les veines.

— Peut-être que la Dévoreuse aime justement ça, le sang de chevalier, grogna la jeune fille, agacée par tant de vantardise.

— Un jour, murmura Eric, je saboterai la machine qui fabrique le froid... comme ça, la Bête reviendra, et je l'attendrai, avec mon armée de copains.

— Ne touche pas au compresseur, gronda Peggy, ce serait criminel.

L'enfant se dressa sur ses ergots et siffla d'un air dédaigneux :

— Tu n'as pas d'ordre à me donner... t'es qu'une petite servante de rien du tout. Si tu m'embêtes, je te ferai administrer dix coups de fouet par l'écuyer de mon père ; tu en garderas les fesses rouges pendant six mois !

— Sale petit... s'emporta Peggy Sue, mais déjà le gosse s'était enfui en hurlant de rire.

*

Chaque soir, Peggy, Sebastian et le chien bleu regagnaient l'igloo réservé aux moniteurs car il était impossible d'utiliser les lits du dortoir.

— J'ai essayé d'ouvrir l'un d'eux, expliqua la jeune fille, la couverture était tellement gelée qu'elle s'est cassée comme du verre ! Les draps ont l'air d'avoir été taillés dans du carton.

— Il faut se méfier de ces sales gosses, grommela Sebastian. A plusieurs reprises, au cours des activités sportives, ils ont tenté de me faire tomber dans l'escalier. Chaque fois, ils se sont poliment excusés, mais leurs sourires ne m'ont pas convaincu. Ils sont mauvais, ils ne veulent pas être surveillés. Nous sommes des gêneurs.

— Sûr qu'ils manigancent un truc pas clair, approuva le chien. Ils chuchotent dans les coins, ils complotent. Il serait utile de rester sur nos gardes.

Les trois amis obturèrent l'entrée de l'igloo au moyen d'un bloc de glace et allumèrent une petite lampe à huile. Sebastian fouilla dans la cantine cabossée des anciens moniteurs pour en tirer de quoi manger. Le soda avait gelé dans les bouteilles, les tablettes de chocolat étaient plus dures que du marbre. On se serait cassé les dents en essayant de les mordre !

— Il faut faire attention à ce qu'on boit, insista Peggy. L'une des gamines m'a avertie que le petit Eric avait endormi les précédents monos en versant un somnifère dans leur café. S'il recommençait, il lui serait facile de nous sortir de l'igloo pendant que nous dormons... et de nous laisser geler dans le couloir. Au matin, nous serions transformés en statues de glace.

— Je propose d'instaurer un tour de garde, lança le chien bleu.

— D'accord ! vota Peggy.

— Ouais, fit Sebastian qui essayait toujours de casser la tablette de chocolat en trois parts égales.

Le chien prit la première garde. Les adolescents s'endormirent pendant que la neige sortait des bouches de ventilation avec des ululements d'ouragan.

*

Le lendemain, Sebastian organisa une grande randonnée à travers les escaliers. On s'encorda pour escalader les marches que la glace avait entièrement recouvertes. Grimper jusqu'au dernier étage était à peu près aussi difficile que de s'attaquer à la paroi d'une montagne. Sebastian prit la tête de la cordée, le piolet à la main, des chaussures à crampons aux pieds.

— Cette fois, on va jusqu'au dixième étage! annonça-t-il. Pas question de se dégonfler avant!

Les gosses grommelèrent. Il y avait belle lurette que les cours d'escalade ne les amusaient plus.

— On a déjà fait ça mille fois! protesta Eric, c'est d'un ennui!

Refusant de les écouter, Sebastian donna l'ordre du départ. Peggy avait installé le chien bleu dans son sac à dos. L'effort la mit rapidement en sueur. Les escaliers formaient une immense patinoire inclinée à 45°. Si l'on dérapait, on glissait sur ce toboggan jusqu'au rez-de-chaussée sans pouvoir s'arrêter. Il fallait se montrer vigilant.

Entre deux manœuvres, elle surveillait les enfants, attentive à leurs chuchotements. Elle s'attendait à une fourberie.

« Ils vont couper ma corde, se disait-elle, et se débrouiller pour me faire perdre l'équilibre... »

Mais rien de tout cela ne se produisit.

A chaque palier, on découvrait un bonhomme de neige modelé lors d'une précédente expédition.

— Vous voyez bien qu'on est déjà venus! trépignait Eric. On a déjà fait ça avec les autres monos. C'est casse-pieds! Les escalades, le ski, la luge, on en a ras le bol!

— Tais-toi et grimpe! ordonna Sebastian. Je suis sûr qu'il n'y a pas de bonhomme de neige au dixième étage. Ce sera un grand honneur d'un fabriquer un.

— Tu parles ! grommela entre ses dents le petit garçon.

Peggy Sue n'était pas tranquille, son instinct lui soufflait que quelque chose se tramait. Les enfants feignaient de grogner mais leurs yeux pétillaient de malice, comme s'ils préparaient une bonne blague.

Enfin, après avoir beaucoup transpiré, on atteignit le palier du dixième. A cette altitude les bouches de ventilation rugissaient, vaporisant dans l'air une tornade de flocons de neige.

— Au-dessus, expliqua la jeune Chloé, c'est le grenier. L'endroit le plus froid du bâtiment. On le surnomme le « freezer ». Des tas d'objets amusants y sont entreposés, mais on ne peut pas s'amuser avec parce qu'ils sont pris dans la glace. Il y a de belles poupées anciennes... en porcelaine, avec des robes magnifiques. Il faudrait creuser pour les récupérer. C'est trop difficile.

Peggy déboucha l'énorme Thermos que lui avait remise Zavrapa le cuisinier et distribua du chocolat bouillant aux enfants rassemblés autour d'elle. Sebastian, aidé des garçons, avait entamé la confection d'un bonhomme de neige géant.

« Nous ne devrions pas nous attarder ici, chuchota mentalement le chien bleu. J'ai un mauvais pressentiment. »

Peggy Sue essayait de conserver un œil sur Eric, mais les flocons de neige l'aveuglaient, rendant toute surveillance difficile.

Soudain, Chloé se jeta contre elle en sanglotant. Elle semblait effrayée.

— Que se passe-t-il? s'inquiéta Peggy Sue.

— C'est Emma! balbutia la petite fille. Elle est grimpée à l'étage du dessus, pour se faufiler dans le grenier... à... à cause des poupées... La porte s'est refermée sur elle! On n'arrive plus à l'ouvrir.

— Ce n'est pas grave, fit Peggy. On va la sortir de là.

— *Si, c'est grave!* trépigna Chloé. On ne peut pas rester plus de cinq minutes dans le « freezer »! Elle est peut-être déjà morte!

Peggy appela Sebastian à la rescousse et lui expliqua la situation. Si la porte était coincée, la force herculéenne du garçon n'aurait aucun mal à en venir à bout.

Guidée par Chloé, les jeunes gens se hissèrent à l'étage supérieur.

— Emma! Emma! criait la petite fille. On arrive! Tiens bon!

Une véritable tempête de neige les accueillit, leur coupant la respiration. Peggy distingua vaguement les contours d'un couloir étroit au bout duquel se découpait une porte encroûtée de givre.

— C'est là! C'est là! hurla Chloé d'une voix de souris qui vient de se coincer la queue dans un piège.

Sebastian expédia un coup d'épaule dans le battant d'acier blindé. Les charnières hurlèrent mais la porte s'entrebâilla. Les deux jeunes gens se glissèrent dans le grenier.

— Emma? appela Peggy. Emma! Où es-tu?

Les parois du grenier disparaissaient sous un bon mètre de glace, à tel point qu'on se croyait vraiment à l'intérieur d'un iceberg.

« On dirait des vitrines, constata Peggy Sue. Il y a quelque chose à l'intérieur... sans doute les poupées dont parlaient Chloé. »

— Emma ? cria-t-elle de nouveau.

On n'y voyait pas grand-chose et elle craignait par-dessus tout de découvrir la fillette recroquevillée sur le sol, gelée. Elle ne se le serait jamais pardonné.

Un coup de tonnerre la fit sursauter. Elle se retourna. Chloé avait disparu et la porte d'acier venait de claquer dans leur dos.

— Bon sang ! gronda Sebastian. On s'est fait avoir ! Il n'y pas plus d'Emma ici que de pépites d'or dans un morceau de gruyère !

— Ils ont bloqué la porte ! constata l'adolescente. Essaye de l'enfoncer. Tu y arriveras peut-être...

Sebastian obéit. Hélas, ses assauts demeurèrent vains. Le battant de métal ne bougea pas d'un pouce.

— C'était ça le piège ! remarqua le chien bleu. Ils vont nous laisser geler ici.

— Mais non, plaida Sebastian. Ce n'est qu'une blague. Ils veulent juste nous faire peur. Ils vont rouvrir d'ici deux minutes.

— J'en suis moins sûre que toi, balbutia Peggy. Viens voir...

La jeune fille se tenait penchée sur la « vitrine » de glace recouvrant les murs, scrutant les ombres qui s'y tenaient recroquevillées. Sebastian la rejoignit.

— J'ai d'abord cru que c'étaient des poupées, gémit Peggy Sue, mais regarde...

— Ce... ce sont des humains ! bégaya le garçon.

— Oui, je crois qu'il s'agit des anciens moniteurs ! Tous ceux qui nous ont précédés. Eux aussi ont été victimes du même piège, et ils ont gelé au point de se transformer en statues ! Je commence à comprendre pourquoi Massalia nous a expédiés ici. C'est une épreuve de sélection ! Un test ! Nous ne sommes pas les premiers à qui le général demande de l'aide...

— Oh ! haleta le chien bleu, tu veux dire qu'il y avait d'autres super-héros avant nous sur sa liste d'embauche ? Je suis scandalisé ! *Nous n'étions pas les premiers ?* Quel camouflet !

— Voilà tout ce qui reste des précédents concurrents, expliqua Peggy en désignant la paroi de glace. De toute évidence, ils ont raté l'examen ! Les gosses de la colo les ont bernés. Massalia se sert d'Eric et de ses copains pour sélectionner ses champions... Si l'on ne survit pas à l'épreuve, il traverse de nouveau l'espace pour aller proposer l'affaire à quelqu'un d'autre.

— Le cochon ! s'indigna le chien bleu. Nous aurions dû être les premiers sur la liste ! Nous sommes les meilleurs !

— D'accord, j'ai pigé, soupira Sebastian. Mais le plus important c'est d'essayer de sortir d'ici avant de rejoindre ces pauvres diables dans la « vitrine » ! Le froid a tendance à me priver de mes forces, si nous attendons trop longtemps je serai bientôt aussi faible qu'un nouveau-né.

Pendant un quart d'heure les trois amis unirent leurs forces pour tenter de débloquer la porte. Cette débauche d'énergie, si elle restait sans effet sur le battant, avait au moins le mérite de les réchauffer, car la température à l'intérieur du « freezer » était celle d'un congélateur.

— C'est une porte blindée munie d'un système de verrous multiples, diagnostiqua Sebastian. Au lieu de s'acharner dessus, nous ferions peut-être mieux de contourner l'obstacle.

— Tu veux dire passer par le toit? suggéra Peggy.

— Pourquoi pas?

Les adolescents occupèrent les trente minutes qui suivirent à essayer d'atteindre le plafond du grenier. La glace rendait cet exploit impossible. Dès qu'ils se hissaient sur quelque chose, ils dérapaient et s'affalaient dans la neige tapissant le plancher.

— Je m'affaiblis, avoua Sebastian. C'est le froid... Ma force me quitte... Je suis capable de véritables exploits lorsqu'il fait chaud, mais l'hiver me prive de mes pouvoirs. Je suis désolé... je crois que nous sommes fichus.

Peggy voulut protester, puis elle réalisa qu'elle n'en avait plus le courage. La somnolence la gagnait; cette somnolence sournoise qui prélude à la mort dans les espaces glacés.

— Reposons-nous un instant, gémit-elle. Blottissons-nous les uns contre les autres pour nous tenir chaud. Il ne faut pas s'endormir. Surtout pas!

Ils firent comme elle proposait. Très vite, la neige les recouvrit.

Ils commençaient à s'engourdir quand des coups sourds ébranlèrent la porte qui finit par s'ouvrir dans un jaillissement d'éclats de glace. Zavrapa, le cuisinier, se tenait sur le seuil, emmitouflé dans une parka polaire, une masse de fer au poing.

— Vous êtes encore vivants? demanda-t-il. Ces sales gosses avaient bloqué le battant avec des coins de chêne. Le gel avait tout soudé. J'ai bien cru que je n'y arriverais jamais.

— Où sont-ils ? bredouilla Peggy en se redressant.

Elle dut répéter car ses dents claquaient tellement que ses paroles étaient incompréhensibles.

— Je ne sais pas, avoua le cuisinier. Ils ont essayé de m'enfermer dans l'office mais j'ai réussi à m'échapper par un conduit de ventilation. C'est encore une manigance du petit Eric... Il est descendu avec ses copains à la cave, en verrouillant toutes les grilles de sécurité derrière lui.

— Oh ! murmura Peggy. Je crois que j'ai compris... Il prépare une belle bêtise. Il faut se dépêcher de les rejoindre avant qu'un drame ne se produise.

Ils grelottaient tous, et même les crocs du chien bleu s'entrechoquaient avec des bruits de porcelaine brisée.

A la suite de Zavrapa, ils descendirent l'escalier pas à pas. La glace recouvrant les marches leur interdisait d'aller vite. Au premier faux pas, ils auraient dévalé les dix étages sur le dos, à une vitesse vertigineuse, pour s'écraser au rez-de-chaussée.

Alors qu'ils atteignaient le quatrième étage, le cuisinier fronça les sourcils.

— Hé ! souffla-t-il, vous ne trouvez pas qu'il fait chaud ?

— Il ne neige plus dans les couloirs, remarqua Peggy. Les bouches de ventilation ne crachent aucun flocon !

— Je vous dis qu'il fait chaud ! insista Zavrapa. Ce n'est pas normal. La température a monté d'au moins 10 degrés !

— Vous avez raison, s'exclama Sebastian, la glace fond... Regardez ! Il y a des flaques d'eau partout, et les stalactites gouttent comme des robinets mal fermés.

— C'est Eric ! lança Peggy Sue. Il a saboté le compresseur ! Tout l'immeuble va se réchauffer... Il m'en avait parlé mais je pensais qu'il s'agissait d'une simple vantardise.

— Pourquoi ? s'étonna Sebastian. Il en avait assez d'avoir froid ?

— Non, ce n'est pas ça... répondit la jeune fille. Il veut attirer la Dévoreuse pour l'affronter comme un chevalier. C'est une idée fixe chez lui. Il m'a dit qu'il s'ennuyait tellement qu'il préférait encore être emporté par un tentacule que de rester enfermé ici jusqu'à ce qu'il devienne trop grand pour intéresser encore la Bête.

— Quel petit idiot ! s'exclama le cuisinier.

— Non, moi je le comprends, fit le chien bleu. C'est vrai qu'on s'ennuie à mourir dans cette colonie de vacances. Et Sebastian ne vaut décidément rien comme moniteur !

— Toi, le cabot à cravate... commença le garçon, vexé.

— Ça suffit ! trancha Peggy. Descendons à la cave. C'est là qu'ils sont. Essayons d'empêcher le drame qui se prépare.

C'était plus facile à dire qu'à faire. A tous les étages la neige et la glace avaient commencé à fondre, donnant naissance à des cataractes qui menaçaient de se changer en inondation. Il pleuvait dans les couloirs et dans les chambres, partout où les stalactites se liquéfiaient.

Zavrapa consulta le thermomètre fixé sur le palier du troisième étage.

— Il fait déjà 7 degrés, annonça-t-il, et le mercure monte en flèche. Ces jeunes crétins ne se sont pas contentés de couper la congélation, ils ont aussi allumé tous les anciens radiateurs.

— Ils comptent sur la chaleur pour attirer la Dévoreuse, expliqua Peggy. Le dortoir n'est plus sécurisé. Il y fait chaud, et l'odeur des enfants rassemblés va éveiller l'appétit de la bête des souterrains.

Pataugeant dans la gadoue, ils atteignirent enfin le rez-de-chaussée. L'eau ruisselait sur les murs, coulait sous les portes. On se serait cru dans un navire en train de sombrer !

Peggy Sue prit la direction du sous-sol, là où étaient installées les machines contrôlant l'atmosphère du bâtiment. Une grille verrouillée les arrêta au seuil de la chaufferie. Les enfants s'étaient retranchés derrière cet obstacle. Eric paradait, le trousseau de clefs suspendu à sa ceinture. Il portait un curieux déguisement confectionné à l'aide de matériaux récupérés ici et là. Une marmite posée sur sa tête lui tenait lieu de casque, et il avait coincé un plateau de fer dans la ceinture de son pantalon pour se fabriquer une espèce de cuirasse. Dans la main gauche il tenait un grand couvercle inoxydable (sans doute un bouclier ?), dans la droite un tisonnier dont le bout avait été aiguisé.

— La chaudière a été poussée au maximum ! bredouilla le cuisinier. Il fait 28 !

On étouffait. Peggy et Sebastian durent ôter leurs anoraks.

— Eric ! cria la jeune fille, arrête de faire l'idiot ! Baisse le chauffage et ouvre cette grille !

— Pas question ! hurla le garçonnet. Je suis un chevalier, et j'attends l'arrivée du dragon... Je vais le décapiter et l'on n'entendra plus parler de lui ! Je deviendrai un héros, on me nommera roi de Kandarta.

Au comble de l'excitation, il sautait sur place en agitant son tisonnier. D'autres garçons vinrent se joindre à lui, pareillement affublés d'ustensiles de cuisine. L'un d'eux agitait dangereusement une hache d'incendie trop lourde pour lui.

— Il va se couper le pied ! ricana le chien bleu. Ça lui servira de leçon.

Peggy, cramponnée à la grille fermant l'accès de la chaufferie, essaya vainement de les raisonner.

— Nous sommes les chevaliers de la Table ronde ! brailla Eric, nous allons tuer la Dévoreuse, et je deviendrai roi !

Les gosses juchés sur les tuyaux poussèrent des cris de triomphe. Utilisant les marteaux et les clefs anglaises volés sur l'établi d'entretien, ils se mirent à frapper les canalisations en cadence, improvisant un concert assourdissant.

Sebastian empoigna les barreaux et commença à les tordre pour se ménager un passage. La chaleur excessive lui avait rendu ses forces. Il allait réussir quand un coup violent ébranla le mur de la chaufferie. Tout le bâtiment trembla sur ses bases.

Les enfants cessèrent aussitôt leur vacarme. Sur la paroi, les anciennes crevasses obturées crachaient des gravats et de la poussière de ciment.

— Elles sont en train de se rouvrir ! hurla le cuisinier. C'est la Dévoreuse ! Elle arrive !

Et, cédant à la terreur, il s'enfuit en courant.

Le reste se passa très vite, ne laissant pas aux adolescents le temps d'intervenir.

La muraille s'entrebâilla dans un nuage de poussière. De l'énorme fissure jaillit alors un tentacule bleuâtre qui ondula paresseusement au milieu des machines. La plupart des enfants poussèrent des cris de terreur, mais Eric et ses « chevaliers » se portèrent vaillamment à l'attaque.

— Montjoie ! Saint-Denis [1] ! lança-t-il en frappant le pseudopode avec son tisonnier. Ah ! Malebête [2] ! Tu vas payer pour tes crimes !

Ses yeux brillaient d'excitation, et il se jeta dans la bataille avec un plaisir évident.

Malheureusement les choses ne tournèrent pas comme il l'avait prévu. Après avoir tournicoté deux fois autour de la salle, le tentacule se noua autour d'Eric et le souleva dans les airs.

— Vite ! cria Peggy, il faut le rattraper !

Sebastian défonça la grille et bondit dans la salle à l'instant même où le tentacule disparaissait à l'intérieur de la crevasse, emportant l'enfant avec lui.

Peggy Sue se précipita vers la lézarde mais Sebastian la retint.

— Attention ! souffla-t-il, tu vas tomber...

La jeune fille passa la tête dans l'ouverture. Ce fut comme si elle essayait d'apercevoir le fond d'un puits. Il faisait noir, et la faille s'ouvrait sur un abîme insondable. Une odeur détestable en montait. Un relent de poisson pourri ou d'ammoniaque. De très loin lui parvint l'écho des appels au secours d'Eric.

— Elle l'emmène... constata Sebastian. On ne peut plus rien pour lui.

— Il l'a bien cherché, marmonna le chien bleu. Je ne verserai pas une larme sur ce jeune imbécile, il m'a trop souvent tiré la queue.

---

1. Ancien cri de guerre des chevaliers du Moyen Age.
2. Mauvaise bête en vieux français.

Peggy s'empressa de faire évacuer la chaufferie. Cette fois, les gosses ne se firent pas prier pour regagner les étages. Sebastian coupa le chauffage et réenclencha le système de refroidissement.

*

Pendant deux jours les enfants restèrent abattus, puis ils se ressaisirent et retrouvèrent leur arrogance naturelle. Un autre garçon, prénommé Thibault, prit la place d'Eric et encouragea ses camarades à continuer le combat.

— Nous étions mal préparés, répétait-il, la prochaine fois nous serons mieux armés!

En les entendant, Sebastian hocha tristement la tête :

— Ils sont indécrottables, soupira-t-il. Nous voilà revenus à la case départ.

Heureusement, Massalia vint les délivrer avant que les choses ne tournent mal, et les trois amis quittèrent le congélateur géant avec un soupir de soulagement.

— Je suis satisfait, fit le général, vous êtes les premiers à sortir vivants du bâtiment. Tous ceux qui vous ont précédés ont échoué. Vous avez triomphé de l'épreuve haut la main. Cela augure bien de la suite des événements.

— Le jeune Eric a été capturé par la Dévoreuse, souligna Peggy.

— Je sais, fit Massalia d'un ton distrait. Au moins il a eu la chance de mourir en vrai chevalier, les armes à la main.

« *Les armes?* ricana mentalement le chien bleu. Un tisonnier, oui! Tu parles d'un honneur! »

La malédiction du chou bleu

Peggy Sue tint à visiter le reste de la ville pour se faire une idée de la situation. Dans les maisons délabrées des travailleurs, elle put voir les murs crevassés, mal rebouchés... et surtout les bébés enfermés dans de petites cages grillagées qui leur tenaient lieu de berceaux et que des piquets fixaient au sol.

— Au début c'était une protection suffisante, lui confia une mère, mais plus maintenant, la Bête est devenue trop forte. Plus elle mange, plus sa puissance augmente, et ses tentacules deviennent plus nombreux. Elle en a de toutes les tailles. Des gros, des petits. J'ai peur pour mes fils... trois d'entre eux ont déjà été enlevés. Je les ai vus disparaître à l'intérieur du mur... J'en rêve encore la nuit.

Peggy serra la pauvre femme dans ses bras et sortit de la maison. Elle était bien décidée à combattre le monstre. Le problème, c'est qu'elle n'avait aucune idée sur la manière dont elle devrait s'y prendre.

Elle en apprit davantage dans une autre famille. Le père, qui se prénommait Wladek, lui expliqua :

— Le seul moyen dont on dispose quand on n'a pas assez d'argent pour expédier les gosses dans des colos de sécurité, c'est de leur faire manger des aliments qui donnent à leur chair un goût abominable.

— Ça existe ? s'étonna Peggy.

— Oui, le *chou bleu*... C'est atroce. Quand on en mange, on se met à puer comme trente-cinq cochons arrosés de fumier. La bête des souterrains n'aime pas ça. Elle n'enlève jamais les enfants qui se nourrissent exclusivement de chou bleu.

A première vue, cela semblait une solution idéale, mais quand la jeune fille interrogea Gerta, la fille de Wladek, celle-ci se mit à pousser des cris de protestation.

— Le chou bleu, c'est dégoûtant ! glapit-elle. Personne n'est capable de l'avaler sans vomir. Et puis, si on en mange tous les jours, on sent mauvais pour le restant de sa vie. *L'odeur ne s'en va jamais !* J'avais une copine, Brigitte, qu'on gavait de chou bleu... Au bout d'un mois, elle puait tant que j'ai dû arrêter de la voir. Impossible de lui faire la bise sans dégobiller ! Même ses parents se mettaient une pince à linge sur le nez pour supporter sa présence. Son chat et son chien se sont enfuis. Depuis, elle pleure tout le temps. Non, je préfère encore être emportée par la Dévoreuse que de puer comme un cochon ! Jamais je n'accepterai de manger cette horreur !

Wladek emmena Peggy visiter les champs de choux bleus qu'on cultivait aux abords de la ville.

— Il est exact qu'on a du mal à les avaler, avoua-t-il. Je crois qu'il n'existe rien dans l'Univers qui soit aussi mauvais. Pourtant cela pourrait sauver nos gosses.

Il baissa la tête, triste et désemparé.

— Si vous nous veniez en aide, soupira-t-il, ce ne serait pas de refus.

Le lendemain, Peggy et le chien bleu furent assaillis par une bande de gamins brandissant des livres tout écornés de la série *Peggy Sue et les fantômes,* et qui leur réclamèrent des autographes. Peggy dut signer, l'animal apposa sur une page la marque de sa patte boueuse.

— On vous connaît ! criaient les enfants, on lit vos aventures ! On sait que vous êtes des superhéros, vous allez nous sauver...

Peggy se sentit gênée, mais le chien bleu parada en tortillant de la queue.

Une petite fille saisit la main de l'adolescente et la serra.

— Oui, supplia-t-elle, il faut que vous fassiez quelque chose... On a peur de la Dévoreuse. On l'entend la nuit... Elle gratte dans les murs. Elle creuse pour entrer dans les maisons. C'est nous qu'elle vient chercher. Mais tu vas la tuer, hein, Peggy ? Tu vas la tuer pour que nous puissions enfin dormir en paix.

Quand elle se retrouva seule avec le chien bleu, Peggy Sue soupira :

— C'est une grande responsabilité qu'on nous confie là. Tous ces enfants comptent sur nous ; ça me serre le cœur. Nous n'avons jamais affronté un tel monstre, serons-nous à la hauteur ?

Le soir, alors qu'ils dînaient d'une écuelle de soupe au lard et d'un morceau de fromage, Sebastian chuchota :

— J'ai croisé de drôles de types dans la ville. Des hommes, des femmes... ils avaient l'air de vrais crétins et riaient aux anges. J'ai demandé à Massalia qui étaient ces gens, il m'a expliqué que c'étaient des victimes des sorciers.

— Comment cela? s'enquit Peggy.

— C'est simple, comme la Dévoreuse ne s'attaque qu'aux enfants, les sorciers vendent aux parents des produits qui font grandir les gosses en l'espace d'une nuit.

— Quoi? couina le chien bleu. Tu veux dire qu'après avoir bu ce sirop ils se couchent enfants et se réveillent adultes?

— Exactement! Ils vieillissent de vingt ans dans la nuit. Une fois devenus des femmes, des hommes, ils ne risquent plus que la bête des souterrains s'intéresse à eux... Le problème, c'est que leur cerveau ne vieillit pas avec le reste du corps, il reste celui d'un gosse, si bien qu'ils ont l'air de vrais crétins.

— Des tas d'adultes ont l'air de vrais crétins, de toute façon, grommela le chien bleu, philosophe. On ne doit pas faire la différence.

Sebastian baissa encore la voix pour ajouter :

— Massalia dit que les sorciers sont partout, à comploter dans l'ombre. Ils se font appeler « les compagnons de la pieuvre ». Ils défendent la Dévoreuse et voient en elle une espèce à protéger. Un animal en voie d'extinction. Ils essayent de convertir les jeunes à leurs idées, en leur expliquant qu'ils devraient être heureux de servir de casse-croûte à la bestiole, qu'ainsi ils contribuent à sa survie. Ils forment, paraît-il, une confrérie très puissante.

— A quoi peut-on les reconnaître? s'inquiéta Peggy.

— C'est bien là le problème, maugréa Sebastian. On ne les reconnaît pas. Ils sont comme toi, comme moi... sauf qu'ils font partie d'une secte.

L'école de survie

— Nous allons bientôt nous séparer, annonça Massalia. Je dois rejoindre mes fidèles qui, en ce moment même, campent non loin de Kromosa, la cité royale.

— Nous ne vous accompagnons pas? s'étonna Peggy Sue.

— Non, fit le général. Il ne faut pas qu'on nous voie ensemble. Contentez-vous d'entrer dans le palais et d'actionner l'arbalète. Dès que la flèche aura tué le monstre, j'interviendrai avec mes soldats pour assurer votre protection.

« Et prendre le pouvoir par la même occasion! » songea Peggy.

— De toute manière, conclut Massalia, vous n'êtes pas encore prêts. Si on vous lâchait aujourd'hui dans la nature, vous ne survivriez pas deux jours. Je vais vous laisser entre les mains de mon maître de guerre qui vous inculquera quelques principes de survie élémentaires et vous familiarisera avec le maniement de l'arbalète géante. Nous nous retrouverons plus tard, une fois la Bête morte.

Sebastian prit un air vexé, car il estimait n'avoir rien d'un apprenti. Cette manifestation de mauvaise humeur laissa le chevalier indifférent. Une heure après, les trois amis se retrouvaient en présence du maître de guerre, un homme décharné au crâne rasé, habillé d'une cotte de mailles. De vilaines cicatrices lui fendaient le visage, le rendant peu agréable à regarder.

— Je suis Zabrok, votre professeur de survie, expliqua-t-il d'une voix rauque. Ne croyez pas qu'il vous sera facile de déjouer les pièges de la Dévoreuse car elle excelle à tromper les esprits en projetant, par les crevasses du sol, des vapeurs stupéfiantes. Si vous les respirez (et vous les respirerez fatalement !), des idées bizarres envahiront votre esprit, vous serez poussés à faire des choses délirantes, comme si on vous avait hypnotisés.

— Nous n'aurons qu'à nous dire que ce sont des illusions et le tour sera joué, grommela Sebastian qui s'obstinait à fanfaronner.

— Tu te crois très malin, ricana Zabrok, mais les fumigations qui sortent des lézardes ont eu raison de guerriers plus endurcis que toi. La Dévoreuse est habile en tromperies, ses tentacules projettent des jets de gaz hallucinogène qui abrutissent ses proies. Si vous voulez ne pas tomber entre ses pattes, vous devrez prendre, chaque matin, un cachet de contrepoison.

Sebastian baissa le nez, penaud.

— Je vais vous remettre un petit nécessaire de survie, soupira le guerrier. Toi, la fille, je te donnerai un livre que tu auras intérêt à connaître par cœur, c'est un guide écrit par un sorcier. On y trouve différents plans et cartes de Kandarta, ainsi que des conseils utiles. Tu porteras la trousse contenant les cachets. Toi, le garçon, je te donnerai un manuel qui t'enseignera le secret des arbalètes. Quant à toi, le chien, je te donnerai un coup de pied dans le derrière si tu essayes de me mordre...

« Charmant bonhomme ! » songea Peggy.

Pendant les trois jours qui suivirent, les adolescents durent apprendre le fonctionnement d'une arbalète géante. Sur une maquette, d'abord, puis sur un modèle qui mesurait six mètres de long.

Ils se rendirent compte que le chargement de la machine était assez compliqué.

— Celle de Kromosa est bien plus grande, s'enorgueillit Zabrok. Elle fait trente mètres... J'étais déjà au service du général quand on l'a installée sur la plus haute terrasse du palais. Elle est si puissante que sa flèche pourrait traverser de part en part l'enceinte d'une forteresse. Malheureusement, ce traître de grand vizir a toujours interdit qu'on l'utilise. Elle est restée sous la pluie, à rouiller... J'espère qu'elle est encore en bon état.

— Vous pensez qu'elle suffira à tuer le monstre ? demanda Sebastian.

— Bien sûr ! Elle est braquée sur une faille qui communique directement avec le centre de la planète. On ne peut pas rêver meilleur angle de tir. C'est le seul endroit dans tout Kandarta d'où l'on peut tuer la Dévoreuse. La crevasse est profonde et droite, aucun obstacle ne gênera la course du projectile.

— Mais sous quel prétexte entrerons-nous dans le palais ? s'inquiéta Peggy.

— Vous êtes des super-héros, répondit Zabrok. Tout le monde vous connaît. Ranuck, le grand vizir, sera flatté de votre visite. Vous prétendrez être en repérage [1] sur Kandarta dans l'espoir d'y tourner

---

1. Etude des lieux où l'on pense pouvoir tourner certaines scènes d'un film.

un film. Je vous donnerai un sauf-conduit [1] bien imité qui accréditera cette fable.

— Cela suffira? insista Peggy Sue.

— Espérons-le. Demain, vous quitterez ce village par la voie des airs. Ainsi vous ne risquerez pas d'être avalés par une crevasse avant d'être arrivés à Kromosa.

— Par la voie des airs? s'étonna Peggy. *Vous voulez dire à cheval sur un balai?*

— Tu te crois dans un conte de fées, petite? s'esclaffa le guerrier. Réveille-toi! il est grand temps! Non, vous grimperez dans un avion; l'un des derniers encore en état de voler. Cet appareil vous débarquera à l'escale de Mandavaar, au pied de la ville de Kromosa, où se dresse le palais royal.

— Comment s'appelle le roi, déjà...? interrogea Sebastian. J'ai oublié.

Zabrok grimaça et, d'un doigt hésitant, gratta les cicatrices qui zébraient son visage.

— Walner, il est secondé par Ranuck, le grand vizir. Kromosa est un sale endroit, bougonna-t-il. Quoi qu'il vous arrive, gardez à l'esprit que ces gens sont des compagnons de la pieuvre... des suppôts de la bête des souterrains. Au début, ils n'étaient pas comme ça, puis ils se sont laissé corrompre par la Dévoreuse.

— Quoi? haleta Peggy.

— Oui, grommela le soldat d'un air embarrassé, je n'invente rien. Ils l'adorent comme une idole. Ils la défendent. En échange, elle leur accorde de mystérieux privilèges. Méfiez-vous d'eux. Ils ne sont plus tout à fait humains.

1. Permis de circuler.

L'avion du sommeil

C'était un vieil avion propulsé par douze moteurs à hélices. Une antiquité de métal inoxydable au fuselage couvert de bosses et d'éraflures.

— Mais il est gigantesque ! s'exclama Sebastian en l'apercevant sur la piste d'envol. Bon sang, on doit pouvoir y embarquer mille personnes au moins !

— Un vrai paquebot volant, approuva le chien bleu. On pourrait bâtir un village sur ses ailes...

Sur les flancs et la queue on distinguait encore les traces d'anciennes peintures militaires. Des symboles et des numéros.

« Tous ces moteurs font sûrement vibrer la tôle comme autant de marteaux-piqueurs, songea Peggy Sue. Quand les secousses se communiquent à la carcasse, on doit avoir l'impression d'être assis à l'intérieur d'un ventilateur ! »

A certains endroits, les plaques du fuselage semblaient disjointes. Quant aux hublots, ils étaient fêlés.

— C'est un avion-cargo rescapé d'une guerre quelconque, bougonna Sebastian, une antiquité qu'on rafistole depuis une bonne centaine d'années. J'espérais mieux.

Quand ils grimpèrent à bord, ils constatèrent que l'appareil, conçu pour le transport du matériel, était dépourvu de sièges. On entendait les rafales de vent s'acharner sur le fuselage.

L'appareil n'étant pas pressurisé, on ne volerait pas à très haute altitude, mais Peggy Sue ne se sentait pas rassurée pour autant : on est toujours trop haut dès qu'il s'agit de s'écraser.

Elle tendit le cou pour observer la perspective de la soute : un tunnel obscur éclairé par les minuscules lampes suspendues aux parois. Les arceaux métalliques du fuselage donnaient l'illusion d'être entré par mégarde dans la cage thoracique d'un dinosaure. On aurait en vain cherché des rangées de fauteuils, sitôt quitté la cabine de pilotage on pénétrait dans un cylindre d'acier qui courait jusqu'à la queue de l'appareil. On y avait jadis entassé des tonnes de bombes.

— C'est gigantesque, répéta Sebastian.

Puis les moteurs se mirent à vrombir, brassant les ténèbres.

— Bienvenue à bord du « charter du sommeil », crachota la voix de l'hôtesse derrière le grillage du haut-parleur. La Compagnie *Repos et Sécurité* vous souhaite un bon voyage. Dans cinq minutes nous procéderons à une distribution de somnifères.

A cet instant, Peggy se rendit compte que le ventre de l'appareil offrait un curieux spectacle de hamacs suspendus en travers du passage. Trompée par la pénombre, l'adolescente avait d'abord cru qu'il s'agissait de ballots accrochés aux parois ! Elle comprit enfin qu'elle se trouvait en présence de voyageurs installés pour la nuit. Certains dormaient à même le sol, emmitouflés dans des sacs de couchage, d'autres se balançaient, recroquevillés dans des hamacs. De cet entassement de corps montaient des relents de sommeil et de transpiration. Il y avait là des hommes, des femmes, des enfants, tous enfouis dans le cocon des duvets, amalgamés flanc contre flanc afin de préserver leur chaleur.

L'hôtesse s'approcha de Peggy Sue et de Sebastian pour leur remettre à chacun un sac de couchage.

— Je suis désolée, murmura-t-elle, mais vous vous êtes présentés trop tard à l'embarquement, il n'y a plus de hamacs disponibles. Installez-vous où vous pourrez, l'avion est très encombré... Je vous apporte tout de suite la carte des somnifères, à moins que vous n'ayez une marque préférée ?

Peggy Sue bégaya qu'ils n'avaient aucune intention de dormir, mais l'hôtesse s'était déjà éloignée, louvoyant pour conserver son équilibre.

— De quoi parle-t-elle ? chuchota Sebastian. Elle veut nous forcer à dormir ? C'est quoi cette histoire ?

Hésitants, ils s'installèrent sur le plancher, tout près de la porte, car la soute était pleine à craquer. Comme ils tardaient à se glisser dans leurs sacs de couchage, l'hôtesse les gronda gentiment :

— L'avion n'est pas pressurisé et la température va beaucoup baisser dès que nous aurons pris de l'altitude, il faut vous couvrir ou vous allez mourir de froid. Allons, couchez-vous.

Les trois amis se sentirent forcés d'obéir. L'hôtesse était elle-même engoncée dans un anorak blanc qui lui faisait une silhouette d'ours polaire. Peggy Sue s'introduisit dans le duvet. Malgré la désinfection, le molleton conservait une odeur de transpiration. Elle eut la sensation de s'installer dans un lit dont on n'aurait pas changé les draps depuis douze ans. Autour d'elle des formes s'agitaient, bafouillant des mots incompréhensibles.

— On a atterri? demanda une voyageuse avec angoisse. On s'est posés?

L'hôtesse se précipita pour la rassurer.

— Juste pour faire le plein, chuchota-t-elle, nous repartons déjà. N'ayez pas peur, dans une minute nous serons de nouveau en l'air. Voulez-vous un comprimé supplémentaire?

Elle allait de l'un à l'autre, distribuant des gobelets d'eau et des pilules soporifiques qu'elle faisait tomber d'un petit tube. Un à un, les dormeurs se rallongèrent, tirant par-dessus leur tête le capuchon du sac de couchage. Il n'y eut bientôt plus que le bruit des moteurs, ce vrombissement de frelon qui faisait trembler les tôles.

Peggy Sue demeura crispée tout le temps que mit l'appareil pour grimper en altitude. L'inclinaison du fuselage faisait glisser les dormeurs vers la queue de l'avion, augmentant leur entassement, mais ils semblaient trop endormis pour s'en rendre compte.

— C'est une vraie histoire de fou, chuinta le chien bleu. *Un dortoir volant!* On n'a jamais vu ça!

De temps à autre quelqu'un rêvait à voix haute. De tous les côtés montaient des ronflements.

Peggy Sue ne parvenait pas à comprendre ce que faisaient ces gens entassés les uns sur les autres. *Et pourquoi se gavaient-ils de somnifères?*

Quand l'hôtesse s'approcha avec la carte des hypnotiques, elle lui posa la question. La jeune femme leva les sourcils, stupéfaite de son ignorance.

— Mais voyons, souffla-t-elle, c'est le charter du sommeil ! Je pensais que vous le saviez.

— Non, avoua Peggy Sue. On nous a dit de prendre ce vol parce que c'est le seul qui se pose à Mandavaar. Quelle est votre destination finale ?

— Mais nous n'en avons pas, balbutia la jeune femme. C'est un vol circulaire. Les gens qui le prennent ne vont nulle part.

— Nulle part ? bredouilla Sebastian. Mais alors pourquoi montent-ils à bord ?

— Pour dormir, bien sûr, s'esclaffa l'hôtesse. Pour dormir en paix. *Loin des tentacules de la Dévoreuse*... Ils emmènent leurs enfants avec eux. Une fois en l'air on risque moins d'être attrapés. Nous ne nous posons que pour faire le plein, notre compagnie garantit les escales les plus courtes. Avec *Repos et Sécurité*, on est certain de passer un maximum de temps en l'air.

— Mais pourquoi dorment-ils ? insista Sebastian.

— Pour ne pas s'ennuyer, expliqua la jeune femme qui commençait à s'impatienter. Il n'y a pas des masses de distractions dans un avion. Et puis ces malheureux ont beaucoup de sommeil en retard... Ils avaient tellement peur de la Dévoreuse qu'ils ne fermaient plus l'œil de la nuit. Vous comprenez ?

Peggy Sue hocha la tête, peu désireuse de poursuivre cette conversation de fou, et s'allongea sur le plancher caoutchouté, entre une grosse femme qui dormait la bouche ouverte et un homme qui grinçait des dents. Elle se serra contre Sebastian et dit au chien bleu de venir s'installer entre eux.

Un peu plus tard l'hôtesse vint s'agenouiller à son chevet, lui brandissant sous le nez une sorte de menu qu'elle éclairait à l'aide d'une minuscule torche électrique.

— Vous voulez dormir « léger » ou « profond » ? s'enquit-elle. Avec ou sans rêves ? Certains passagers aiment plonger dans le coma, d'autres veulent faire de doux rêves. Si c'est votre cas prenez de l'*Hypnogodon*, c'est un somnifère additionné d'un léger euphorisant. Vous rêverez en bleu et rose, je vous le garantis.

— Mais nous ne voulons pas dormir, protesta Peggy Sue. Si nous dormons, nous risquons de manquer l'arrêt de Mandavaar. (Elle se fit la réflexion qu'elle parlait comme une godiche qui monte pour la première fois de sa vie dans un autocar.) Vous vous posez bien à Mandavaar ?

— Oui, fit l'hôtesse, pour faire le plein. Vous voulez dire que vous avez pris cet avion pour *voyager ?*

Elle dévisagea Peggy Sue avec stupeur, referma le menu, puis s'éloigna, abandonnant les trois amis dans le noir.

Dès que l'appareil eut atteint son altitude de croisière, la température baissa d'un coup, et Peggy Sue put voir de petits nuages de buée s'échapper de la bouche des dormeurs. Le froid ne paraissait pas les gêner. Assommés par les soporifiques, ils encaissaient les embardées de l'avion sans se réveiller. Peggy Sue, elle, sursautait chaque fois que le vieux bombardier, aspiré par un trou d'air, perdait de la hauteur. Les mains crispées sur le ventre, elle s'asseyait, persuadée qu'on allait s'écraser. Y avait-il des parachutes à bord ? Allait-on devoir les accrocher sur le dos des dormeurs avant de les pousser dans le vide ?

Ratatinée dans son sac de couchage, elle écouta les bruits suspects de la carlingue. Sebastian et le chien bleu, eux, avaient fini par s'endormir. Peggy Sue avait du mal à se persuader qu'elle ne rêvait pas, qu'elle était bien là, près d'une femme qui — à intervalles réguliers — marmonnait dans son sommeil :

— Ça gratte dans le mur... C'est elle... la bête des souterrains... J'te dis qu'elle vient chercher le gosse.

*

Au bout d'un moment, comme ils s'ennuyaient trop, Peggy Sue, Sebastian et le chien bleu quittèrent les sacs de couchage et partirent en exploration.

L'avion était gigantesque. Des enfants y déambulaient, l'air maussade. L'un d'eux, un garçonnet d'une dizaine d'années, saisit Peggy par la main et lui demanda :

— Je vous ai vus monter, tout à l'heure... Vous venez d'en bas. Moi je suis né dans cet avion, je n'ai jamais marché sur le sol... C'est comment ?

Peggy ne cacha pas son étonnement.

— *Tu es né en l'air ?* répéta-t-elle. C'est vrai ?

— Mais oui, s'impatienta l'enfant. J'ai des tas de copains qui sont dans le même cas. Nos parents ont quitté le sol il y a quinze ans... Depuis nous vivons dans le ciel. Ce n'est pas rigolo. Vous voulez que je vous fasse visiter ?

Peggy accepta.

— Je m'appelle Antonin, dit le petit garçon. Je connais toutes les règles de sécurité. Par exemple, faut toujours tirer les rideaux devant les hublots, la nuit. Sinon la Dévoreuse voit les lumières de l'avion et lance une de ses pattes dans le ciel, pour l'attraper. C'est déjà arrivé.

D'abord, Peggy crut qu'il racontait des histoires pour faire son intéressant, puis elle aperçut l'hôtesse qui, d'un geste inquiet, tirait effectivement de petits rideaux noirs devant chaque hublot.

Une image traversa son esprit, celle d'un tentacule géant jaillissant d'une crevasse et se déroulant en direction des nuages pour intercepter l'avion en plein vol. Elle serra les dents.

— La pieuvre doit ouvrir ça comme une boîte de conserve, commenta le chien bleu qui avait lu dans ses pensées. Elle sait qu'elle y trouvera une foule de gosses en bas âge. Tout ce qu'elle aime !

— Là, dans ces cabines, expliqua Antonin, on garde des vaches, des poules et des chèvres. Elles fournissent des aliments frais, mais elles ont souvent le mal de l'air... alors elles vomissent.

Il entrouvrit une porte, et Peggy put voir des animaux tristounets qui campaient sur une litière de bottes de paille.

— La vache s'appelle Amélie, commenta l'enfant. Elle s'ennuie, *comme moi.* Un jour elle deviendra folle et elle défoncera la porte de l'avion pour sauter dans le vide.

Il les conduisit ensuite dans le dortoir des premières qui était mieux aménagé puisqu'il bénéficiait de vrais lits. Chaque famille disposait d'une cabine qui lui assurait un semblant d'intimité. Malgré tout on devait s'y sentir à l'étroit, surtout si l'on y vivait depuis quinze ans !

— Ça fait quoi de marcher sur le sol ? interrogea Antonin. Je n'arrive pas à l'imaginer. Et l'herbe, la terre... vous en avez apporté avec vous ? Je voudrais bien savoir la tête que ça a.

La jeune hôtesse s'interposa gentiment.

— Antonin, murmura-t-elle, laisse les voyageurs tranquilles. Ils vont bientôt descendre. Tes histoires ne les intéressent pas.

Et elle poussa Peggy Sue et ses amis hors du secteur des premières.

— Ne le prenez pas mal, souffla-t-elle, mais les passagers de première sont méfiants. Ils voient dans chaque étranger un compagnon de la pieuvre.

— Vous voulez dire un sorcier ? s'étonna Peggy.

L'hôtesse haussa les épaules.

— Je ne sais pas si les amis de la pieuvre sont réellement des sorciers, fit-elle d'une voix inquiète, mais ils se déguisent en voyageurs et profitent des escales pour se glisser dans les avions. La nuit, quand tout le monde dort, ils ouvrent les rideaux et font des signaux lumineux par les hublots, pour indiquer la position de l'appareil à la Dévorcuse, dans l'espoir qu'elle lancera un tentacule vers le ciel pour nous saisir. Ce sont des gens dangereux. Si le général Massalia ne nous avait pas prévenus de votre arrivée, je vous aurais eu à l'œil pendant tout le trajet.

Pour se faire pardonner de les avoir expulsés des premières, l'hôtesse conduisit les trois amis au bar. Le commandant de bord, qui avait confié le palonnier à son copilote, s'y trouvait justement. Son uniforme était froissé et ses galons avaient perdu leur dorure. Peggy, en s'avançant vers lui, constata qu'il était défiguré. D'horribles cicatrices de ventouses s'étalaient en travers de ses joues et de son front. Il leva son verre (du rhum pur !) en direction des adolescents, pour les saluer.

« Il a l'air à bout de nerfs, observa télépathiquement le chien bleu. J'espère que le copilote est en meilleur état. »

— Sale nuit, grogna le commandant. J'ai horreur des nuits sans lune, c'est toujours à ces périodes-là que les compagnons de la pieuvre se faufilent à l'intérieur des appareils.

— Pourquoi ? s'enquit Sebastian.

— Quand le ciel est noir, la Dévoreuse repère plus facilement les signaux qu'on émet depuis les hublots, soupira l'homme. Je sais de quoi je parle. J'ai failli y rester. Vous ne savez pas ce que c'est de voir tout à coup un tentacule géant sortir des nuages pour s'enrouler autour de l'avion ! La dernière fois que ça s'est produit j'ai réussi à lui échapper, mais je n'aurai pas deux fois la même chance.

« Il est ivre, songea Peggy. Il a l'air terrifié. »

— J'espère que vous ne faites pas partie de cette fichue secte... gronda le pilote.

— Bien sûr que non ! s'indigna Sebastian, nous avons une recommandation du général Massalia.

— Ah oui, c'est vrai, bougonna l'homme. Massalia, ce dingo qui voulait chasser la bête des souterrains avec un arc et une flèche !

— Une arbalète, corrigea Peggy Sue.

— C'est du pareil au même ! Le roi Walner l'a fichu dehors, à ce qu'il paraît. A présent il monte la garde aux confins des territoires en attendant de prendre sa retraite.

Peggy et Sebastian demandèrent un soda à l'orange, le chien bleu exigea un cocktail moitié rhum moitié os à moelle, mais le barman n'ayant pas ça sous la main il dut se contenter d'une grenadine qu'il lapa salement.

*

Peggy découvrit bientôt avec stupeur que le vol durerait cinq jours ! Elle en fut fort contrariée car elle ne se sentait pas en sécurité à l'intérieur de l'avion. Pour tuer le temps, elle lisait le guide que lui avait remis Zabrok, le maître de guerre. Il était rempli de précisions utiles sur la géographie, les coutumes et les dangers de Kandarta.

A chaque escale, de nouveaux passagers grimpaient dans l'appareil. La plupart étaient accompagnés de bébés ou de jeunes enfants.

— Vivre en bas n'était plus possible, confia une jeune femme nommée Marie-Jeannette à Peggy Sue. Je ne dormais plus de la nuit, j'étais terrifiée à l'idée que la Bête vienne kidnapper mon bébé. Nous avons vendu notre maison, rassemblé nos économies et acheté trois billets pour le charter du sommeil.

— Combien de temps comptez-vous rester en l'air ? s'enquit Peggy.

— Nous avons loué une cabine pour deux ans, expliqua Marie-Jeannette. J'espère que nous nous plairons ici. Tu es là pour longtemps ? J'aimerais bien que tu sois mon amie, je ne connais personne.

Peggy Sue fut désolée de lui apprendre qu'elle descendait à l'escale de Mandavaar. Marie-Jeannette paraissait gentille. Son bébé (prénommé Kevin) souriait tout le temps. Son mari, Joshua, était un grand et beau jeune homme de vingt-cinq ans.

Ils partirent s'installer à l'arrière dans la zone des premières.

— Les pauvres, grommela le chien bleu, je les plains. Deux ans dans cet avion, à écouter les gens ronfler et à respirer l'odeur de leurs pieds sales.

— Allons, intervint Peggy, il ne faut pas dire des choses comme ça.

— Mais c'est la vérité ! s'indigna l'animal. Il y en a même qui pètent en dormant !

*

Le soir même, les choses se gâtèrent.

— L'hôtesse a l'air drôlement énervé, observa Sebastian. Tu as vu comme elle vérifie les rideaux des hublots ?

C'était exact. La jeune femme avait des gestes fébriles. De temps à autre, elle entrebâillait un rideau pour jeter un coup d'œil dehors.

— On dirait qu'elle s'assure que personne ne nous colle aux fesses... fit le chien. Ça sent mauvais. Il serait peut-être temps de manger du chou bleu. Vous n'en avez pas sur vous ? Je m'en ferais bien une écuelle, comme ça, en passant.

Peggy Sue se redressa.

— Tu crois qu'un tentacule essaye de nous attraper ? demanda-t-elle à Sebastian.

— Ça m'en a tout l'air, grimaça le garçon. L'hôtesse ne nous le dira pas pour éviter la panique, mais à mon avis, la Bête nous a repérés.

A peine avait-il prononcé ces mots qu'un haut-parleur se mit à grésiller.

— Mesdames, Messieurs, chers passagers, bourdonna la voix nerveuse du commandant, nous allons couper l'éclairage des coursives et des cabines pour permettre à l'électricien de procéder à de menues réparations. Veuillez nous excuser pour cette gêne momentanée.

— Tu parles ! ricana le chien bleu. Mettez le chou bleu à cuire, on va tous en avoir besoin !

L'annonce fit naître une certaine panique parmi les voyageurs. Dès que l'avion fut plongé dans l'obscurité, les enfants commencèrent à pleurer.

Peggy entendit la voix du petit Antonin qui hurlait, du fond du dortoir des premières classes :

— C'est la patte de la Dévoreuse! Elle approche...

Aussitôt, ce fut la ruée. N'écoutant plus les conseils de l'hôtesse, les gens se précipitèrent vers les hublots pour voir ce qui se passait à l'extérieur. Peggy Sue joua des coudes afin d'en savoir plus.

D'abord, elle ne vit pas grand-chose, à cause des nuages, puis elle distingua une ombre sinueuse qui se tortillait dans le ciel, tel un fouet qui claquerait au ralenti.

« Un tentacule de pieuvre, pensa-t-elle tandis que ses cheveux se hérissaient sous l'effet de la peur. Un tentacule qui sort d'une crevasse de la plaine... »

— Nom d'une saucisse atomique! haleta le chien bleu, ce truc doit mesurer deux kilomètres!

— Il fouille les nuages en aveugle, remarqua Sebastian. Il tâte au hasard... Il ne sait pas où nous sommes. Avec un peu de chance il ne nous trouvera pas.

Peggy Sue avait la gorge sèche. L'avion paraissait bien petit comparé à cette énorme patte constellée de ventouses qui se faufilait tel un serpent au milieu des nuées.

A l'intérieur de l'appareil, des femmes se mirent à crier tandis que les hommes exigeaient qu'on prenne de la hauteur.

— C'est impossible, expliqua l'hôtesse, très pâle, nous avons atteint notre plafond de vol. Les moteurs ne sont pas assez puissants pour nous emmener plus haut. Je vous demande d'observer le silence. Il est possible que les tentacules soient munis d'oreilles leur permettant de détecter leurs proies. Faites taire les enfants qui pleurent... Leurs gémissements attisent l'appétit de la Bête. Ce sont eux qu'elle vient chercher.

Ses conseils n'eurent aucun effet. Les passagers se bousculaient dans le noir, piétinant ceux qui avaient perdu l'équilibre. Peggy Sue se demanda pourquoi ils couraient... Où comptaient-ils aller ?

Elle fut séparée de ses amis et poussée le long de la coursive, vers la zone de première classe.

— Du calme ! répéta l'hôtesse. Si l'avion vole sans lumière et en silence, il est possible que la Bête échoue à nous localiser. Je vous supplie de respecter la procédure.

Peu à peu, le silence revint. Les gens haletaient dans l'obscurité. On avait bâillonné les enfants qui pleurnichaient encore.

Peggy se dégagea de la cohue et s'éloigna à tâtons dans la coursive. Elle ne voyait pas où elle mettait les pieds. Elle n'entendait que son cœur qui battait à tout rompre.

Elle ne parvenait pas à s'ôter de l'esprit l'image du tentacule hérissé de ventouses fouettant le ciel nocturne...

Soudain, ses yeux s'étant habitués aux ténèbres, elle crut surprendre des éclats lumineux sous la porte d'une cabine. Ça s'allumait, ça s'éteignait à un rythme rapide, comme si quelqu'un jouait avec un interrupteur.

« Ce n'est pas malin, pensa-t-elle, l'hôtesse a dit que... »

Et tout à coup elle comprit : il s'agissait de ces compagnons de la pieuvre dont le commandant avait parlé ! *Enfermés dans leur cabine, ils adressaient des signaux à la Dévoreuse !*

Peggy se précipita vers la porte pour y tambouriner des deux poings.

— Arrêtez ça ! cria-t-elle. Arrêtez ça ! Vous êtes fous, vous allez nous faire repérer.

— C'est toi, Peggy ? fit la voix de Marie-Jeannette de l'autre côté du battant. Tu ne dois pas avoir peur... Nous faisons cela pour le bien de la Bête. Elle a trop faim, tu comprends ? Elle doit se nourrir. Elle est la dernière représentante de son espèce, on ne peut pas la laisser mourir.

Peggy Sue recula, interdite. Ainsi la douce Marie-Jeannette et son époux, le gentil Joshua, étaient des sorciers !

— Vous êtes dingues, lança-t-elle. Pensez à votre bébé... La Dévoreuse va l'avaler.

— Et nous en serons fiers ! déclara Marie d'un ton exalté. Des enfants, il y en a des tas... La bête des souterrains, il n'y en a plus qu'une dans tout l'Univers. Il faut la sauver, même si cela doit coûter quelques vies humaines.

Les cris de Peggy Sue avaient attiré les autres voyageurs.

— Des cinglés de terroristes ! gronda un homme. Ils sont enfermés là-dedans à faire des signaux à la Bête ! Vite, une hache, qu'on défonce la porte...

En quelques secondes, la panique fut à son comble. On se bousculait, on se frappait. Devenus fous de terreur, les gens se battaient.

A travers la porte bouclée à double tour, on entendait Marie-Jeannette et Joshua qui criaient :

— Nous sommes ici ! *Bête des souterrains, viens nous prendre !* Nous vois-tu ? Nous sommes tes amis... nous sommes prêts, viens ! viens !

La puissante torche électrique qu'ils brandissaient devant le hublot clignota de plus belle. Peggy songea que la Dévoreuse n'aurait aucun mal à localiser ce feu de signalisation au beau milieu du ciel nocturne.

Brusquement, l'avion fit une embardée, sans doute parce que le pilote venait de virer sur l'aile pour échapper au tentacule qui se rapprochait. Tout le monde perdit l'équilibre. Des portes mal fermées s'ouvrirent. La vache, les chèvres et les poules qui assuraient le ravitaillement basculèrent dans la coursive en poussant des cris effroyables.

Dès lors, ce fut le chaos total. La vache laitière et les biquettes se mirent à charger au hasard, les cornes basses, frappant tout ce qui leur barrait le chemin. Des cris de douleur retentirent, mais aussi le vacarme des cloisons que les bestiaux en furie défonçaient.

L'avion fit une nouvelle embardée, et, cette fois, Peggy entendit le tentacule racler l'une des ailes...

L'adolescente fut catapultée vers l'avant de l'appareil, revenant à son point de départ. Elle appela ses amis à l'aide. Sebastian la saisit dans ses bras.

— Viens ! haleta-t-il, j'ai déniché un vieux parachute, on va sauter...

— Tu es fou ! protesta Peggy.

— Non, coupa le garçon, c'est rester à bord qui serait fou. Il faut sauter avant que l'avion ne s'écrase ou ne soit capturé par la Dévoreuse. Viens. Accroche-toi à moi de toutes tes forces. J'ai glissé le chien bleu dans ma chemise.

Il ne put en dire davantage. La vache fit irruption en meuglant plus fort que la sirène d'un paquebot. Sans se rendre compte de ce qu'elle faisait, elle se jeta sur la porte menant à l'extérieur, la défonçant. La seconde d'après, elle basculait dans le vide tandis qu'un vent glacé s'engouffrait dans l'avion.

— Suivons-la ! cria Sebastian. Tiens-moi fort, je saute !

Quand elle sentit qu'elle tombait, Peggy Sue crut sa dernière heure arrivée. Les rafales lui tiraient les cheveux et gonflaient ses vêtements. Elle se cramponna de toutes ses forces aux lanières enserrant le torse de Sebastian. Le parachute s'ouvrit enfin, ralentissant leur chute. Levant les yeux, la jeune fille aperçut l'avion qui zigzaguait au milieu des nuages, poursuivi par l'immense tentacule. A l'un des hublots, une vive lumière clignotait : la torche brandie par Marie-Jeannette et Joshua, les compagnons de la pieuvre.

La ville empoisonnée

Sebastian tira sur les suspentes pour tenter de corriger la dérive du parachute. Les lanières bouclées sur son sternum lui sciaient les épaules. Pardessus tout, il avait peur que Peggy Sue finisse par succomber à une crampe et lâche prise. En effet, aucune courroie de sécurité ne retenait la jeune fille suspendue à son cou.

Peggy ne savait plus depuis combien de temps elle était accrochée au parachute que le vent s'amusait à promener au-dessus de la campagne. Ses mains, serrées autour des épaules du garçon, s'engourdissaient. Elle savait que Sebastian se cramponnait à elle, lui aussi, mais, à force de contracter ses muscles, il se fatiguait. Si cela durait, il finirait par avoir une crampe.

Soudain, au sortir d'un nuage, elle vit se profiler les contours d'une cité.

— C'est Kromosa ! la cité royale, cria-t-elle. Je la reconnais grâce aux illustrations du guide. Nous avons eu de la chance, le vent nous a emmenés là où nous devions aller !

Sous les pieds des adolescents, la ville étalait son paysage crevassé. De profondes lézardes craquelaient les rues, ouvrant des fosses entre les maisons. De ces lézardes s'élevait une jolie fumée qui ondulait dans la brise.

« Le guide dit qu'il s'agit de l'haleine de la bête des souterrains, songea Peggy. Elle la rejette par les fissures du sol pour empoisonner les humains. Elle est si opaque qu'elle peut cacher la lumière du soleil et installer la nuit en plein jour, comme les cendres d'une éruption volcanique. »

Elle savait que les habitants de Kromosa avaient l'habitude de fuir ces zones toxiques. On prétendait qu'aucune fleur ne poussait dans les quartiers où stagnait l'haleine de la Dévoreuse. Les arbres devenaient blêmes, et leurs fruits tombaient en poussière dès qu'on les touchait. Le guide n'était pas avare d'anecdotes horribles à ce sujet, et Peggy Sue appréhendait le moment où il faudrait se poser.

« Le nuage bleu bouge au gré du vent, disait le livre. Il se déplace au long des rues. Tout ce qu'il touche est aussitôt gommé. Les dessins des tapis s'effacent, les tableaux reprennent leur aspect primitif de toile blanche. Rien ne résiste à ce contact maléfique. On a vu des livres se changer en paquets de feuilles vierges en l'espace de trois heures. Même les cheveux des enfants deviennent gris à son contact. »

Peggy Sue se pencha davantage pour essayer de suivre les mouvements de la fumée suintant des crevasses.

« On dirait une pieuvre, songea-t-elle. Chacun de ses tentacules se déroule au long d'une rue. »

— Ça ressemble à de la nuit liquide, fit le chien bleu qui, lui aussi, observait le phénomène. Une inondation de nuit...

— C'est exactement ça, confirma l'adolescente. Quand on est submergé par la fumée bleue, on n'y voit plus grand-chose.

Cette malédiction condamnait des quartiers entiers à mener une existence faite de galopades et de lamentations. Une foule hagarde peuplait ces rues enfumées. Certains fuyaient ventre à terre à l'approche du brouillard empoisonné. Ceux-là s'étaient fait un devoir d'échapper au contact de la nuit artificielle dispensée par la Dévoreuse, on les surnommait « les fuyards ». Mais la majorité avait renoncé et planté là ses ballots, ses charrettes, pour finir par s'installer dans les maisons qui, à force de changer trop souvent d'occupants, n'appartenaient plus à personne.

— On ne peut pas déménager tous les jours, soupiraient les femmes, c'est impossible. Guetter l'approche de la fumée bleue puis s'enfuir, le sac sur le dos, un gosse sous chaque bras, non. Ce n'est pas une vie. Une famille ne peut pas vivre sans une maison, sans une rue où elle a ses habitudes.

Ayant renoncé à la fuite perpétuelle, ils restaient là, essayant de retenir leur respiration quand le souffle de la Dévoreuse les enveloppait de sa vapeur empoisonnée. Emmitouflés de couvertures, de chiffons, ils feignaient de ne pas remarquer les cheveux des gosses qui grisonnaient. Et l'haleine de la Bête passait, effaçant les livres, les images, obscurcissant le soleil aux heures les plus chaudes de la journée. Les chats blanchissaient à leur tour, et les rats, et les souris...

Peggy avait appris toutes ces choses en lisant le guide de Zabrok. Beaucoup de ces histoires avaient probablement été enjolivées ; il n'en restait pas moins qu'elles reposaient sur un fond de vérité.

Sebastian tira une nouvelle fois sur les sangles. Le vent lui déformait le visage. Il partageait les craintes de ses amis. A présent, il distinguait sous ses pieds les anciens quartiers dévastés par les vapeurs toxiques. Des rues entières avaient blanchi à leur contact. Les maisons, à force de baigner dans ces fumigations, ressemblaient à des falaises de craie.

Il pesa sur les courroies avec l'espoir de trouver une zone dégagée propice à un atterrissage. Il ne tenait pas à s'embrocher sur une girouette ou une vieille antenne de télé. L'idéal aurait été de localiser une place, un square, mais le vent l'emportait, ne lui laissant aucune possibilité de diriger le parachute à sa convenance. Il sentit que les courants aériens les soulevaient, pour les emporter loin de la cité, vers les montagnes.

« Le pire, ce serait de tomber dans une crevasse ! pensa-t-il, nous serions avalés par la Dévoreuse ! »

Un oiseau noir passa au-dessus de sa tête, luttant contre les courants aériens. Il paraissait affolé, comme si l'odeur de la bête des souterrains l'avertissait de sa mort prochaine. Sebastian le vit se débattre dans le vent sans parvenir à modifier sa course. Aspiré comme par une bouche invisible, l'oiseau descendait toujours, se rapprochant du sol. Son faible poids ne lui permettait pas de résister au trou d'air creusé par l'aspiration des crevasses.

Insensiblement, il se rapprochait de la terre. Peggy Sue l'aperçut qui entrait malgré lui dans les volutes du brouillard bleu. Elle crut entendre un pépiement étranglé, puis l'oiseau tomba en tournoyant. *Ses plumes étaient devenues blanches.* Au terme de sa chute, il fut avalé par l'une des lézardes zébrant la rue.

« Quelle horreur ! se dit la jeune fille, c'est comme si la crevasse venait de le manger... Pourvu qu'il ne nous arrive pas la même chose. »

Cette perspective la couvrit d'une sueur glacée, et elle se demanda s'ils étaient assez lourds pour résister à l'aspiration montant du ventre de la planète.

Ils perdirent de l'altitude, mais échappèrent aux courants qui les poussaient vers les montagnes comme la tempête drosse un navire sur les récifs. Maintenant, les toits pointus se rapprochaient, forêt de dômes et de tours hérissés de girouettes. Kromosa avait l'air sortie du Moyen Age. Sebastian distinguait des coupoles dorées, des temples surchargés de statues.

— *Nous sommes aspirés !* aboya le chien bleu. Vous ne sentez pas ce courant d'air ?

Peggy Sue baissa les yeux. Elle avait, elle aussi, l'impression de se trouver dans la ligne de mire d'un aspirateur géant. Elle repéra une faille qui semblait ricaner. Son zigzag béant dessinait un sourire de requin en travers du trottoir.

« Elle va nous avaler ! » pensa-t-elle avec horreur.

L'espace d'une seconde, elle s'imagina, dégringolant au fond du gouffre, toujours plus bas, à travers des kilomètres de tunnels jusqu'à la caverne où se recroquevillait la Dévoreuse depuis l'aube des temps.

Elle plia les genoux pour se préparer au choc. Sebastian ne contrôlait plus leur chute.

Pour échapper au courant d'aspiration, le jeune homme eut l'idée de peser sur les suspentes et de gigoter comme un fou. Le stratagème fonctionna. La corolle de toile gonflée dériva vers la gauche, échappant *in extremis* à l'horrible appétit de la crevasse.

« Nous allons nous écraser », se dit Peggy Sue en constatant que le parachute tombait maintenant à une vitesse folle. Elle serra les dents, ses pieds heurtèrent les tuiles d'un toit. Elle entendit des poutres craquer, un pan de maçonnerie s'effondrer. Elle finit par traverser un plancher pourri et se retrouva suspendue à deux mètres du sol à l'intérieur d'un entrepôt désaffecté.

Les sangles s'étaient emmêlées dans les poutres, arrêtant leur chute, mais les trois amis restèrent ligotés par les courroies, se balançant comme des pendus oubliés sur un gibet. Le choc les avait étourdis. Le chien bleu couinait, pris en sandwich entre la jeune fille et le garçon. Peggy Sue suffoquait car les lanières lui écrasaient la poitrine.

— Où sommes-nous ? demanda Sebastian en se massant la tête.

— Au beau milieu de la zone empoisonnée, expliqua la jeune fille, nous ne pouvions tomber plus mal. Des fumées bleues s'échappent par les crevasses des rues. Il va falloir sortir de ce ghetto au plus vite et ne pas oublier de prendre les cachets de contrepoison que nous a donnés Zabrok.

Après avoir beaucoup gigoté, Sebastian réussit à tirer son couteau pour cisailler les lanières. Ils tombèrent au milieu des gravats.

Sans attendre, Peggy tituba jusqu'à la porte de l'entrepôt. Là, elle écarquilla les yeux. Dehors il faisait presque nuit, une nuit bleuâtre qui donnait aux façades un aspect de cité fantôme. L'air empestait la poudre brûlée, comme après un feu d'artifice ; ça piquait les yeux et la gorge. Des flambeaux brûlaient, fichés au-dessus des portes, mais leurs flammes grésillaient en produisant une lumière timide. Les sons eux-mêmes se propageaient avec difficulté, comme amortis par ce brouillard malodorant.

La rue offrait une perspective désolée de bâtiments en ruine. Des chats décolorés, d'une blancheur de spectre, y erraient, ouvrant des yeux rouges. Peggy aperçut un homme recouvert de bandages, telle une momie, qui se déplaçait dans les décombres d'un ancien palais. Elle lui adressa un signe amical, mais l'inconnu prit la fuite.

— Un pharaon échappé de son sarcophage ? s'étonna le chien bleu. Ramsès II, peut-être ?

— Non, fit Peggy Sue, je pense que les gens du coin s'habillent ainsi pour se protéger de l'acidité de l'air.

Sebastian poussa un soupir et se décida à quitter l'entrepôt. La nuit lui piquait les yeux, des démangeaisons désagréables parcouraient sa peau. Peggy Sue se grattait furieusement, assaillie par mille picotements.

— J'ai l'impression d'avoir été aspergé de poil à gratter ! pesta le chien bleu en se mordant l'arrière-train.

— Avalons les cachets, décida Peggy.

La fausse nuit du brouillard empoisonné les enveloppait, soulevant de minuscules cloques sur leur épiderme. Un peu plus loin, ils croisèrent une nouvelle momie qui détala à leur approche.

— Hé ! Vous, les jeunes... lança une voix dans leur dos.

La jeune fille pivota. Un vieil homme se tenait sur le seuil d'une petite maison à demi écroulée. Il était recouvert de bandelettes ; seul son visage demeurait visible.

— C'est vous qui venez de tomber du ciel ? interrogea-t-il. Entrez chez moi. Vous ne gagnerez rien à traîner dans les rues quand la brume empoisonnée s'y promène, si vous vous obstinez, votre peau partira en lambeaux.

— Vraiment ? s'étonna Peggy Sue.

— Oui, fit le vieux, si vous tenez à marcher dans le brouillard, il faut vous envelopper de bandelettes, ou vous enduire de graisse, sinon vous vous retrouverez plus épluchés qu'une pomme de terre sous le couteau d'un cuisinier.

Ils entrèrent dans la masure du vieil homme ; un taudis qu'éclairait une lampe à huile posée sur une écritoire.

— Je me nomme Junius Abraxas Servallon, dit l'homme. Du temps de la splendeur de Kromosa, j'étais premier scribe à la bibliothèque du palais. Aujourd'hui je repasse à l'encre les livres sacrés dont la fumée empoisonnée efface les caractères.

Il désigna trois volumes étalés sur la table de travail. Peggy Sue vit que certaines pages avaient pâli au point d'être illisibles.

— Si je ne redessinais pas les lettres chaque jour, commenta Servallon, ces grimoires deviendraient blancs en moins d'une semaine. Nous n'avons plus beaucoup de livres ici. Le savoir se perd. Sans bibliothèque on devient idiot.

Il fit signe aux deux amis de s'asseoir. Sebastian et Peggy Sue s'installèrent sur des chaises de cuir. Servallon versa dans des gobelets une mixture qui ressemblait à du vin étendu d'eau.

— Toute cette zone est crevassée, expliqua-t-il. Voilà pourquoi nous sommes empoisonnés par les fumerolles qui s'échappent des fissures. La Dévoreuse est là-dessous, à souffler comme un phoque. Elle s'amuse à nous faire respirer ses odeurs infernales.

— Mais le roi Walner, s'étonna Peggy. Il ne vous aide pas?

Servallon ricana.

— Les habitants des quartiers riches ne veulent pas entendre parler de nous, siffla-t-il entre ses lèvres ridées. Ils se sont retranchés derrière une muraille pour se protéger des exhalaisons de la zone empoisonnée. Des sentinelles armées d'arcs et de javelots montent la garde au sommet de ce rempart pour nous refouler, au cas où il nous prendrait l'idée d'aller chercher refuge chez eux. De cette manière, ils nous condamnent à respirer l'haleine pourrie de la Dévoreuse.

Il s'interrompit pour boire et toussa.

— C'est de la piquette, commenta-t-il, tout se raréfie. La fumée tue les légumes, les courges, et les raisins se dessèchent sans jamais parvenir à maturité.

— Y a-t-il beaucoup d'enlèvements d'enfants? interrogea la jeune fille.

— Oui, dit le scribe avec amertume. D'autant plus que les gens du quartier sont pauvres et ne peuvent se protéger derrière des blindages ou des grilles. Les riches trouvent cela très pratique. En effet, pendant que la Dévoreuse se fournit chez nous, elle ne s'intéresse pas à leurs propres enfants ! Nous sommes devenus la cantine de la bête des souterrains. Elle vient déjeuner dans nos rues. Il lui est facile de glisser ses tentacules dans les maisons en ruine, car les fissures ne manquent pas.

— C'est affreux, s'indigna Peggy Sue.

— Nous devons sortir d'ici, expliqua Sebastian, nous avons un message urgent à porter au palais royal.

Servallon gloussa dans son gobelet. Ses doigts tachés d'encre ébauchèrent d'étranges mouvements dans le vide.

Les trois amis se firent la réflexion qu'il paraissait un peu fou.

— Personne ne peut aller de l'autre côté du grand mur, répéta le scribe. Vous n'avez pas écouté mes explications ? Vous avez eu la malchance de tomber dans une sorte de zoo... de réserve. Les gens du quartier déménagent en permanence, ils passent leur vie à courir d'une rue à l'autre pour fuir le brouillard, mais ils ne font que tourner en rond. Il vous faudra apprendre à faire comme eux.

— Vous courez, vous aussi ? interrogea Peggy Sue.

— Non, riposta le vieillard, pas question d'abandonner mes livres ! Vous avez déjà essayé d'écrire en marchant ? J'ai passé cinq ans avec les fuyards, et puis la fatigue est venue. Je marchais de plus en plus lentement. Quand le vent empoisonné a fini par me rattraper, j'ai compris qu'il était temps pour moi de devenir sédentaire. La brume bleue est imprévisible, elle se déplace au long des rues, poussée par la bourrasque. Quand elle arrive, la nuit s'installe jusqu'à ce que le vent l'emporte plus loin.

Peggy Sue et Sebastian échangèrent un regard perplexe, ne sachant s'ils devaient prendre le vieil homme au sérieux.

— Ecoutez mon conseil, dit Servallon. Dépêchez-vous de vous joindre aux fuyards pour courir devant le nuage empoisonné. C'est la seule solution si vous ne voulez pas voir votre peau partir en lambeaux et vos cheveux devenir aussi blancs que les miens.

Le vieil homme était retourné à son écritoire. D'une plume fébrile, il recouvrait d'encre grasse les hiéroglyphes à demi effacés des manuscrits qu'il avait entrepris de restaurer.

— Reposez-vous un instant si vous le désirez, dit-il sans se retourner, mais partez dès que la lumière reviendra. Prenez l'habitude de toujours vous protéger de l'obscurité, que ce soit la vraie, ou celle installée par le brouillard.

— Mais les fuyards? questionna Peggy. Quand se reposent-ils s'ils passent leur temps à courir pour échapper à l'avance de la brume?

— Ils procèdent par roulement. La moitié d'entre eux remorque l'autre moitié qui dort dans des chariots. Les deux équipes se relayent sans cesse, tantôt dormant, tantôt courant. Ce sont de véritables athlètes. Si vous voulez vous faire admettre d'eux il vous faudra tirer les chariots comme le ferait un âne.

— C'est une vie absurde, observa Sebastian.

— Pas à leurs yeux. Ils essayent de protéger leurs enfants, de les soustraire à l'appétit de la

Dévoreuse et aux méfaits du gaz toxique s'échappant des crevasses.

Sebastian hocha la tête. Sur ses épaules la peau se soulevait en chapelets de cloques, comme au lendemain d'un coup de soleil. Le vieux surprit son regard.

— Le brouillard, murmura-t-il en guise d'explication, il vous a touché et vous ronge déjà. Il vous écorchera vifs, si vous vous attardez ici. Vous avez la peau trop tendre.

Ces paroles prononcées, il s'absorba dans ses travaux d'écriture et ne releva plus la tête.

Peggy s'embusqua près de la fenêtre pour surveiller ce qui se passait au-dehors. Servallon avait raison, la fumée bleue installait la nuit en plein jour!

Au bout d'un moment, l'adolescente vit une sorte de gros serpent qui zigzaguait dans la poussière du sol, de l'autre côté de la rue...

« Il est interminable, songea-t-elle. Combien mesure-t-il? Il est aussi long que la lance d'incendie des pompiers... Oh! mais je suis complètement idiote! Ce n'est pas un serpent, c'est un tentacule! »

Effectivement, ce qu'elle avait pris tout d'abord pour un boa constrictor [1] était en réalité un pseudopode bleuâtre qui serpentait dans les décombres à la recherche d'une proie!

« Le voilà qui rampe sur la façade de la maison d'en face à la recherche d'une fissure par où il pourrait s'introduire, constata Peggy. On dirait une limace gigantesque. »

C'était la première fois qu'elle voyait un tentacule d'aussi près. De l'autre côté de la rue, le pseu-

1. Enorme serpent qui tue ses proies en les étouffant dans ses anneaux.

dopode cassa un carreau pour se glisser dans un appartement. Il en ressortit deux minutes plus tard sans avoir rien trouvé. Il parut alors hésiter, puis se coula entre les cailloux en direction de la bicoque de Servallon.

— Hé! s'écria Peggy, ce truc vient par ici!

— Bon sang! haleta Sebastian, il nous a repérés. Je pensais que nous étions trop grands pour éveiller son appétit...

— Quel âge avez-vous? demanda le scribe.

— Quatorze ans, répondirent les adolescents.

— Alors vous êtes encore des enfants, soupira le vieil homme, et la Dévoreuse est tout à fait en droit de vous inscrire à son menu. Elle va essayer d'entrer, c'est sûr.

Peggy examina la porte. Par chance, elle semblait solide. Une robuste barre transversale permettait de la bloquer. Par prudence, la jeune fille cala le dossier d'une chaise sous la poignée.

— La fenêtre! lança Sebastian. Vite! Il faut fermer les volets!

Heureusement, le tentacule se déplaçait avec lenteur, comme s'il y voyait mal et peinait à localiser sa cible.

— Ne vous agitez donc pas! fit Servallon avec fatalisme, si la Bête a décidé d'entrer elle entrera. Quand votre heure a sonné il faut se résigner.

— Vous en parlez à votre aise! siffla Peggy. A votre âge vous ne risquez plus qu'elle vous emporte. Avez-vous une hache?

— Là, dans ce placard... mais ça ne servira à rien. Elle est trop forte.

— Je n'ai pas l'habitude de m'avouer battue d'avance, gronda Peggy en s'emparant de l'outil.

— Vous n'arriverez à rien par la force, s'entêta le scribe. Mieux vaudrait utiliser la ruse.

— Quelle sorte de ruse? interrogea Sebastian.

— Votre chien, expliqua le vieillard, déguisez-le en bébé et jetez-le par la fenêtre... le tentacule mettra trois minutes à se rendre compte de la supercherie, ça vous laissera le temps de prendre la fuite.

— *Quoi? Quoi? Quoi?* aboya le chien bleu.

— Je conserve des vêtements d'enfant dans ce tiroir, dit obligeamment Servallon. Je les ai achetés à une nourrice. On ne les a jamais lavés et ils sont imprégnés de l'odeur du bébé qui les a portés. C'est un stratagème auquel on a souvent recours chez nous en cas de danger. Je comptais les vendre aux enchères pour me faire un peu d'argent, mais s'ils peuvent vous être utiles...

— Je ne veux pas qu'on me déguise en bébé! protesta le chien bleu. Je veux mourir en soldat, en combattant cette espèce d'andouille constellée de ventouses qui frappe aux carreaux!

— Personne ne mourra! déclara Peggy d'un ton ferme.

Un coup sourd ébranla la porte, et toute la bicoque trembla sur ses bases.

— Nom d'une saucisse atomique! se lamenta le petit animal, pourquoi n'ai-je pas mangé de chou bleu?

Pendant dix minutes, le pseudopode essaya de s'introduire dans la maison. Il frappait au hasard, tantôt sur la porte, tantôt sur les volets sans parvenir à les arracher de leurs gonds.

— C'est de la bonne construction, se rengorgea Servallon. Je n'ai pas lésiné sur la sécurité. Mais il ne faudrait pas que cette chose nous assiège trop longtemps.

A chaque nouveau coup de boutoir, du plâtre tombait du plafond et de nouvelles fissures se dessinaient sur l'enduit des murs.

— Ça ne tiendra pas une éternité, fit Sebastian. Heureusement que cette patte est plutôt maladroite, sinon nous serions morts depuis longtemps.

— C'est qu'elle y voit mal, expliqua doctement le scribe. Elle se guide d'après son odorat... Nous avons affaire à un tentacule sans yeux, c'est une chance ! Il existe de nombreuses sortes de tentacules, certains possèdent des doigts, d'autres des griffes, d'autres encore des oreilles...

Un nouveau choc lui coupa la parole. Cette fois, Peggy crut que la fenêtre allait voler en éclats. Elle brandit la hache, prête à défendre sa vie.

Curieusement, le silence revint, comme si le pseudopode avait renoncé à forcer l'entrée de la bicoque.

Les adolescents attendirent, ramassés sur euxmêmes, le souffle court.

— Il est parti, annonça Servallon.

— Pourquoi ? s'étonna Peggy. Une minute de plus et la porte cédait...

— Il a flairé une autre proie, plus intéressante, plus facile à capturer, murmura le scribe. Un gosse qui s'est échappé de chez lui, probablement, et qui se promène dans les décombres.

Peggy s'approcha de la fenêtre pour scruter la rue au travers des fentes des volets. Elle ne vit rien. Le tentacule avait disparu.

— C'était de justesse, observa le vieillard. Vous n'aurez pas toujours autant de chance. Méfiezvous. Vous n'êtes pas assez âgés pour que la Dévoreuse cesse de s'intéresser à vous. Ne vous croyez pas trop malins.

Il parut réfléchir, et il ajouta :

— Si vous voulez survivre, je puis vous vendre une potion fabriquée par un sorcier. Elle vous permettra de vieillir de dix ans en une nuit... De cette manière vous aurez vingt-quatre ans en vous réveillant. C'est trop vieux pour la bête.

— J'ai vu des types à qui leurs parents avaient fait boire cette cochonnerie, grogna Sebastian, on aurait dit de vrais crétins !

Servallon eut un geste d'excuse.

— On ne peut pas tout avoir, plaida-t-il. La sécurité et l'intelligence... A votre place je ne jouerais pas les difficiles. Je vous vends le flacon pour une petite pièce d'or.

Peggy Sue hésita. Elle essaya de s'imaginer, plus vieille de dix ans...

— Vous dites dix ans, siffla Sebastian, mais vous n'en savez rien. Si ça se trouve on vieillira de vingt ou trente années d'un seul coup !

— J'avoue qu'il y a un risque, ricana le scribe.

Brusquement, Peggy fut prise d'un doute.

« Et si ce vieil homme était en réalité un enfant ? songea-t-elle. Un enfant qui aurait justement bu l'élixir qu'il essaye de nous vendre ! »

— Non, merci, dit-elle. C'est gentil de nous le proposer, mais on se débrouillera avec les moyens du bord.

— A votre guise, soupira le scribe. Mais vous n'irez pas loin... Considérez que vos jours sont déjà comptés.

La fuite

Comme l'avait annoncé le scribe, le vent se leva soudain, chassant la brume vers une autre avenue. D'un seul coup la nuit se dissipa et l'air redevint respirable.

— A n'en pas douter, nous sommes tombés au mauvais endroit, grommela le chien bleu. L'idée de perdre mes poils ne m'emballe pas plus que ça.

— Comment allons-nous sortir de ce guêpier ? se lamenta Sebastian.

Après avoir pris congé du curieux vieillard (mais en était-ce vraiment un ?), Peggy Sue, Sebastian et le chien bleu sortirent dans la rue. Le jour était revenu, soulignant l'aspect crayeux des bâtiments décolorés. Même les affiches publicitaires étaient devenues illisibles car elles s'étaient changées en de grandes feuilles vierges.

— Si l'on reste trop longtemps dans les parages on me surnommera le chien blanc, maugréa le petit animal. Regardez ! Même ma cravate a blanchi ! On dirait qu'on l'a trempée dans l'eau de Javel.

Alors qu'ils tournaient au coin de la rue, les trois amis se trouvèrent nez à nez avec ceux que Servallon surnommaient « les fuyards ». Les adolescents reculèrent aussitôt pour éviter de se faire piétiner par cette foule qui courait au milieu d'un nuage de poussière. Il y avait là trois cents inconnus vêtus de haillons qui galopaient en haletant. Certains tiraient des pousse-pousse, d'autres des chariots bâchés. Couverts de sueur, ils progressaient avec régularité, s'oxygénant à la manière des athlètes au cours d'une compétition sportive. Un petit groupe de jeunes gens armés de balais se déplaçait en tête de la colonne, ôtant les pierres ou les tessons de bouteilles qui encombraient le terrain.

Sebastian regarda Peggy et lui dit :

— Qu'est-ce qu'on attend ? Autant se joindre à eux puisque nous ne connaissons personne.

— D'accord, fit l'adolescente, en avant pour le marathon !

Et ils se mirent à trotter à la hauteur du premier pousse-pousse. L'homme installé au creux de la voiture dormait la bouche ouverte, un bandeau sur les yeux afin de se protéger de la lumière.

Peggy héla le coureur qui tirait la petite carriole et se présenta, mais l'homme lui fit signe de se taire d'un geste courroucé.

— Tu risques de réveiller Bomo, notre chef ! grogna-t-il. Si tu veux bavarder, va donc courir en queue de peloton. Moi, je dois économiser mon souffle...

Sebastian et Peggy Sue se laissèrent donc distancer. Des chariots passèrent, tirés par des hommes attelés comme des animaux de trait. Peggy dénombra une vingtaine de charrettes. A l'intérieur on apercevait des gens couchés sous des couvertures. Tout le monde paraissait en excellente condition physique. Les hommes comme les femmes arboraient une musculature harmonieuse, développée par la course. Leur peau était agréablement colorée.

A deux reprises Sebastian héla d'autres coureurs, mais personne ne lui répondit. Tous semblaient soucieux d'économiser leur souffle. Enfin, un marcheur isolé lui fit signe.

— Je me suis blessé au pied, haleta-t-il, je te parle si tu me portes pendant cinq kilomètres.

Sebastian n'hésita pas. L'homme était mince, tout en os et en muscles, il le jucha sur son dos. C'était pour lui un fardeau négligeable.

— Vous n'êtes pas d'ici, dit l'inconnu, je vous ai vus tomber du ciel accrochés à un parachute. Vous n'avez pas eu de chance d'atterrir au beau milieu du quartier empoisonné.

— Ne traînez pas ! hurla un surveillant muni d'un chronomètre et d'un porte-voix. La zone de brouillard mesure trois kilomètres de long. Le vent souffle à la vitesse approximative de dix kilomètres/heure et pousse la fumée bleue sur nos talons. Si vous voulez échapper au poison, vous devez maintenir la cadence.

— Qui est-ce ? demanda Peggy Sue.

— Le navigateur, dit le blessé. C'est le pilote de la caravane. Il apprécie la force du vent et l'emplacement des poches de brouillard toxique. Plus le vent souffle, plus le poison se déplace avec rapidité. Cela implique de courir plus vite pour ne pas être rattrapé par la fumée. Aujourd'hui il ne faut pas se plaindre, la brise est calme. Une moyenne de dix kilomètres/heure n'a jamais tué personne. Mais certains jours de bourrasque, la brume glisse au long des rues à la vitesse d'un cheval au galop, il faut alors filer ventre à terre pour se maintenir dans la zone respirable.

Sebastian tourna la tête. Loin en arrière, on apercevait à l'horizon des toits un panache de fumée indigo.

— Si l'on s'assoit au bord d'un trottoir pour se reposer, dit amèrement le blessé, on court le risque d'être submergé par la brume. Il faut à tout prix éviter d'être touché par elle si l'on ne veut pas partir en lambeaux. Je pense que vous avez compris le principe ?

Peggy Sue hocha la tête. Sebastian courait d'un pas lourd mais régulier.

— Lorsque la bourrasque se déchaîne, il est presque impossible de tenir le rythme, dit l'homme. Heureusement le climat de Kromosa est assez clément. Les jours de calme plat, le souffle de la Dévoreuse stagne au-dessus des crevasses et cesse de nous poursuivre. Nous pouvons alors nous arrêter pour paresser, mais cela ne se produit guère plus d'une ou deux fois par semaine en cette saison.

— Comment t'es-tu blessé ? demanda Peggy Sue.

— Sur un piège posé par les compagnons de la pieuvre. Ils nous détestent. Ils ont pris l'habitude de creuser des trous dans le sol et d'y enfouir de longues pointes pour nous percer les pieds. Voilà pourquoi nous faisons courir des éclaireurs en tête de colonne. Ils déblayent le terrain et repèrent les pièges. C'est un travail dangereux car l'on risque soi-même de poser le talon sur un clou empoisonné. Si vous voulez être admis dans la colonne, allez voir Bomo, le chef, et postulez pour cet emploi, on vous acceptera sans difficulté.

— Je peux tirer les chariots, dit Sebastian. Je suis fort.

— Oui, fit l'homme, mais la fille est trop fluette, elle n'y arrivera pas. Si elle accepte le poste d'éclaireuse, elle a une chance d'être admise par le clan. Evidemment, c'est une activité dangereuse.

Peggy fit la grimace. La perspective de plonger le pied dans un trou hérissé de pointes vénéneuses ne la réjouissait guère ; d'autre part, elle voyait là un moyen rapide de gagner la considération du clan.

— Si je comprends bien, dit Sebastian, le nuage de fumée cache d'autres dangers...

— Oui, grommela l'inconnu. Il faut monter une garde vigilante car les compagnons de la pieuvre rôdent dans les décombres, se dissimulant dans la brume. Ils préparent des pièges, creusent des fosses ou essayent de se glisser dans les chariots pour saboter les attelages. Tout leur est bon pour nous offrir en pâture à leur idole : la Dévoreuse. Ils n'ont qu'un but dans la vie, veiller à ce qu'elle ait toujours de quoi manger.

Peggy Sue se sentait envahie par le découragement. Dans quel bourbier étaient-ils tombés ? Sebastian serait-il capable de courir huit heures par jour sans succomber à l'épuisement ? Depuis qu'il était redevenu humain, il n'était plus aussi fort qu'avant. Chaque fois qu'il se fatiguait, il sombrait dans un sommeil comateux — anormal — dont rien ne pouvait le sortir, pas même un coup de canon tiré près de l'oreille !

— Une heure de course, une heure de repos, confirma le coureur, c'est la règle. Les équipes sont habituées à ce rythme. On s'y fait.

Au bout de cinq kilomètres, Sebastian le reposa sur le sol. L'homme offrit alors de les conduire auprès du chef de caravane.

— Il s'appelle Bomo, dit-il, moi c'est Goussah.

Toujours trottant, ils se hissèrent à la hauteur d'un pousse-pousse occupé par un homme d'une cinquantaine d'années aux joues couvertes de tatouages. Goussah se chargea des présentations, multipliant les courbettes.

— Elle est fluette, dit méchamment Bomo en jetant un coup d'œil à Peggy, elle ne sera pas capable de courir bien longtemps. (Se tournant vers Sebastian, il lança :) Et qui est ce gamin aux biceps disproportionnés ? Il a un air insolent qui ne me plaît guère.

Goussah entreprit de plaider la cause des deux jeunes gens. Bomo fit la moue.

— Je leur laisse une chance, dit-il en esquissant un geste en direction des balayeurs. Si la fille peut courir jusqu'à ce soir sans se percer les pieds, elle pourra rester avec nous. Si elle se blesse, nous l'abandonnerons derrière nous, et les compagnons de la pieuvre lui régleront son compte.

Peggy s'inclina en signe de remerciement et gagna la tête de la colonne. Un garçon aux traits creusés par la fatigue lui tendit un balai et se retira à l'arrière.

La jeune fille observa les éclaireurs qui soulevaient un véritable nuage de poussière à force de balayer la route. Ils évoluaient avec des gestes saccadés, sondant le sol à coups précis, écartant les morceaux de bois qui pouvaient dissimuler une chausse-trappe. En l'espace de dix minutes, ils mirent au jour deux trous garnis de bambous effilés, ainsi qu'un piège à loup rudimentaire caché dans une flaque d'eau.

— Il faut être vigilant, expliqua Goussah, pour un coureur, une blessure au pied peut déboucher sur l'exclusion pure et simple. J'ai connu une fille de quinze ans dont le tendon d'Achille avait été sectionné par une lame à ressort. Elle a dû abandonner la colonne et s'asseoir au bord du trottoir. Les compagnons de la pieuvre l'ont jetée dans une crevasse.

Peggy ne répondit pas ; les mains serrées sur le manche du balai, elle sondait la route, calquant ses gestes sur ceux des autres éclaireurs. Le chien bleu se rendait utile en reniflant le sol et en détectant lui aussi les pièges dissimulés. Il se révéla très efficace et les balayeurs le prirent aussitôt en amitié. A la fin de la journée, ils le considéraient comme leur mascotte.

Sebastian, lui, s'était attelé à une charrette chargée d'enfants et galopait, le front bas, les muscles gonflés par l'effort.

Il courut ainsi jusqu'à la nuit. Au moment où la caravane fit halte, le jeune homme s'abattit et sombra dans un coma profond, auquel personne à part Peggy Sue ne prit garde.

On alluma des feux, et des sentinelles choisies parmi l'équipe qui venait de se réveiller s'installèrent çà et là. Peggy, laissant Sebastian sous la surveillance du chien bleu, se faufila jusqu'à l'un des bivouacs pour essayer de se procurer un peu de soupe. Goussah l'y aida et entreprit de masser les pieds meurtris de la jeune fille à l'aide d'une pommade grise.

— Tu es mignonne, dit-il, je t'aime bien. Tu dois tenir le coup, sinon le chef te fera chasser.

— Il faut pourtant que nous sortions d'ici, grogna Peggy. Nous sommes des messagers, nous devons porter un pli au palais royal.

Goussah la dévisagea avec incrédulité. L'espace d'une seconde, il parut se retenir d'éclater de rire.

— Un pli? dit-il. Je me demande bien qui le lirait ! Tu ne sais donc pas que tous les seigneurs kromosas s'adonnent au délire de la drogue?

— Quelle drogue?

— La drogue fabriquée par la Dévoreuse. On la surnomme « la délicieuse gourmandise ». C'est ce que racontent les gardes en faction devant la grande porte. Dans le quartier riche, les gens vivent dans un état de délire permanent. Rien ne les intéresse hormis la satisfaction de leur vice. Je n'en sais pas plus ; ce sont des somnambules, des zombies. Ton message, personne ne le lira, tu peux le jeter au feu.

Sur ces mots, le jeune coureur s'allongea pour dormir, laissant Peggy Sue perplexe.

*

Le lendemain, la course reprit. La caravane s'ébranla dans la lumière grise de l'aube. Sorti de son coma, Sebastian était de nouveau en parfaite forme physique et capable de tirer des charges énormes. Bomo, le chef de convoi, le surveillait d'un œil intéressé.

A midi, l'essieu d'un chariot chargé d'enfants cassa, répandant son chargement sur les pavés. Les gosses se mirent à hurler, terrifiés à l'idée que le brouillard allait bientôt les envelopper.

— On a saboté la roue, annonça Goussah, c'est encore un coup des amis de la pieuvre. Ils ont dû se glisser dans le camp au cours de la nuit ! Ce sont des démons, on ne les voit jamais.

Et il désigna l'essieu qui portait la trace d'un coup de lime.

On ramassa les gamins en pleurs. Une cantinière vint les examiner.

— La Dévoreuse espère que nous les abandonnerons, grinça Goussah, à cause de la surcharge. Les chariots sont vieux, si on y entasse trop de gens, ils se brisent. La bête des souterrains le sait. Moins il y aura de charrettes, plus les gens devront se déplacer à pied ; de cette manière ils deviendront des proies faciles. Dès que le brouillard vous enveloppe il faut se préparer à voir les tentacules jaillir des crevasses. Elle est rapide, la garce ! Et silencieuse avec ça. On est entraîné au centre de la terre avant même d'avoir compris ce qui vous arrive.

Sebastian alla soulever le chariot pendant que les coureurs s'évertuaient à remplacer l'essieu brisé. Bomo pestait dans son pousse-pousse, tandis que le chronométreur estimait le retard accumulé et déterminait la position de la colonne par rapport à l'avance du brouillard empoisonné.

— La fumée est à sept kilomètres derrière nous ! glapissait-il. Elle approche, elle approche.

L'essieu fut changé, les roues remises en place. Les gosses reprirent leur place sur la plate-forme du véhicule.

— Chez nous, ceux qui ne sont pas capables de courir n'ont guère de chance de survivre, dit Goussah en évitant le regard de Peggy Sue.

— La fumée ! hurla le chronométreur. A quatre kilomètres derrière vous. Elle se rapproche. Galopez si vous ne voulez pas qu'elle vous lèche les talons !

Le convoi reprit sa course. Cette fois, les hommes avançaient les coudes au corps, la bouche grande ouverte, essayant de grignoter le retard accumulé. Les roues de bois des carrioles faisaient un vacarme d'enfer sur les pavés, et les éclaireurs travaillaient à toute allure pour nettoyer la route des pièges sournois déposés à la faveur de la nuit. La peur du brouillard empoisonné aiguillonnait chacun. On le sentait tout proche ; Peggy Sue avait l'impression de percevoir son odeur irritante. Elle redoutait le moment où la fumée les envelopperait.

— Quatre kilomètres et demi ! annonça le chronométreur avec un certain soulagement. Continuez, mes petits, le salut est dans la force de vos mollets et la poussière que vous mangerez !

Un concert de halètements lui répondit.

Le crime de Peggy Sue

La nuit même, alors que Peggy dormait, la tête appuyée contre le flanc du chien bleu, elle fut tirée du sommeil par une sensation de danger imminent. Les yeux brouillés, elle s'assit.

Elle eut la surprise de voir les enfants descendre des chariots en prenant mille précautions (comme s'ils ne voulaient pas réveiller leurs parents) et se faufiler hors du campement. C'était curieux, et inquiétant, car il n'était guère prudent pour les petits d'aller traîner dans les ruines.

La jeune fille décida de les suivre. Les gosses se donnaient beaucoup de mal pour ne pas être vus. Leur petite taille facilitait leur « évasion ».

« Que fabriquent-ils ? s'étonna Peggy. D'habitude ils ont peur de s'éloigner des chariots. »

Les enfants se glissèrent dans les ruines et s'assirent au bord d'une crevasse béante. Ils souriaient et dodelinaient de la tête. Parfois, ils pouffaient de rire. Au bout d'une minute, ils commencèrent à fredonner en chœur.

De temps en temps, ils se penchaient dangereusement pour regarder dans la lézarde.

— Coucou ! criaient-ils, on est là ! Vous nous voyez ? Coucou ! Coucou !

Inquiète, Peggy sortit de sa cachette.

— Salut, dit-elle en s'approchant d'un pas nonchalant. Qu'est-ce que vous faites là ?

— On écoute les chansons, répondit un garçonnet aux cheveux bouclés. C'est pas pour les grands. Laisse-nous !

Peggy s'agenouilla à côté de lui.

— Des chansons ? s'étonna-t-elle, voyez-vous ça !

— Oui, insista le gamin, elles sortent de la crevasse, mais les grands peuvent pas les entendre. C'est juste pour nous, les gosses.

— Et que racontent-elles ces chansons ?

— Des trucs rigolos, des blagues... ils ont l'air de drôlement s'amuser en bas. J'aimerais bien aller les rejoindre.

— Qui ça ?

— Les enfants qui ont disparu dans les crevasses. Ils sont en bas, ils chantent, ils sont heureux, ils s'amusent.

— Comment le sais-tu ?

— Ils nous le disent, dans les chansons. Ils nous demandent de sauter dans la lézarde pour venir les retrouver.

Peggy se figea, en alerte.

« Un piège de la Dévoreuse ! songea-t-elle. Elle imite des voix d'enfants pour les convaincre de sauter dans le vide. De cette façon, elle n'a même plus à se donner le mal de les chasser, ils viennent d'eux-mêmes se jeter dans sa gueule. »

Elle tendit l'oreille, essayant de détecter un chant en provenance du gouffre.

— Je n'entends rien, observa-t-elle.

— Bien sûr, grogna le garçonnet, mécontent. Ils se taisent toujours en présence des grands. Va-t-en ! tu nous empêches de nous amuser. Tu crois que c'est drôle de vivre dans la caravane ? On s'ennuie toute la journée, il faut rester dans les chariots, et quand on s'arrête on n'a pas le droit de courir ou de s'éloigner, c'est casse-pieds ! En bas ils font tout ce qu'ils veulent. Ils chantent, ils dansent, c'est tous les jours la fête...

— Ce sont des mensonges, murmura Peggy Sue le plus calmement possible. La Bête vous raconte ça pour vous convaincre de sauter. C'est elle qui imite les voix. Ne l'écoutez pas. Elle veut vous dévorer.

— Tu racontes n'importe quoi ! cria le gosse. T'es trop grande pour les entendre. Et puis t'es moche, elle voudrait pas de toi ! La Bête n'est pas méchante, elle s'ennuie, elle aime être entourée d'enfants qui la distraient. Elle veut se faire des copains, c'est tout. Les adultes l'embêtent... Elle dit que si nous restons avec nos parents, nous deviendrons aussi crétins qu'eux !

— Allons, tu exagères, vos parents ne sont pas des crétins, ils luttent pour vous soustraire aux effets du gaz toxique.

— Justement, on ne veut pas devenir comme eux, courir toute la journée, tirer les charrettes comme des ânes... Tu parles d'un programme ! On veut rire et s'amuser. On ne veut pas grandir. La Bête nous a dit qu'en bas on ne grandirait plus et qu'on jouerait tout le temps.

— Des mensonges, répéta Peggy. Allons, revenez au camp.

— C'est toi la menteuse ! trépigna le garçonnet. Et nos parents mentent aussi ! Ils sont jaloux de voir qu'on serait plus heureux avec la bête des souterrains, alors ils inventent des histoires comme quoi elle nous dévorerait, *mais c'est faux !* c'est faux !

Sous l'effet de la colère, le gamin s'était dressé. Son petit visage était rouge et ses yeux lançaient des éclairs. Ses copains l'imitèrent.

— Laisse-nous ! hurla-t-il, nous voulons chanter, nous voulons jouer... fiche-nous la paix !

Brusquement, avant que Peggy Sue ait eu le temps de réagir, le petit garçon empoigna les mains des deux enfants qui l'encadraient et... *sauta dans la crevasse en leur compagnie.*

Peggy poussa un cri d'horreur et se jeta à plat ventre pour essayer de les rattraper mais ils avaient déjà disparu au fond du gouffre. Aussitôt, les autres gosses les imitèrent. Un à un ou deux par deux, ils plongèrent dans les ténèbres de la faille en pouffant de rire, comme s'il s'agissait d'une bonne blague.

Les cris de la jeune fille avaient réveillé les adultes qui se précipitèrent.

— Vite ! leur ordonna Peggy. Vite, attrapez-les...

Elle-même s'était jetée sur deux enfants qu'elle ceinturait en dépit des coups de poing qu'ils lui expédiaient.

Sebastian lui vint en aide et saisit deux marmots par la peau du dos, comme des chatons. En dépit de leurs efforts, ils ne purent empêcher les autres gosses de disparaître dans la lézarde.

*

Ce drame mit la caravane en émoi. Peggy eut beau expliquer à dix reprises ce qui s'était passé, le doute subsista. Arrivés trop tard sur les lieux, les adultes n'avaient pas bien compris ce qui se passait, ni le sens de ses gesticulations.

— Ils vont t'accuser d'avoir jeté les gosses dans la crevasse, chuchota Sebastian. Ils se méfient de nous, nous sommes des étrangers. Ça ne sent pas bon... Je crois qu'il va falloir songer à ficher le camp avant qu'on ne nous fasse un mauvais sort.

Les bourreaux viendront ce soir...

Ils coururent tout le jour, talonnés par le brouillard qui menaçait de les rattraper. Ils couraient en regardant par-dessus leur épaule, tels des fuyards qui guetteraient avec angoisse une meute de chiens lancée sur leurs traces. La fumée coulait le long des trottoirs, s'insinuait dans les maisons par les fentes des volets, les carreaux cassés.

« S'agit-il réellement du souffle de la bête des souterrains ? » se demandait Peggy.

Elle percevait dans sa nuque le fourmillement irritant qui vous assaille lorsqu'on se sent espionné. Elle comprit que les compagnons de la pieuvre l'épiaient, dissimulés dans les ruines au sein desquelles ils rampaient. Ils étaient partout, ils n'étaient nulle part, tissant d'incessantes manigances, travaillant sans relâche à faire le mal. Malgré ses efforts, Peggy Sue ne parvenait pas à les repérer.

Ses relations avec le groupe s'étaient dégradées depuis la terrible nuit où elle avait essayé d'empêcher les enfants de sauter dans la faille.

— C'est moche, lui avait soufflé le chien bleu devant qui les gens parlaient sans précaution. Les quatre gosses que vous avez sauvés, Sebastian et toi, vous ont accusés d'avoir poussé leurs copains dans la lézarde. Goussah vous a défendus, mais Bomo ne vous aime pas. Il a hésité un moment, parce qu'il avait peur, en vous faisant exécuter, de se priver d'un bon tireur de carriole et d'une excellente éclaireuse, mais il vient de prendre sa décision. Les parents des disparus exigent vos têtes. Ils veulent qu'on vous couse dans un sac et qu'on vous balance dans une faille. Ça se passera cette nuit. Il faut ficher le camp sans attendre. Nous sommes en danger.

— C'est injuste! gémit Peggy Sue. J'ai essayé de sauver ces enfants.

— Je sais bien, fit l'animal. Mais les gens refusent de croire que leurs mioches ont sauté dans le vide de leur plein gré. Ça leur paraît invraisemblable.

— Ce n'était pas de leur plein gré, la Dévoreuse les avait hypnotisés.

— Peu importe, ne traînons pas. Les bourreaux ont déjà été désignés, ils viendront se saisir de vous dès que vous serez endormis. Bomo l'a ordonné devant moi. Il ne se méfie pas, il croit que je suis un chien comme les autres.

*

Au cours de l'après-midi, alors qu'elle explorait les décombres, Peggy Sue rencontra Junius Abraxas Servallon, le vieux scribe. Il ramassait des champignons dans les gravats. Il avait plus que jamais l'air d'une momie échappée de son sarcophage.

— Je t'aime bien, petite, chuchota-t-il. Je ne voudrais pas qu'il t'arrive malheur. Il y a de mauvaises rumeurs qui courent sur toi. Tu aurais assassiné des enfants en les poussant dans une crevasse. Tu ferais partie des compagnons de la pieuvre... Ils t'auraient envoyée pour infiltrer les fuyards. C'est ce que chuchotent les commères. Moi, je sais que tu dis la vérité. Je connais mieux la Bête que ces pauvres gens, je sais de quoi elle est capable. Tu veux savoir pourquoi la Dévoreuse déteste le genre humain ? C'est tout simple. Au début, quand les premiers hommes se sont installés à la surface de l'œuf, la bête des souterrains les a observés par les fissures de sa coquille. Cela la distrayait car elle s'ennuyait dans sa tanière. Pendant des années, elle s'est amusée à les regarder construire des villes, coloniser les déserts ; les recouvrir de terre arable pour y planter des arbres, du blé... Elle approchait ses yeux des crevasses et les espionnait, comme on peut épier quelqu'un par le trou d'une serrure. Puis les humains ont commencé à vouloir creuser des trous dans la coquille, pour en extraire de l'or, et elle n'a pas apprécié. Ensuite, les industriels ont eu l'idée d'utiliser les fissures du sol pour y déverser leurs déchets, leurs ordures. Tous ces poisons sont tombés sur la tête de la Dévoreuse, et elle s'est soudain retrouvée baignant dans un lac de saletés. Les ordures des hommes ! C'est à ce moment-là qu'elle s'est mise en colère et que la haine s'est emparée d'elle. Elle a déclenché des tremblements de terre pour abattre les usines, et les industries ont dû fermer leurs portes, les unes après les autres. Malgré cela, les hommes se sont obstinés à rester là, à trotter sur sa coquille, à répandre leurs ordures dans les crevasses. Alors elle a décidé de leur faire la guerre. De les harceler jusqu'à ce qu'ils s'en aillent enfin. *Elle est chez elle.* Elle a le droit d'exiger le départ des Terriens. Peux-tu comprendre cela ?

Peggy Sue hocha la tête.

— Alors écoute la véritable histoire de Kandarta, la planète œuf, poursuivit le vieillard. Si la bête a faim c'est en réalité la faute des hommes qui l'ont réveillée en posant leurs vaisseaux cosmiques sur sa coquille. Avant leur arrivée elle dormait... et elle aurait pu dormir encore dix mille ans s'ils n'avaient pas fait tant de bruit avec leurs machines, leurs voitures ! Tant qu'elle hibernait elle n'avait pas besoin de se nourrir. Elle somnolait, tapie au cœur de sa caverne de granit, de son œuf de pierre. Mais à la minute même où elle a ouvert les yeux, son estomac a crié famine, et elle a bien été obligée de songer à manger. Si elle a faim, c'est encore la faute des humains, qu'ils ne viennent donc pas se plaindre si elle enlève leurs enfants. Cela suffit à peine à la maintenir en vie ! Quand elle sortira de sa coquille sa colère s'abattra sur la ville. Son appétit sera insatiable ! Y aura-t-il assez d'enfants sur toute la planète pour le combler ?

— Il faut empêcher cela, haleta Peggy Sue.

— Sans doute, mais ce sera difficile.

— Il y a, paraît-il, une arbalète géante au palais royal...

Le scribe ricana :

— Ranuck, le grand vizir, l'a laissée rouiller sous la pluie. Il ne l'utilisera jamais. Il a vendu son âme à la Dévoreuse. C'est le chef des compagnons de la pieuvre. Entre ses mains, le roi Walner n'est qu'un pantin. De l'autre côté du grand mur règne la folie... Vous n'y serez pas plus en sécurité qu'ici.

— Nous devons y aller, insista la jeune fille. Pourriez-vous nous indiquer un chemin sûr ?

— Il n'y en a pas, soupira le scribe. Les crevasses vous barreront partout la route, béantes, prêtes à vous avaler. Le seul moyen d'arriver à la grande porte serait de passer par l'ancienne prison...

— La prison?

Servallon grimaça et, d'un doigt hésitant, gratta les croûtes de son visage.

— Un sale endroit, bougonna-t-il. C'est là, jadis, qu'au terme de la première guerre contre les magiciens on a exécuté les suppôts de la Dévoreuse. On leur a coupé la tête, on les a pendus ou brûlés vifs, mais ils ne sont jamais vraiment morts...

— *Quoi?* haleta Peggy.

— Hum, grommela le scribe d'un air embarrassé, je n'invente rien. On a eu beau les réduire en cendres, les pouvoirs de la bête des souterrains les ont maintenus dans un semblant de vie. Ils se sont changés en fantômes... *Du moins c'est ce qu'on raconte.* Peut-être s'agit-il d'hallucinations fabriquées par le gaz des crevasses... Comment savoir? Quoi qu'il en soit, les compagnons de la pieuvre ont peur de cet endroit, ils n'y mettent jamais les pieds. Que dis-je? *personne n'y met jamais les pieds!* Si vous réussissez à traverser sans encombre la cour des exécutions, vous ressortirez par la porte sud, ce qui signifie que vous serez alors de l'autre côté de la muraille, tout près du palais royal.

— Pouvez-vous nous conduire, mes amis et moi, jusqu'à cette prison?

— Si tu veux, mais je doute que vous sortiez vivants de cette promenade. Si les spectres existent, ils vous tueront. S'il s'agit d'hallucinations, elles vous feront perdre la raison, et à la fin du parcours vous aurez oublié jusqu'à votre prénom!

La prison de l'épouvante

— Voilà, annonça Servallon en désignant un horrible bâtiment au fond d'une impasse. Vous vous trouvez devant l'ancienne prison royale de Kromosa. Sous le règne du roi Oton IV, on y exécuta des milliers de sorciers appartenant à la confrérie des compagnons de la pieuvre. A cette époque-là, les seigneurs de Kandarta ne s'étaient pas encore compromis avec la bête. Les choses ont bien changé depuis.

Peggy Sue et ses amis levèrent la tête pour examiner l'affreuse bâtisse percée de meurtrières. Il était tard et ils étaient fatigués. Ils avaient dû attendre la halte du soir pour quitter les fuyards sans trop éveiller l'attention.

Servallon remit à Peggy un parchemin sur lequel il avait tracé un plan détaillé de la prison.

— Surtout, ne vous arrêtez pas, recommanda-t-il. Je n'ai aucune idée de ce qui vous attend à l'intérieur. Traversez les quartiers de détention [1] sans regarder derrière vous, et cherchez la cour, là où les bourreaux tranchaient les têtes, jadis. Personne n'a mis les pieds ici depuis deux siècles. Pas

1. Endroit où sont groupées les cellules des prisonniers.

même les compagnons de la pieuvre. Au fond de la cour, vous verrez une porte, c'est la sortie. Je vous souhaite bonne chance... Vous en aurez besoin. Si vous réussissez à émerger de ce piège, vous serez à deux pas du palais royal.

Peggy le remercia ; le vieil homme s'enfuit en rasant les murs.

— On y va ? s'enquit Sebastian, la main posée sur l'énorme porte mangée par la lèpre du temps. Tu es sûre de ton coup ?

— Non, avoua la jeune fille. Mais nous n'avions pas le choix, et Servallon m'a affirmé qu'il n'existait nul autre moyen d'atteindre le palais royal. Si nous avions commis l'erreur de nous approcher du grand mur les sentinelles nous auraient criblés de flèches. Elles ont ordre de tuer tous ceux qui essayent de sortir du quartier empoisonné.

— D'accord, alors en avant !

Le jeune homme poussa la porte dont les gonds rouillés hurlèrent.

— Ça empeste le rat ! s'exclama le chien bleu en glissant son museau dans l'entrebâillement. Ils doivent être aussi gros que des chats !

— Faisons vite, souffla Peggy Sue. D'après le plan, la cour est au bout du couloir principal.

Les trois amis s'élancèrent, retenant leur souffle. A l'intérieur du bâtiment, tout était noir et rongé par la rouille. Grilles et barreaux s'émiettaient. Un coup de pied suffisait à les faire tomber en poussière. Sebastian eut de la peine à dénicher une barre de fer assez solide pour constituer un gourdin acceptable.

Ayant traversé la bâtisse au pas de course, ils aboutirent devant une porte d'acier que le garçon enfonça de l'épaule.

De l'autre côté s'étendait la cour des exécutions.

— C'est... c'est gigantesque ! haleta Peggy. Je ne pensais pas que ça occupait tant de place...

Sebastian et le chien bleu s'immobilisèrent à l'orée du champ de souffrance.

— C'est vaste, ricana l'animal. On pourrait y construire six cathédrales sans qu'elles soient à l'étroit.

Peggy Sue hésita. A coup sûr, personne ne devait aimer se hasarder entre ces quatre murs tant l'endroit était sinistre !

— Ça doit bien mesurer un kilomètre de long, grogna Sebastian. C'est une vraie prairie, pas une simple cour ! Je voyais ça beaucoup plus petit.

Une forêt de potences se dressait des deux côtés de la route. Les gibets [1] avaient été construits au moyen de piliers massifs, enracinés dans le sol et conçus pour supporter chacun deux douzaines de pendus. Leurs nœuds coulants, centenaires, avaient perdu l'apparence du chanvre pour prendre celle de la peau de serpent. Dans la lueur crépusculaire, on avait la sensation que des tentacules se balançaient aux poutres transversales, *des tentacules en attente de gibier.*

— Drôle de camping, souffla le chien bleu. Comptez pas sur moi pour allumer un feu de camp et chanter en grattant la guitare...

— Junius Servallon m'a raconté qu'ici les anciens rois de Kromosa ont fait trancher la tête à plus de trois cent mille sorciers lors de la grande révolte des magiciens, en l'an 37 de l'ère du Crapaud, expliqua Peggy Sue.

— C'est un paysage d'une autre époque, murmura Sebastian. Il ne faut pas se laisser effrayer.

1. Potences.

Tout ça remonte à une époque barbare aujourd'hui révolue. Dans ce temps-là, on brûlait les sorcières pour un oui pour un non... ça ne se fait plus de nos jours.

— Ça ne se fait plus *chez nous*, corrigea le chien bleu, ici j'en suis beaucoup moins certain.

— Allons, insista le garçon, un peu de cran ! Il suffit de se dire qu'il s'agit d'une espèce de musée... ou d'un ancien champ de bataille... rien de plus.

Peggy aurait voulu partager son optimisme, hélas, d'autres instruments de supplice encombraient la lande. Derrière les potences se dressaient des billots avec leurs haches rouillées plantées à la verticale. Tout autour, la terre était d'un brun rougeâtre. A force de boire le sang des condamnés, elle avait fini par changer de teinte.

— D'accord, soupira Peggy, allons-y puisqu'il n'existe pas d'autre route pour atteindre le palais royal.

« Il y a eu trop de morts, pensa-t-elle, la terre a bu l'âme des sorciers avec leur sang. Le sol est une éponge gorgée de haine. A chaque pas j'appuierai sur cette éponge... et un peu de leur colère jaillira sous mes semelles. »

Elle faillit demander à Sebastian de renoncer. Elle savait pourtant que c'était inutile, il n'y avait pas d'autre route pour se rendre au palais et actionner l'arbalète géante. Le garçon perçut son hésitation.

— Tu as peur ? murmura-t-il.

— Oui, souffla la jeune fille. Même le plus endurci des compagnons de la pieuvre ne se risquerait pas sur un tel territoire.

— Nous n'avons pas le choix.

— Je sais.

— Alors il faut galoper droit devant nous, fit Sebastian d'une voix sourde.

Il brandit son gourdin en poussant un cri de guerre, le fit tournoyer au-dessus de sa tête pour assurer sa prise, puis le posa sur son épaule. Comme tous les garçons, il aimait manipuler les armes et se donner des allures de guerrier.

— Allons-y, décida-t-il en prenant un air fanfaron.

A regret, Peggy se mit en marche. Ses souliers s'enfonçaient dans la terre.

« Si les choses tournent mal, songea-t-elle, il ne sera pas facile de courir. »

Le jour continuait à baisser... les potences paraissaient peintes en noir. Le vent agitait leurs nœuds coulants. Sebastian serra les dents.

L'avance des trois amis réveilla les corbeaux perchés sur les gibets. Leurs ailes se mirent à bruire. Sebastian agita son gourdin pour les dissuader de s'approcher. Bien qu'il ne voulût pas le montrer à Peggy Sue, il avait peur lui aussi. Se penchant, il inspecta les abords du chemin. Il grommela : ce qu'il avait pris pour des cailloux se révélait un amoncellement de crânes empilés de manière à former un muret qui s'étirait tout au long de la route. Le mur comportait des *milliers* de crânes. Les têtes des squelettes semblaient suivre du « regard » les déplacements des jeunes intrus.

— Les pierres, souffla à cet instant Peggy Sue, tu as vu ? Ce sont des...

Elle avait la voix qui tremblait et la paume des mains moite. Le jeune homme ne répondit pas. Qu'aurait-il pu dire ?

— Allons, fit le chien bleu, il s'agit de vieux os éparpillés. Pas de quoi en faire une histoire. Si je déniche un beau tibia, je l'emporterai pour le grignoter en prenant mon temps. N'oubliez pas que je suis expert en ossements, et je puis vous assurer que tout ce que nous voyons là est bon à manger ! Cette cour est en fait un vrai supermarché pour les chiens !

Ils parcoururent une centaine de mètres sous le regard vide des têtes de morts entassées. Le vent qui se levait faisait grincer les poutres des gibets.

— Servallon m'a raconté que, à l'époque de la guerre contre les magiciens, la prison grouillait de monde, murmura Peggy. Des escouades entières de bourreaux y officiaient en permanence, se relayant pour trancher la tête des sorciers ou les brûler sur des bûchers.

— Tu n'as rien de plus drôle à raconter ? protesta le chien bleu. J'ai le poil qui se dresse sur l'échine ! Bon sang, si tu continues comme ça je serai mort de peur avant d'avant parcouru la moitié du chemin.

— D'accord, fit Sebastian, ne nous affolons pas. Il s'agit de vieilles légendes. De toute façon il ne fait pas encore nuit. Les fantômes sortent uniquement la nuit, c'est bien connu.

Peggy Sue s'agenouilla pour examiner le sol. Tout de suite, elle remarqua un frémissement anormal dans les fougères, comme si quelque chose rampait à l'abri des mauvaises herbes et des ronces. Un animal ? Elle en doutait. L'ancien scribe l'avait prévenue que les squelettes des condamnés avaient pour habitude d'arracher l'épiderme des intrus pour tenter d'en recouvrir leurs pauvres os dénudés.

« Ils sont pitoyables, avait expliqué le vieil homme, il faut les voir écorcher leurs victimes afin de se fabriquer des vêtements en peau humaine. Ils endossent ensuite ces défroques pour se donner l'illusion de posséder un corps. Bien sûr, ces costumes se désagrègent vite, et tout est à recommencer ! Oui, les squelettes sont émouvants dans leur désir de redevenir des hommes. Mais ils sont surtout dangereux, très dangereux. »

Sebastian serra sa main moite sur le manche du gourdin. Les fougères remuaient toujours.

— En tout cas, moi je ne risque rien, ricana le chien bleu. Aucun squelette digne de ce nom ne voudrait s'habiller d'une peau de chien !

Peggy Sue crut repérer une luisance ivoirine entre les feuilles, comme en produirait une tête de mort brillant au soleil. Mais peut-être s'agissait-il d'un caillou poli par l'usure, ou d'un morceau de marbre ?

La luminosité était si médiocre qu'il devenait difficile d'émettre une hypothèse. Il fallait toutefois se garder des pièges de la raison raisonneuse. A trop vouloir se rassurer, on finissait par se jeter la tête la première dans la gueule du loup.

Peggy rassembla son courage et effleura l'épaule de Sebastian pour lui signifier qu'on pouvait repartir. A cet instant, le nœud coulant d'une potence frôla la joue du garçon. Le chanvre décoloré et durci par les ans lui râpa l'oreille, comme s'il était animé d'une vie propre. Peggy Sue fit un bond de côté. Le mouvement de la corde ne lui avait pas échappé.

— Tu as vu ? hoqueta-t-elle, le nœud coulant, il a essayé de t'attraper !

— Mais non, murmura le jeune homme d'une voix blanche, c'était le vent.

— Pas du tout, insista Peggy, c'était de la sorcellerie. *Le vent souffle dans l'autre sens.* La corde a bel et bien essayé de te capturer. Il faut marcher au milieu de la route pour se tenir le plus loin possible des potences. Peut-être devrais-tu allumer une torche ?

— Tu n'as pas peur que cela signale notre présence aux sentinelles postées sur les remparts du grand mur ? fit remarquer le jeune homme. Elles pourraient être tentées de nous expédier une volée de flèches. Ici, nous sommes à découvert.

— Si, tu as raison, ce n'était pas une bonne idée, mieux vaut marcher dans le noir.

Un bruit résonna derrière eux. Tournant la tête, les trois amis virent que les crânes constituant le muret s'éboulaient les uns à la suite des autres, pour former un tas compact au milieu du chemin. Encore une fois il pouvait s'agir d'un simple méfait de la bourrasque, pourtant ils n'y croyaient pas.

« Ils se rassemblent afin de nous poursuivre », pensa Peggy tandis que la panique montait en elle.

Elle avança à grandes enjambées, les mollets raidis par la peur. Dans son sillage les têtes osseuses des squelettes roulaient au ralenti, telles des boules de pétanque. De temps à autre elles perdaient quelques dents, ou une mâchoire, mais ces petits inconvénients ne les décidaient nullement à ralentir.

— Le chemin est en pente, hasarda le chien bleu. Peut-être s'agit-il d'un éboulement naturel ?

— Tu crois à ce que tu dis ? grogna Sebastian.

— Non, avoua l'animal. En fait, j'ai envie de me mettre à galoper ventre à terre.

— Nous n'y arriverons jamais, gémit Peggy Sue, vous rendez-vous compte que nous n'avons même pas encore atteint le milieu de la cour?

— Ne te retourne pas! ordonna Sebastian. Il s'agit peut-être d'une illusion...

— Tu crois?

— Je n'en sais rien...

Incapable de résister, Peggy regarda par-dessus son épaule pour suivre la progression des crânes. La meute continuait à rouler en désordre et les têtes s'entrechoquaient, produisant un son creux de soupières malmenées. Que se passerait-il quand les têtes d'os les auraient rattrapés? Se mettraient-elles à leur mordre les chevilles?

— Grimpons sur un échafaud, haleta Sebastian, il faut se mettre hors de portée au plus vite.

Peggy Sue prit le chien bleu dans ses bras et courut vers une estrade supportant un billot. Elle y grimpa, les jambes tremblantes. Sebastian l'imita. Les trois amis se couchèrent sur le ventre, côte à côte, scrutant l'obscurité. Au bout d'une minute, ils entendirent le bruit des crânes heurtant les piliers de l'estrade. Comme ils avaient pris trop de vitesse, ils se brisèrent tous en même temps dans un vacarme de potiches volant en miettes.

— Un peu plus et ils nous rattrapaient, murmura Peggy Sue en essuyant la sueur qui coulait sur son front. Ils nous auraient dévoré la chair des pieds, j'en suis sûre.

Sebastian émit un claquement de langue pour lui signifier de se taire. La lune se levait, gros disque cendreux dont l'aspect n'était pas sans rappeler celui d'un gâteau moisi.

— Là-bas, chuchota le jeune homme, sur la gauche. *Il y a quelque chose qui bouge.*

Peggy plissa les paupières. La lumière pâle de la lune trouant les nuages éclairait une scène cauchemardesque qui lui couvrit les bras de chair de poule.

Cinq squelettes agenouillés malaxaient la boue du sol entre leurs doigts cliquetants. Tels des sculpteurs, ils utilisaient cette glaise pour s'enduire mutuellement, recouvrant leurs vieux os d'une couche terreuse qui, en séchant, prendrait peu à peu la consistance d'une poterie d'argile. Ils travaillaient avec une obstination fiévreuse à se transformer en statues de boue, comme s'il était urgent de soustraire leurs pauvres articulations émiettées à la morsure du vent nocturne.

— Les squelettes ont toujours froid, souffla Peggy, Servallon me l'a dit. Ils ne rêvent que de se procurer une nouvelle enveloppe. S'ils nous aperçoivent, ils nous arracheront la peau pour s'en faire un costume.

Le chien bleu poussa un jappement d'effroi et se blottit contre sa maîtresse.

— On ne peut pas rester là, se plaignit celle-ci, nous sommes trop exposés. Ils vont finir par nous repérer.

Soudain, elle aurait voulu pouvoir s'enfermer à double tour dans un coffre-fort.

— Il y a, paraît-il, un refuge sur la droite, insista-t-elle. Ça figure sur le plan. Une remise où les bourreaux entreposaient jadis leurs haches. On y trouvera de quoi faire du feu. Si l'on pouvait s'y boucler en attendant le jour.

— D'accord, dit Sebastian, mais il va falloir trotter. Je vois que nos amis les squelettes viennent dans notre direction.

Le chien bleu émit un couinement de terreur et sauta à bas de l'estrade. Sebastian le suivit en brandissant son gourdin. Les statues boueuses qu'étaient devenus les squelettes se dandinaient, comme si elles craignaient, en dérapant, d'éparpiller leurs osselets. Ces précautions de vieille dame rhumatisante étaient assez cocasses, mais les bonshommes de boue, eux, n'en demeuraient pas moins angoissants. A leurs gestes précipités on devinait qu'ils avaient détecté la présence d'une enveloppe plus chaude qu'un simple manteau de glaise. Ils désiraient ardemment la chair de ces adolescents imprudents. Ils voulaient l'arracher du bout de leurs doigts pour la draper autour de leurs pauvres os minés par le froid. Oh ! oui, ils voulaient sentir sur eux la chaleur de cette peau fraîchement écorchée. Elle seule serait capable d'éveiller une étincelle de réconfort au tréfonds de leurs ossements désertés par la moelle. On ne pouvait pas leur refuser cela, n'est-ce pas ? Ils étaient si vieux, si démunis ? Après tout, il s'agissait simplement de leur faire l'aumône... Ce n'est pas drôle d'être un squelette, on passe son temps à éparpiller ses phalanges, on a tout le temps froid... On se démantibule...

Ils avançaient, les mains tendues.

Peggy Sue titubait dans la nuit. Elle savait que les squelettes frileux s'acharneraient sur elle, car sa peau de fille, très douce, serait pour eux un véritable trésor. Elle croyait déjà sentir les mains de ses poursuivants se poser sur ses épaules !

Les créatures de boue avançaient de plus en plus vite, et la glaise dont elles étaient formées s'effritait, dévoilant les courbes ivoirines de leur charpente osseuse.

La jeune fille dérapa et tomba à genoux. Sans perdre de temps, Sebastian leva son gourdin et frappa de plein fouet l'un des squelettes qui s'approchait. Le macabre revenant s'éparpilla dans un geyser de boue et d'osselets.

— Lève-toi ! hurla le garçon à l'adresse de son amie, mais lève-toi donc !

Il fit tournoyer sa barre de fer au-dessus de sa tête pour effrayer les spectres d'os, mais ceux-ci n'y prêtèrent aucune attention. Le chien bleu, dominant sa peur, s'était jeté lui aussi dans la bataille. Il mordait tibias et péronés à belles dents.

Peggy Sue se redressa et reprit sa course zigzagante. Déjà un second squelette s'approchait. Sa main se posa sur l'épaule de l'adolescente, mais la glaise dont ses doigts étaient enduits l'empêcha d'assurer sa prise. Peggy poussa un cri et bondit en avant.

Sebastian abattit à nouveau sa matraque. Le crâne du revenant explosa dans un geyser d'argile.

— Un arbre ! hurla soudain Peggy, là, il y a un arbre !

— Grimpons dedans ! commanda Sebastian, les squelettes sont trop maladroits pour nous imiter.

La jeune fille prit le chien bleu sous son bras et, s'aidant de sa seule main libre, se suspendit aux ramures les plus basses. Elle entreprit ensuite de s'élever dans le lacis des branchages du mieux possible, ce qui s'avéra difficile. Elle haletait, son cœur cognait contre ses côtes.

A quatre mètres au-dessus du sol, l'arbre se divisait en deux maîtresses branches parallèles qui s'élevaient vers le ciel. Peggy se laissa tomber à la fourche de ces piliers. En bas, les squelettes boueux s'agitaient, hésitant à entreprendre l'escalade. Sebastian, qui avait rejoint l'adolescente, comprit que les créatures avaient peur de perdre l'équilibre et de s'éparpiller en tombant. Une fois démantelés, il leur serait difficile de se reconstituer.

— On va attendre le jour, souffla le garçon, le soleil séchera la glaise dont ils sont enduits. Quand elle durcira, ils se retrouveront paralysés. Il faudra en profiter pour mettre les voiles.

Peggy Sue hocha la tête sans dire un mot. Elle serra le chien bleu contre elle et le gratta entre les oreilles.

— C'est à vous dégoûter d'aimer les os ! grogna le petit animal en jetant un coup d'œil furieux aux squelettes qui se dandinaient au pied de l'arbre.

Sebastian avait fermé les yeux. Ses bras et ses cuisses étaient parcourus de crampes dues aux efforts qu'il venait de fournir. Il bâilla, en proie à une irrésistible envie de dormir. Redevenu humain, il avait perdu une bonne partie de sa résistance d'antan. Désormais, lorsqu'il présumait de ses forces, il tombait dans un sommeil profond comme la mort, et dont rien ne pouvait le tirer. Quand cela se produisait, il était inutile de le secouer ou de lui hurler aux oreilles pour tenter de le réveiller, il restait là, plus inerte qu'un bloc de pierre, et cela jusqu'à ce qu'il ait recouvré son énergie. C'était un peu embêtant, toutefois, sans ces temps de récupération il aurait été privé de sa force herculéenne.

En bas, les squelettes piétinaient en griffant l'écorce du bout de leurs phalanges coniques.

Peggy mourait de soif. Dans sa position, il lui était impossible d'atteindre la gourde qui pendait sur les reins de Sebastian, et elle n'osait bouger de peur de perdre l'équilibre. En outre, le garçon dormait de ce sommeil bizarre qui l'assaillait désormais chaque fois qu'il fournissait un gros effort ; il ne fallait donc pas espérer le réveiller. Peggy lança la main au hasard dans la masse des branchages, espérant saisir un fruit. En s'élevant le long du tronc, il lui avait semblé entrapercevoir les boules rouges d'une multitude de pommes sauvages. Les fruits seraient acides, mais il lui suffirait d'une bouchée pour s'en désaltérer.

Sa main fouillait toujours dans l'entrelacs des brindilles *quand quelque chose lui mordit le pouce.* Peggy eut le temps de sentir le contour d'une petite bouche aux lèvres froides, puis celui d'une double rangée de dents minuscules. Elle laissa échapper un cri de douleur et retira sa main.

Ainsi l'arbre hébergeait des rongeurs ! Des écureuils peut-être ? Un rayon de lune lui permit de distinguer la forme arrondie d'une pomme suspendue à la croisée de deux branches. Mais cette pomme avait des yeux et... une bouche !

Avec un frisson d'épouvante, Peggy comprit alors que le fruit était en réalité une petite tête ! Une tête réduite dont la bouche s'ouvrait en grimaçant sur un fouillis de dents pointues ! L'arbre était plein de ces fruits dont les mâchoires claquaient avec un bruit de piège à rat.

— Sebastian ! appela Peggy, bon sang, réveille-toi ! Il se passe quelque chose...

Mais le garçon resta prisonnier du sommeil. L'adolescente eut beau lui expédier un coup de pied, il se contenta de grogner en bavant une bulle de salive.

Peggy voulut cueillir la tête qui l'avait mordue pour la rejeter au loin, mais le fruit poussa un rugissement qui la fit reculer. A présent qu'elle y voyait mieux, la jeune fille se rendait compte qu'elle se trouvait en présence de dizaines de pommes vivantes. De vilains tubercules à visage humain. Chaque pomme présentait une physionomie différente, avec ses yeux furibonds, sa bouche ourlée de crocs pointus. Elles claquaient des dents avec gourmandise, comme si elles mouraient de faim.

— Quelles horribles petites choses! haleta le chien bleu. On dirait qu'elles ont l'habitude de manger ceux qui veulent les cueillir... c'est le monde à l'envers!

Alors qu'elle tentait de casser une branche pour s'en faire un gourdin, Peggy vit que plusieurs fruits avaient incliné le rameau qui les soutenait pour se rapprocher de Sebastian... *et le mordre pendant qu'il était inconscient!*

Prisonnier de son sommeil comateux, le garçon ne sentait nullement le contact des bouches minuscules qui lui déchiraient la peau, et il demeurait affaissé, offert, tandis que les têtes suspendues aux ramifications des branches allaient et venaient, tel le balancier d'une pendule, lui arrachant à chaque passage un nouveau lambeau de chair.

— Sebastian! hurla Peggy. Réveille-toi! Elles vont te dévorer vif!

Elle savait que son cri était inutile. Son bâton à la main, elle essaya de repousser les fruits, mais ceux-ci s'écartèrent d'elle en lui crachant au visage.

Il lui sembla que les têtes miniatures percevaient sa peur et se mettaient à ricaner.

— Laissez-nous tranquilles! leur cria-t-elle. Nous ne somme pas responsables de vos malheurs... Nous n'avions jamais mis les pieds ici avant aujourd'hui!

Il fallait que Sebastian se réveille avant d'être dévoré pendant son sommeil. Il était si profondément endormi qu'il ne souffrait même pas des morsures répétées des fruits démoniaques. « C'est comme s'il était anesthésié ! » songea Peggy avec désespoir.

Les pommes revinrent à l'assaut, mordant les mains et les poignets de l'adolescente. Le chien bleu essaya de les broyer entre ses mâchoires, mais leur goût était si affreux qu'il vomit !

Peggy Sue esquissa des moulinets avec son bâton. Un bruissement inquiétant parcourut l'arbre fantastique. Les têtes réduites s'agitaient en tous sens, faisant danser les branches. Bien qu'aucun vent ne soufflât, la ramure frémissait tel le mât d'un navire pris dans la tempête. Peggy fouilla le lacis des branches de la pointe de son gourdin. Elle réussit à toucher l'une des « pommes » qui éclata.

Les têtes réduites remuèrent de plus belle, et toute la ramure gémit, prise d'une sorte de tremblement frénétique.

Peggy aurait pu sauter. Mais sauter, c'était se jeter dans les bras des squelettes qui piétinaient au pied de l'arbre, bien décidés à lui arracher la peau. Difficile de savoir ce qui était le plus dangereux...

Elle gifla le garçon sans obtenir la moindre réaction. Pendant ce temps, les pommes endiablées ne cessaient de mordre le jeune homme endormi, réduisant ses vêtements en lambeaux.

— Heureusement qu'elles ont de toutes petites bouches, haleta le chien bleu, de cette manière les blessures ne sont pas trop graves.

— Oui, objecta Peggy, mais elles sont très nombreuses, comme les piranhas ! A force de multiplier les coups de dents, elles vont éplucher Sebastian jusqu'à l'os.

Si seulement il avait pu se réveiller !

— Hé ! cria soudain le chien, les squelettes se sont enfin lassés d'attendre, ils ont fichu le camp ! On peut sauter sur le sol !

Peggy jeta un coup d'œil en bas pour s'assurer de la chose. Le chien bleu avait raison. Il n'y avait plus personne au bas de l'arbre ; les squelettes boueux avaient rebroussé chemin. C'était le moment ou jamais de prendre la fuite.

Aussitôt, elle essaya de pousser Sebastian pour le faire tomber de l'arbre, mais, avant de s'endormir, il avait pris la précaution de refermer ses bras autour du tronc. Sa force était telle que Peggy Sue était incapable de desserrer l'étau que formaient les mains jointes de son ami. « Autant essayer de briser un cercle d'acier ! » soupira-t-elle. Bien sûr, elle aurait pu se sauver avec le chien bleu, mais il était pour elle hors de question d'abandonner Sebastian au piège du sommeil. Elle devait rester là pour le protéger, pour l'empêcher d'être dévoré ! Si elle sautait à terre, les pommes diaboliques se rueraient sur le pauvre garçon pour l'éplucher jusqu'à l'os.

L'adolescente gémit. Les petites têtes blafardes sautillaient dans le vide ; la jeune fille voyait leurs visages passer et repasser devant ses yeux en un méchant carrousel. Ces masques rabougris suaient la haine et la malice. Une joie mauvaise semblait les illuminer de l'intérieur, comme ces citrouilles creuses qu'on éclaire au moyen d'une bougie à l'occasion de Halloween. Elles se succédaient, blêmes ou jaunes, s'approchant ou reculant dans un froissement de branches en folie.

A présent l'arbre craquait comme un parquet malmené par une troupe de danseurs.

Peggy Sue poussa un soupir douloureux. Les pommes, folles de rage, menaient une sarabande infernale. Elle dut se protéger le visage derrière son bras levé pour échapper aux mille morsures des têtes réduites.

Enfin, Sebastian se décida à ouvrir les yeux. Il bâilla et parut surpris de se découvrir juché sur un pommier.

— Hé, marmonna-t-il, qu'est-ce qu'on fiche là?

Puis il prit conscience qu'il avait dormi, et il découvrit les morsures constellant ses épaules.

— Hé! mais je suis blessé... balbutia-t-il bêtement.

— Il faut descendre, hurla Peggy, ne cherche pas à comprendre! Saute, je t'expliquerai plus tard.

Le garçon s'exécuta sans discuter.

Une fois à terre, les trois amis s'orientèrent pour tenter de localiser la casemate où ils pourraient se barricader en attendant le jour.

A plusieurs reprises, les potences firent siffler les lassos de leurs nœuds coulants dans leur direction, mais ils surent les éviter d'un habile saut de côté. Sebastian, maintenant qu'il avait dormi, était comme neuf, prêt à affronter les épreuves physiques les plus pénibles... et cela durerait jusqu'à ce que la fatigue le fauche encore une fois, le plongeant dans l'inconscience.

« Un jour je m'endormirai au beau milieu d'une bataille, pensait-il de plus en plus souvent, je me coucherai sur le sol, là, dans le fracas des épées. Je me roulerai en boule, et je n'aspirerai plus qu'à dormir... dormir. Alors mes ennemis se rapprocheront et me mettront à mort sans que j'en aie conscience. Ils me tailleront en pièces pendant que je ronflerai, et mon sang fusera par mille blessures sans que la douleur parvienne à me réveiller. Oui, c'est ainsi que cela finira. Un jour... »

Les morsures des pommes maléfiques ne le faisaient presque pas souffrir. Il était prêt à parier qu'elles se refermeraient très vite.

Toutefois, il devinait qu'en s'endormant il avait mis Peggy Sue dans une situation difficile, et il en concevait une grande honte. Il avait vu les pommes grimaçantes en sautant de l'arbre. Quel combat avait dû livrer la jeune fille pour le protéger pendant qu'il dérivait sur le lac des songes ! Il n'osait le lui demander.

— Là, devant, cria soudain l'adolescente, le refuge !

La lune avait surgi d'une trouée des nuages, éclairant les murailles lépreuses d'une tour rudimentaire, dépourvue de créneaux et de meurtrières. Une sorte de boîte aveugle, munie, au ras du sol, d'une lourde porte cloutée.

La réserve... c'était bien l'ancienne réserve où les bourreaux entreposaient jadis leurs outils de « travail ».

Peggy posa la main sur la porte cloutée et se rua, l'épaule en avant, priant pour que le battant ne soit pas verrouillé. La porte céda dans un hurlement de gonds, et la jeune fille bascula dans l'obscurité d'une salle empestant la moisissure.

Sebastian la rejoignit et s'empressa de refermer le battant. Ses doigts détectèrent la présence de deux puissants loquets ; il les poussa. Cette précaution prise, il fouilla dans sa ceinture à la recherche de la boîte à lumière que leur avait confiée Zabrok, le maître de guerre.

C'était un simple coffret de cuivre qui, lorsqu'on l'ouvrait, laissait échapper un halo verdâtre dont la lumière dessinait alors un cercle de trois mètres de rayon. Ce tour de magie élémentaire fonctionnait pendant trois heures, après quoi il fallait refermer le coffret un jour entier.

La luminescence verdâtre coula entre les doigts du garçon pour former une flaque sur le sol, mais l'espace interne de la tour était bien trop vaste pour que le lumignon puisse l'éclairer dans sa totalité.

— Pourvu qu'aucun autre piège ne se cache ici, grommela Sebastian. Si un quelconque ennemi se dissimule dans les ténèbres, nous ne le verrons pas avant qu'il soit sur nous.

Les trois compagnons se rapprochèrent de la petite flamme verte brûlant au centre de la boîte de cuivre.

Peggy Sue avait les yeux dilatés par l'inquiétude. D'une main distraite, elle massait les ecchymoses marbrant ses chevilles.

— La Dévoreuse, répéta-t-elle. Elle sait que nous sommes venus aider son pire ennemi, Massalia. Elle va tout faire pour nous éliminer.

Elle se coucha dans la poussière et se recroquevilla en chien de fusil. Sebastian se cala contre le mur dont les aspérités lui entraient dans les omoplates. Il avait la conviction que des choses menaçantes se cachaient dans le noir.

La nuit des sorcières

Peggy Sue comprit que l'aube s'était levée lorsqu'un rai de lumière grise s'insinua sous la porte. Elle alla déverrouiller le battant et jeta un bref coup d'œil à l'extérieur. Le chien bleu l'imita, glissant son museau frémissant dans l'entrebâillement.

La cour de la prison avait retrouvé son aspect grisâtre de terrain vague, et les potences n'étaient plus que des assemblages de vieilles poutres mangées par la mousse. Peggy se demanda si elle n'avait pas rêvé les événements de la nuit. Si Sebastian, le chien bleu et elle-même n'avaient pas été victimes des émanations hallucinogènes montant des crevasses du sol, ces crevasse par où la bête des souterrains vaporisait d'étranges poisons. La chose n'avait rien d'impossible.

Peut-être avaient-ils inhalé un peu de ces poudres terrifiantes ? Le poison s'était aussitôt emparé de leur cerveau pour y faire éclore des images insensées.

« Servallon m'avait prévenue, songea-t-elle. J'aurais dû m'en souvenir, mais tout cela semblait si réel. »

Elle fit trois pas au pied de la remise. Le ciel était gris, des corbeaux aiguisaient leur bec sur le granit des murs avec la minutie d'un maître d'armes affûtant une épée. Peggy éprouva une crispation désagréable à l'estomac. Les oiseaux se préparaient-ils à l'attaquer ?

— Allons ! dit-elle en se secouant. Le jour est là ! La fantasmagorie est terminée. Il ne se passera plus rien !

— Je l'espère aussi, soupira le chien bleu. Nom d'une saucisse atomique, voilà une aventure qui a failli mal tourner.

Peggy alla réveiller Sebastian.

— Il faut y aller, murmura-t-elle, le soleil se lève.

— Quelque chose nous attend dehors ? demanda le jeune homme en se dressant sur un coude.

— Non. C'est à croire qu'il ne s'est rien passé.

Sebastian grogna. Peggy Sue ouvrit le sac, en tira des galettes de froment fourrées à la viande séchée qu'ils partagèrent sans un mot. Ils mangèrent rapidement, se désaltérèrent, puis rassemblèrent le paquetage.

Dès qu'ils se furent mis en route, Sebastian s'étonna de la vétusté [1] des potences alignées.

« Du vieux bois, pensa-t-il. Je pourrais, d'un coup de poing, déraciner ces instruments de torture d'un autre âge. Avons-nous été victimes d'un envoûtement ? »

— A partir de maintenant on ne s'arrête plus, fit Peggy, tu es d'accord ?

— Oui, dit Sebastian. Aucune halte, il faut sortir de ce piège.

— Vous êtes bien sûrs de vous, ce matin, grommela le chien bleu. Moi, j'ai l'impression désagréable

1. Etat de délabrement avancé.

qu'un metteur en scène satanique attend notre arrivée pour frapper les trois coups du spectacle ! Ce calme, c'est celui qui précède la tempête. Nous ferions mieux d'être sur nos gardes.

Sebastian hocha la tête. Depuis dix secondes, il partageait cette sensation. « Les lions ne rugiront qu'une fois les esclaves jetés dans l'arène », pensa-t-il.

Peggy Sue enjamba une haie de ronces, le souffle bloqué, comme si elle allait plonger dans une eau glacée.

A l'instant même les bûchers calcinés qui dressaient ici et là leurs fagots goudronneux se rallumèrent tous en chœur !

Ce fut comme l'explosion d'un gaz s'enflammant au contact d'une étincelle, et un vent brûlant balaya la cour. Peggy Sue dénombra douze bûchers qui ronflaient en jetant vers le ciel des bouquets de flammes.

— C'est dans cette cour qu'on a jadis brûlé les sorcières complices de la Dévoreuse, balbutia-t-elle. Les notes de Servallon l'expliquent. Mais c'était il y a bien longtemps...

— Rappelle-toi ce qu'a dit ce vieux fou, aboya le chien bleu. *Ici, rien n'est vraiment mort...* « bien longtemps » ne signifie pas grand-chose quand on a affaire à des fantômes !

Une fumée noire se mit à baver sur les nuages, noircissant le ciel. En peu de temps, la nuit s'installa au-dessus de l'ancienne prison.

Peggy marqua un temps d'arrêt. Les montagnes de fagots calcinés brûlaient en dépit de toute logique tandis qu'une horrible odeur de chair grillée se répandait dans l'air. C'était absurde puisque aucune victime ne se trouvait attachée au sommet des bûchers !

La jeune fille hésitait à courir, redoutant un nouveau piège. Le vent rabattait la fumée qui stagnait maintenant au ras du sol en tapis ténébreux. Ce voile noir lui monta rapidement jusqu'aux chevilles, jusqu'aux genoux. Il était chargé de cendre. « La cendre des sorcières mortes ! » songea Peggy avec un frisson.

— Attention, fit Sebastian, si quelque chose se déplace sous ce rideau de brouillard, tu ne le verras pas venir.

— Je sais, dit Peggy en avançant le pied droit avec prudence.

L'écran fumigène formait une espèce de tapis opaque flottant à soixante centimètres du sol. On n'apercevait plus ni l'herbe ni les pavés.

La jeune fille se prit à imaginer que les fantômes des redoutables magiciennes s'approchaient d'elle en rampant, cachés sous ce voile protecteur. Allaient-ils la capturer pour la jeter dans le feu ?

Les bûchers ne cessaient de crépiter, vomissant un véritable panache de suie qui retombait sur les ruines. Peggy attrapa le chien bleu pour le poser en travers de ses épaules, car elle craignait qu'il ne s'asphyxie à force de trotter à ras de terre.

— Ça monte, constata Sebastian, bon sang ! Dans dix minutes, nous serons aveuglés.

— Essaye de repérer la direction à suivre, lança Peggy Sue, la porte de sortie doit se trouver par là. Il ne faut surtout pas commettre l'erreur de tourner en rond.

Les adolescents s'élancèrent à grandes enjambées, tentant de prendre de vitesse la marée des ténèbres, mais la suie les enveloppait, leur collant à la peau. Sebastian se tordait le cou en tous sens. On n'y voyait plus à deux mètres !

Peggy toussa. Elle avait du mal à garder les yeux ouverts et pleurait d'abondance.

— Ferme les paupières, conseilla le chien bleu, suis mes indications. La porte de sortie sent la rouille. Je vais essayer de la repérer à travers ces odeurs de suie. Pour le moment, va tout droit.

Juché comme il l'était sur les épaules de la jeune fille, le petit animal échappait en partie aux émanations irritantes du brouillard.

— *Toute la cour est en feu !* cria-t-il soudain. Si nous continuons comme ça nous serons brûlés vifs avant d'avoir atteint la sortie. Il faut se mettre hors de portée des flammes ! Tourne à droite, il y a une espèce de pan de mur éboulé.

Le chien gémissait sous la morsure des charbons ardents véhiculés par le vent. Sebastian toussait, les yeux inondés de larmes. Après un parcours hasardeux, Peggy buta enfin sur le mur. Il s'agissait des décombres d'une tour effondrée. Mettant à profit sa force titanesque, Sebastian entreprit d'amasser les blocs de pierre éparpillés, de manière à bâtir une sorte de dolmen [1] sur lequel ils pourraient tous se réfugier.

Il travaillait en poussant des grognements, le visage rougi par l'effort. Ses muscles tendus à l'extrême paraissaient sur le point d'éclater. En quelques minutes, il érigea une estrade bancale consti-

1. Rappelons qu'un dolmen se compose d'une dalle horizontale posée en équilibre sur deux menhirs qui lui servent de piliers.

tuée de pierres granitiques qu'un homme normal n'aurait pu soulever.

Quand il eut terminé son assemblage, il était au bord de l'épuisement.

L'estrade de pierre n'était certes pas un chef-d'œuvre d'architecture, mais elle constituait un refuge appréciable qui leur permettrait d'échapper aux flammes des bûchers magiques.

Peggy Sue se hissa au sommet de la table de pierre. Tout son corps suspendu aux premières phalanges de ses dix doigts, elle s'éleva au-dessus du voile de fumée. Elle avait le visage noirci. Sebastian, plus lourd, eut davantage de mal à s'arracher du sol. A peine arrivé en haut du dolmen artificiel qu'il avait bâti avec une incroyable rapidité, il s'effondra et sombra dans un sommeil hypnotique, comme cela se produisait trop souvent désormais.

Sa chute faillit expédier Peggy et le chien bleu dans le vide. Affaissé sur le ventre, le garçon dormait au sommet de l'entassement de cailloux dont il occupait tout l'espace. Peggy dut s'allonger sur lui, car la dalle horizontale du dolmen était fort étroite et ne permettait pas à deux personnes de se tenir côte à côte.

Une véritable mer de feu couvrait maintenant tout l'espace intérieur de la cour. Il fallut peu de temps à ces flammes pour atteindre le tumulus [1] érigé par Sebastian et l'encercler.

Peggy Sue sentit les pierres devenir tièdes sous ses paumes ! *Les langues de feu les réchauffaient !* D'ici vingt minutes, le dolmen se changerait en un bloc brûlant, inhabitable, et les naufragés qui y avaient trouvé refuge se retrouveraient en bien mauvaise posture.

---

1. Enorme tas de pierres.

La jeune fille tâta anxieusement les blocs de maçonnerie empilés. La température grimpait rapidement. Des craquements montaient du cœur du tumulus. Les rochers, en se dilatant, risquaient d'éclater. A la télé, Peggy avait vu, lors d'un documentaire, des cailloux fêlés exploser dans la lave d'un volcan... c'était ce qui allait arriver ! Si elle ne parvenait pas à éteindre l'incendie magique, le dolmen chaufferait jusqu'au point de rupture, il y aurait un craquement sourd et le rocher s'effondrerait, jetant ses occupants dans le brasier.

La pierre devenait de plus en plus chaude, mais Sebastian, plongé dans le sommeil, restait indifférent à toute cette agitation. En fait, il ne sentait même pas la morsure du granit brûlant sur lequel il se trouvait étendu !

— Bon sang ! grogna le chien bleu. *Si ça continue il va cuire comme un bifteck dans une poêle à frire !* Nous sommes assis sur son dos ; il nous sert de coussin, mais c'est un coussin vivant qui ne va pas tarder à rissoler !

— C'est horrible, gémit Peggy Sue. Il dort, il ne se rend compte de rien... C'est encore la faute de ce sommeil bizarre qui s'empare de lui dès qu'il est fatigué. Je ne sais pas quoi faire. Il est trop lourd pour que je le redresse. Si je m'y prends mal je risque de le faire basculer dans le vide et il tombera directement dans le feu.

— Sale truc... haleta le chien. Nom d'une saucisse atomique, je voudrais bien trouver une idée pour nous sortir de là, mais rien ne vient.

Au bas de la pierre, les langues de feu ondulaient avec une gourmandise démoniaque, léchant les pierres du tumulus comme s'il s'agissait du fond d'une marmite. Le vent les avivait en les caressant, et leur teinte rouge s'éclaircissait pour virer au blanc de l'incandescence absolue. Le dolmen craquait en se dilatant. Le contact de la pierre rugueuse se faisait de plus en plus insupportable. Peggy dut cracher dans ses paumes pour diminuer la sensation de cuisson. Sebastian avait commencé à s'agiter sous la morsure de la chaleur. Il remuait faiblement, sans s'éveiller pour autant, cherchant en vain une position qui le soulagerait. Déjà, il commençait à glisser, entraînant Peggy et le chien bleu.

La situation devenait critique, il fallait tenter quelque chose. Il y avait bien une gourde d'eau dans le paquetage, mais son contenu n'aurait pas suffi à rafraîchir la pierre d'un demi-degré. En outre, cette brusque différence de température risquait de hâter l'éclatement des roches et de jeter ses occupants dans le « lac » de feu.

— Dépêche-toi, souffla le chien. Je crois que Sebastian commence à cuire pour de bon ! Tu ne sens pas cette odeur de bifteck ? C'est d'ailleurs plutôt appétissant ! Si tu tardes encore, il ressemblera davantage à un hamburger qu'à un petit ami !

— Les sorcières mortes ont décidé de nous faire subir le sort qu'on leur a jadis infligé, observa Peggy. Elles veulent que nous vivions les mêmes tourments.

Elle s'immobilisa, la bouche ouverte, se rappelant soudain le coffret de charmes mineurs que leur avait remis Zabrok le maître de guerre. Jusque-là, elle n'y avait guère accordé d'importance, mais la situation inextricable dans laquelle ils se trouvaient la poussait à exploiter le moindre artifice. Elle se jeta sur la besace, en sortit la cassette et l'ouvrit si violemment qu'elle faillit en arracher le couvercle. A l'intérieur, elle trouva des sacs de poudre, des fioles, des toupets de plumes, des ossements gravés, auxquels on avait attaché une petite étiquette précisant leur mode d'emploi. Il y avait là de quoi faire naître un écran de fumée, souffler les lampes d'une habitation, provoquer une tornade de feuilles sèches, creuser un trou dans un mur, résister aux méfaits d'un poison violent, engendrer une pluie dense, refermer en trente secondes une blessure profonde.

Peggy fouillait dans les brimborions magiques du bout de l'index, parcourant rapidement les étiquettes. (Granny Katy aurait su les utiliser, elle ! Oh ! pourquoi n'était-elle pas là ?)

Il s'agissait là de charmes élémentaires, dont la durée ne devait pas excéder trois minutes. De pauvres tours de passe-passe pour apprenti magicien. Sebastian gémit de nouveau. La peau de son visage devenait très rouge...

Tout à coup, Peggy s'immobilisa, plongea la main dans le coffret et relut l'une des étiquettes : *« Pour provoquer une pluie diluvienne pendant dix minutes. »*

Par les dieux ! C'était exactement ce qu'il lui fallait. Elle ouvrit le sachet de toile. Il contenait une poupée oiseau composée de bâtonnets d'os sur lesquels on avait fixé des plumes. Le mode d'emploi recommandait de l'enduire de salive puis de la jeter dans le vent de manière qu'elle s'élève dans le ciel. L'adolescente cracha sur le talisman et chercha d'où venait la bourrasque. Ses mains tremblaient.

Le bras levé, elle prit le vent, cherchant à détecter un courant ascensionnel qui emporterait l'amulette vers les nuages. L'objet minuscule, formé d'osselets creux, ne pesait guère entre ses doigts. Elle hésitait pourtant à le jeter dans le vide. Si elle calculait mal son coup, le fétiche tomberait dans le brasier. Elle ramena le bras en arrière pour prendre de l'élan ; le dolmen continuait à émettre de sourds craquements.

« Il va exploser, pensa-t-elle, il va exploser ! » L'image des pierres se disloquant dans la lave du volcan la hantait.

Soudain le vent l'enveloppa, lui ébouriffant les cheveux. D'un geste instinctif, elle lança l'amulette en exhalant un cri. La poupée de plumes hésita, tournoya sur elle-même comme si elle allait piquer du bec, puis s'éleva, telle une feuille dans la bourrasque.

Peggy Sue baissa les bras et ferma les yeux. Maintenant il n'y avait plus qu'à attendre en priant pour que le sortilège fonctionne. Le contact du granit brûlant devenait insupportable. La peau de Sebastian virait à l'écarlate, et des cloques se formaient sur ses bras. Au bas du bloc, les flammes échappées des bûchers poursuivaient leur lent travail d'échauffement. On les entendait grésiller dans le vent.

Subitement, il y eut une sorte de décharge électrique à la verticale du tumulus. Une étincelle bleue craqua dans les airs, et une pluie diluvienne s'abattit sur les trois amis. Le garçon se réveilla et se redressa d'un bond, hoquetant.

— Qu'est-ce... Qu'est-ce qui se passe ? balbutia-t-il.

— Ne bouge pas ! hurla Peggy, si tu perds l'équilibre tu es mort !

L'averse ruisselait sur leurs épaules avec la force d'une cascade. Ses gouttes étaient glacées ; le monolithe fumait à leur contact. Peggy Sue claquait des dents.

Comme elle l'avait craint, la différence de température était trop forte et, au grondement qui montait de la pierre, elle sut que le dolmen allait éclater. Elle n'eut pas le temps de crier un avertissement. Le tumulus explosa, s'ouvrant comme une fleur de granit. Peggy Sue, Sebastian et le chien bleu furent projetés dans le vide, tandis que les tronçons de rocher s'écartaient en s'abattant. Les adolescents et l'animal roulèrent sur le sol, à demi assommés. Enfin l'averse cessa, et un brouillard de vapeur s'éleva du tumulus éparpillé.

Victime de la magie du fétiche de plumes, l'incendie déclenché par les sorcières mortes s'éteignit d'un coup.

— Fichons le camp ! vociféra le chien bleu. Cette fois, nous avons bien failli y rester.

Peggy Sue se releva, glissa le bras de Sebastian par-dessus son épaule et l'aida à se redresser. Les vêtements du jeune homme étaient roussis, ses bras et son visage couverts de cloques.

— Courage ! cria le chien bleu, nous sommes presque sortis de la prison. Encore un effort !

Laissant derrière eux le territoire des bourreaux, ils arrivèrent en vue d'un grand mur d'enceinte couronné de pics et de barbelés.

— J'ai mal, bredouilla Sebastian. Arrêtons-nous. Bon sang, je n'ai aucun souvenir de ce qui est arrivé. Je me suis encore endormi en pleine bataille, c'est ça ?

— Oui, fit Peggy. Mais tu nous as sauvés en construisant une espèce de dolmen mal fichu. Je vais t'installer contre ce rocher. Il y a une pommade pour les brûlures dans le coffret à sortilèges. J'espère qu'elle sera efficace.

Ils firent halte au pied du mur. Une atmosphère lunaire régnait sur la prison. Le vent courait en cercle, prisonnier des murailles d'enceinte. Sa plainte était déchirante.

Le chien bleu déclara :

— A mon avis nous serons tranquilles pendant un moment. La Dévoreuse doit probablement se reposer entre chaque assaut. Faire bouger les morts, rallumer des bûchers éteints depuis deux siècles, tout cela exige une fantastique somme d'énergie.

Peggy soigna Sebastian, puis elle partagea les galettes et la viande séchée que contenait la besace. Pour sa part, elle se sentait épuisée. Sebastian, comme chaque fois qu'il avait dormi, était en excellente forme. Il mangea avec appétit et but goulûment. La pommade magique effaça instantanément ses brûlures.

« Nous n'avons pas encore atteint le palais royal et nous avons déjà usé presque tous nos sortilèges, songea Peggy. Le baume était formidable mais il n'en reste plus une miette. Que ferons-nous si quelqu'un d'autre est brûlé ? »

Elle ne cessait de se retourner au moindre bruit. La prison lui faisait peur.

Elle grignota sa viande séchée du bout des dents ; la nourriture passait mal dans sa gorge rétrécie par l'angoisse.

Le chien bleu posa sa truffe sur le genou de sa maîtresse. Il avait lu le désarroi dans ses pensées.

— Ne t'en fais pas, dit-il d'un ton apaisant, nous allons nous en tirer.

— Je suis prise d'un doute, avoua soudain la jeune fille. Je me demande si ce que nous venons de vivre a réellement eu lieu.

— Tu penses aux gaz hallucinogènes soufflés par la Dévoreuse, c'est ça ? fit le chien.

— Oui, je me dis qu'elle a essayé de nous faire mourir de peur, mais que nous avons tout imaginé. Aucun squelette, aucune pomme cannibale ne nous a agressés. Nous avons tout inventé... Le lac de feu... Tout. Ce n'était qu'un cauchemar. Il a cessé lorsque nous nous sommes éloignés des crevasses sillonnant la cour. Regarde autour de toi... *Ici, le sol est intact.* Les vapeurs empoisonnées ne peuvent nous atteindre.

— Mais les brûlures de Sebastian?

— Quelles brûlures? Examine son visage, ses mains... Ils sont intacts.

— La pommade les a guéris.

— *Si vite?* Si ça se trouve, il n'y avait aucune cloque parce que Sebastian n'a jamais été brûlé.

— Possible, fit le chien bleu. Si tu as raison, la Dévoreuse dispose d'une arme redoutable : le vent des illusions.

— Je suis désolé de m'être encore endormi, se lamenta Sebastian. J'ai l'impression que, depuis que je suis redevenu humain, je ne fais plus un bon compagnon d'aventure. Je suppose que c'était le prix à payer pour être débarrassé de la malédiction du sable...

— Ce qui m'inquiète c'est que tu as failli mourir deux fois pendant ton sommeil : dans l'arbre, quand les pommes-piranhas ont essayé de te dévorer, puis au sommet du tumulus. Tu dors si profondément qu'il est inutile d'espérer te réveiller. Tu ne perçois plus rien, même pas la souffrance.

— Allons, intervint le chien bleu, ne dramatisons pas. Gardons à l'esprit que les pommes cannibales et les squelettes dépeceurs n'ont peut-être jamais existé ailleurs que dans notre imagination! J'aperçois la porte de sortie. De l'autre côté commencent les beaux quartiers. J'espère que les nobles seigneurs nous recevront bien.

Ils n'eurent aucun mal à forcer le battant rouillé qui s'écroula au premier coup d'épaule. S'abstenant de regarder derrière eux, ils quittèrent le territoire maudit de la prison abandonnée.

Prisonniers des ogres

La porte franchie, ils se retrouvèrent sur une vaste place dallée de marbre blanc. Une sorte de forum comme il y en avait à Rome, dans l'Antiquité. De colossales statues de bronze la bordaient.

— C'est désert, s'étonna le chien bleu. Où sont les habitants ?

— Il est tôt ; peut-être se lèvent-ils tard ? suggéra Peggy Sue.

— Entrons dans l'une de ces demeures, proposa Sebastian, nous demanderons de l'aide. Après tout nous sommes munis d'un sauf-conduit qui nous autorise à rencontrer le roi.

— Tu veux dire un *faux* sauf-conduit ! ricana le chien. Ne commence pas à te prendre pour un ambassadeur, ou tu finiras la tête sur le billot [1].

Ils entrèrent dans une villa bordée de hautes colonnes et qui ressemblait davantage à un temple grec qu'à une maison. Les murs étaient en marbre blanc. Les paravents de laque, les poteries, la vaisselle d'or abandonnée sur les tables témoignaient d'une richesse insolente. De belles statues de

---

1. Morceau de bois où les condamnés posaient la tête pour qu'on... la leur coupe !

marbre jalonnaient les couloirs, mais, comme le reste, elles étaient engluées de poussière et de toiles d'araignée. Les murs et le sol étaient couverts de fresques représentant des combats de gladiateurs.

« On se croirait à Rome, au temps de César, songea Peggy. Cela rappelle ces villas patriciennes où logeaient les sénateurs. »

Tout était magnifique, mais à l'abandon. Un silence étrange régnait sur les lieux.

— Ou la maison a été désertée par ses occupants, ou personne ne se soucie plus d'y faire le ménage depuis dix ans, remarqua Sebastian en fronçant les sourcils.

Des instruments de musique, des livres, avaient été jetés en vrac au pied d'une bibliothèque. Un peu partout, de la nourriture achevait de se gâter dans les assiettes, comme si les convives s'étaient levés de table au beau milieu du repas. Les compotiers débordaient de fruits tavelés qui répandaient une odeur sure.

Sur un plat d'or, une douzaine de poulets rôtis se décomposaient. Certains d'entre eux portaient des marques de morsures... On avait de toute évidence commencé à les grignoter sans trouver le temps d'aller plus loin.

Le chien bleu s'approcha d'une fenêtre. Les rues étaient désertes, elles aussi, et la ville silencieuse. Les façades blanches, quoique majestueuses, respiraient la désolation.

— C'est ça, le quartier des riches? murmura l'animal. Une vraie cité fantôme! A première vue, on n'a pas l'air d'y rigoler beaucoup plus que dans la zone empoisonnée!

Peggy hocha la tête, pourtant ici on n'apercevait aucune ruine, et la moindre bâtisse croulait sous l'opulence de son architecture. Dehors ce n'étaient que statues triomphantes dressées sur des piédestaux dorés, portiques à colonnes, fontaines à jets d'eau multiples.

« On se croirait bel et bien dans une ville fantôme », se dit-elle.

— Il n'y a pas de crevasses, observa Sebastian. Vous avez vu ? Ni dans les murs ni sur le sol. La Dévoreuse n'a pas ses entrées ici.

— Pourquoi viendrait-elle ? siffla le chien bleu, puisqu'elle peut trouver ce qu'elle cherche dans le quartier pauvre ! Les gens d'ici disposent d'ouvriers et d'esclaves pour boucher les lézardes dès qu'il s'en ouvre une. Ce n'est pas difficile. Dès qu'une fissure apparaît, on y déverse des tonnes de cailloux, et le tour est joué. Alors la bête des souterrains va se fournir là où c'est plus facile...

Peggy Sue jeta de rapides coups d'œil dans les pièces avoisinantes. Elle y découvrit des enfants vêtus de toges coupées dans un beau tissu immaculé. Ils dormaient sur des lits encombrés de coussins de soie. Aucun d'entre eux n'était enfermé dans une cage d'acier, et les murs de leur chambre ne présentaient pas de lézardes.

— Peu importe, soupira Sebastian, nous ne sommes pas là pour nous promener, localisons le palais royal et finissons-en !

Ils traversèrent une salle de banquet aux tables surchargées de nourriture gâtée. Sur un sofa de velours rouge, une femme fixait le plafond, les yeux grands ouverts. Elle portait une robe de patricienne en soie fine qui dissimulait mal son corps squelettique. Peggy s'approcha d'elle et constata avec surprise que l'inconnue n'avait guère plus d'une vingtaine d'années, cependant l'extrême maigreur qui creusait son visage lui donnait l'aspect d'une vieille femme abîmée dans un rêve infini.

— Ça ne va pas, Madame? interrogea la jeune fille. Vous avez besoin d'aide?

L'inconnue sortit de son engourdissement. Tournant la tête avec lassitude, elle posa son regard sur Peggy Sue.

— Je me sens faible, dit-elle d'une voix timide, je n'ai rien mangé depuis si longtemps.

Peggy fronça les sourcils. *Comment pouvait-on mourir de faim au milieu d'un tel gâchis de nourriture?*

— Aidez-moi, gémit la femme en se relevant sur un coude, donnez-moi votre main.

Peggy Sue, croyant qu'on attendait d'elle un appui, obtempéra. A peine avait-elle posé les doigts sur l'épaule de la femme maigre que celle-ci lui mordit le poignet comme si elle voulait prélever sur ce bras un morceau de chair. Peggy poussa un cri de douleur et se dégagea, rejetant la démente sur le lit.

— Non! supplia celle-ci, ne partez pas. Vous avez bon goût, revenez. Je vous achète votre bras, je suis riche, je vous en donnerai un bon prix.

Elle s'était dressée en titubant, les mains tendues dans une mimique de supplication.

— Restez, dit-elle, je possède un élixir magique, il vous anesthésiera pendant que je mangerai votre bras, vous ne sentirez rien, je vous le jure. Un bras, seulement un bras, et vous serez riche à jamais! Je vous donnerai une pleine cassette de pièces d'or.

Sebastian, indigné, la gifla d'un revers de la main, l'expédiant cul par-dessus tête à l'autre bout de la salle.

— Filons d'ici, lança Peggy, nous voilà tombés dans un asile de fous !

Abandonnant la démente, ils traversèrent les couloirs, cherchant la porte de sortie. A plusieurs reprises ils butèrent sur des convives assoupis qui présentaient tous les signes d'un amaigrissement anormal et se languissaient, le regard perdu dans le vague. Abattus, dolents, ils semblaient en proie à une incompréhensible maladie du sommeil. Tout autour d'eux on remarquait des jarres pleines d'un vin qui avait tourné au vinaigre, ou des gigots sur lesquels festoyaient des bataillons de mouches.

— Je n'y comprends rien, grommela le chien bleu, ils prétendent mourir de faim alors qu'ils sont entourés de victuailles qu'ils ont laissées pourrir ! C'est une histoire de dingues !

En quittant la villa, ils poussèrent un profond soupir de soulagement. Toutefois, un peu plus loin, la salle basse d'une taverne leur offrit un spectacle analogue. Des hommes émaciés y sommeillaient, la tête dans les mains, indifférents aux grognements des chiens errants attirés par les senteurs musquées des rôtis gâtés.

— Qu'est-ce qui se passe ici ? interrogea Sebastian.

— Je ne sais pas, avoua Peggy, je vais consulter les notes que m'a laissées Servallon. Son écriture est si difficile à déchiffrer que j'avais renoncé. Et puis j'étais trop préoccupée à l'idée de traverser la prison. Asseyons-nous près de cette fontaine, je vais regarder ça de près.

Pendant qu'elle parcourait les feuillets, les sourcils froncés, Sebastian et le chien bleu s'appliquèrent à monter la garde, mais personne ne s'étonna de leur présence.

— Ils se fichent bien que nous soyons là, observa le chien bleu. En fait, ils se sentent tellement en sécurité qu'il n'y a même pas de soldats dans les rues.

— Je crois que j'ai compris, annonça enfin Peggy Sue. D'après ce que raconte Servallon, si les gens sont dans cet état, c'est à cause de la délicieuse gourmandise.

— La « délicieuse gourmandise » ? s'étonna Sebastian. De quoi s'agit-il encore ?

— D'une espèce de drogue, expliqua la jeune fille. Tous les habitants des quartiers riches s'y adonnent, ils en ont fait un véritable style de vie. A l'origine on l'absorbait comme un tranquillisant, pour oublier la menace de la Dévoreuse, puis l'usage s'en est répandu, et bientôt plus personne n'a été en mesure de s'en passer. C'est ce qui arrive avec les drogues. On croit qu'on les contrôle, alors qu'en réalité ce sont elles qui vous réduisent en esclavage.

— C'est pour cela qu'ils dépérissent ? interrogea le chien bleu.

— Oui. La délicieuse gourmandise vous procure une sensation de bonheur inimaginable. C'est comme si vous participiez au banquet des dieux. Votre langue découvre des arômes qui n'existent nulle part ailleurs, vos papilles gustatives subissent l'assaut de saveurs qui vous amènent au comble de la béatitude tant elles sont violentes. Mais cette drogue a deux inconvénients... d'abord elle n'a aucun pouvoir nutritif, si bien qu'en l'avalant on n'engloutit que du vent, ensuite...

— Ensuite ?

...ensuite elle attire sur vous une étrange malédiction. Lorsqu'on en devient dépendant, les aliments ordinaires prennent un goût de cendre froide. Dès qu'on mord dans une cuisse de poulet, on a l'impression de mâchonner de vieux mégots. Quand on porte une coupe de vin à ses lèvres, on s'aperçoit qu'elle a la « saveur » du pipi de chat. C'est une malédiction affreuse qui vous empêche de vous alimenter et vous condamne au dépérissement. Voilà pourquoi nous avons vu tant d'aliments abandonnés sur les tables. Ceux qui ont essayé d'y goûter n'ont pas pu dépasser la première bouchée.

— Allons ! trancha Sebastian, aucune drogue connue ne possède de tels effets secondaires. Si cette malédiction existe, c'est parce que la délicieuse gourmandise provient d'une opération entachée de magie !

— C'est vrai, admit Peggy, Servallon explique dans ces papiers que la délicieuse gourmandise est un « cadeau » de la Dévoreuse.

En prononçant ces mots, elle regarda craintivement par-dessus son épaule, comme si la bête des souterrains risquait de l'entendre.

— Le souffle qui s'échappe des crevasses, expliqua-t-elle dans un murmure. Tout vient de lui. Dans cette zone, il n'est pas empoisonné. Il s'élève vers le ciel et, au contact des nuages, provoque d'étranges chutes de neige. C'est cette neige que les marchands de drogue servent en sorbet à ceux qui désirent connaître l'illumination de la délicieuse gourmandise. Ils tiennent leur commerce sur une montagne, aux abords de la ville. Cette colline est toute lézardée, comme une vieille potiche chinoise.

— Qu'importe ! s'impatienta Sebastian. Nous ne sommes pas là pour pleurer sur les malheurs des riches seigneurs de Kromosa. Rendons-nous au palais, nous avons assez perdu de temps !

Peggy rangea les notes du scribe dans sa poche. Le silence des rues était oppressant. Dans les boutiques, les tavernes, les ateliers, régnait la même atmosphère de langueur maladive. Les clients et les ouvriers se déplaçaient au ralenti, presque dans un rêve, ébauchaient des gestes qui demeuraient en suspens. Un écrivain public, installé sous les arcades du forum, fixait son encrier comme s'il allait soudain se transformer en tortue et partir en promenade. Seuls les enfants en bas âge semblaient en bonne forme physique. Poupins, les joues rouges, ils déambulaient au milieu de la foule fantomatique en chuchotant et riant sous cape, de peur, peut-être, de réveiller les adultes qui les entouraient. Ce contraste avait quelque chose d'irréel.

— Il est évident qu'ils ne craignent pas de se faire enlever, eux, ricana le chien bleu.

Peggy se sentit bientôt mal à l'aise tant les rues lui paraissaient peuplées de spectres. Elle se demanda si ces créatures aux visages émaciés, aux tendons apparents, ne s'étaient pas échappées d'un cimetière aux tombes mal scellées. Sebastian zigzaguait entre les groupes de somnambules, évitant de les toucher.

— Mais pourquoi n'émigrent-ils pas ? murmura-t-il sans avoir conscience qu'il pensait à haute voix.

— Leurs richesses sont ici, répondit Peggy, et puis la drogue les tient enchaînés. S'ils allaient ailleurs, ils en seraient privés. Servallon prétend que le roi lui-même ne dédaigne pas cette pratique et qu'il soigne ses éternels coups de cafard en se goinfrant de sorbets magiques.

Ils se trouvaient à présent au pied d'un monumental escalier de marbre flanqué de statues d'or. Chacune des sculptures représentait le roi Walner paré d'attributs guerriers. Peggy Sue fut frappée par l'expression chafouine du monarque qu'on avait vainement tenté d'embellir. C'était un adolescent monté en graine, à la lippe pendante et au front proéminent. Ses membres, d'une finesse de lévrier, trahissaient son appartenance à un clan aristocratique au sang raréfié dont les princes, comme les pharaons, se mariaient avec leur sœur afin de préserver la « pureté » de leur lignée.

Des soldats en armes montaient la garde au bas des marches, sanglés dans une cuirasse dorée.

— Les guerriers ont l'air éveillés, observa Sebastian. Seraient-ils allergiques à la drogue ?

— Le règlement des cohortes est très strict, murmura Peggy Sue, les soldats drogués sont mis à mort.

Le garçon tira de l'étui de cuir confié par Massalia le faux sauf-conduit qui faisait d'eux des ambassadeurs terriens, et il s'approcha d'un légionnaire. L'homme renifla avec mauvaise humeur en examinant le parchemin. Le jeune homme voulut expliquer la raison de leur présence, mais le militaire lui coupa aussitôt la parole.

— Le roi n'est pas là, dit-il grossièrement, essayez de voir Ranuck, le grand vizir. Il vous recevra peut-être, s'il a réussi à se réveiller ce matin !

Peggy fut étonnée d'un tel manque de réserve chez un membre de la garde royale. Il était visible que les militaires ne respectaient plus leur souverain et se considéraient d'ores et déjà au-dessus des lois. C'était de mauvais augure !

Renonçant à discuter, Sebastian se lança à l'assaut de l'escalier de marbre blanc. Les gardes postés en faction les regardaient du coin de l'œil, avec une insolence non dissimulée. La plupart arboraient des tenues négligées, des armures incomplètes ou ternies. Quelques-uns s'appuyaient sur leur bouclier, dans une pose qui n'avait rien de réglementaire.

— Je n'aime pas ça, chuchota le chien bleu. A mon avis, votre Walner est un fantoche. La ville est tombée dans les pattes des militaires. Croyez-vous que quelqu'un possède encore assez d'autorité sur eux pour leur ordonner d'aller attaquer la bête des souterrains ?

— Voyons toujours ce Ranuck, souffla Peggy qui partageait l'avis du petit animal.

Il faisait frais à l'intérieur du palais, mais de nombreux courtisans étaient effondrés sur des divans autour des bassins et des jets d'eau, comme frappés par une épouvantable torpeur. Tous étaient d'une maigreur squelettique, et leurs yeux brûlaient de fièvre. Une odeur de vinaigre montait des coupes de vin abandonnées sur les dessertes. Une servante emportait à la hâte un porcelet farci auquel personne n'avait touché.

— S'ils ne peuvent rien manger, ils doivent mourir en quelques semaines, observa Sebastian.

— Je n'ai pas dit qu'ils ne pouvaient rien manger, corrigea Peggy dans un murmure gêné, certains se sont acclimatés au goût de cendre des aliments et se forcent à les avaler pour survivre... d'autres ont choisi des solutions plus étranges. C'est du moins ce que raconte Servallon. Mais il reste plutôt discret sur ce point. J'avoue ne pas avoir compris... Il parle par allusions. On dirait qu'il a peur de dire la vérité. Cela m'inquiète.

Elle s'interrompit au passage d'un valet.

Tout à coup, un homme à la barbe huileuse sortit de derrière une tenture. Il était affublé d'une longue robe de soie noire brodée d'or et empestait le parfum. Des rubis avaient été enchâssés dans ses narines, et ses ongles étaient recouverts d'une pellicule d'or.

— Je suis Ranuck, le grand vizir, annonça-t-il d'une voix grave, on m'a prévenu de votre arrivée. Que puis-je pour vous ?

Il saisit d'une main dodue le pli que lui tendait Sebastian, examina le sauf-conduit et se caressa la barbe.

— C'est fort gênant, murmura-t-il sur un ton de confidence. Sa Majesté, notre bien-aimé roi Walner, est absente. Elle s'est rendue sur la montagne pour soigner ses nerfs. Je dois vous présenter à elle. Je sais que vous êtes célèbres, mais tourner un film sur Kandarta est une entreprise délicate... Je ne puis vous accorder cette autorisation à la légère. Il y a la question d'argent, bien sûr et...

Il se tut et fit mine de réfléchir en continuant à caresser sa barbe aux mèches huileuses torsadées.

— Je ne vois qu'un seul moyen, dit-il enfin, il faut que nous nous rendions au camp royal, sur la montagne des délices, et que nous obtenions un ordre signé de la main du roi. Vous lui exposerez votre projet de vive voix. Sur Kandarta, nous n'avons plus de cinémas depuis longtemps, mais nous nous souvenons de ce dont il s'agit...

Peggy Sue et Sebastian échangèrent un clin d'œil d'intelligence. Sur une terrasse élevée, de l'autre côté des jardins, ils venaient d'apercevoir la courbe d'une formidable arbalète actionnée par des treuils. Ranuck surprit le regard des deux amis et poussa un soupir.

— Une arme symbolique, fit-il avec nonchalance, sa flèche est tellement mangée de rouille qu'elle se briserait sous le choc de la corde, mais nous l'exhibons, comme si de rien n'était, pour ne pas affoler les partisans de ce mode de surveillance. Le général Massalia fait partie des acharnés de l'autodéfense. Il s'imagine pouvoir partir en guerre contre la bête des souterrains... ce qui, à mon avis, est une absurdité. La Dévoreuse — comme la surnomment irrespectueusement les gens du peuple — n'est pas hostile. Nous bénéficions de ses bienfaits. Somme toute, nous en retirons plus d'avantages que d'inconvénients. Massalia, comme tous les militaires, ne rêve que plaies et bosses. Il voudrait devenir un héros, sauver la planète... Sauver Kandarta ! *Mais de quel danger, grand dieu?*

Il avait prononcé ces derniers mots avec un mépris amusé, comme s'il jugeait cette précaution inutile et, somme toute, un peu naïve.

— Mais vous devez être épuisés ! s'exclama-t-il en saisissant Peggy Sue par le bras. Venez donc partager mon repas, ensuite nous préparerons notre départ pour la montagne des délices.

Les adolescents se laissèrent entraîner. Ils avaient grand faim. Les efforts accomplis au cours des derniers jours avaient allumé en eux un appétit d'ogre.

— Passons dans la salle à manger, dit le grand vizir en claquant dans ses mains.

Aussitôt une armée de serviteurs en tabliers de cuir se précipita sur les traces des convives. Ranuck conduisit les visiteurs dans une salle de marbre noir dépourvue d'ouvertures sur l'extérieur. C'était une sorte de cabinet particulier, une rotonde bordée de colonnades qu'éclairaient des torches fichées dans des supports de cuivre. L'endroit dégageait une atmosphère inquiétante. Sebastian et Peggy Sue hésitèrent sur le seuil, aveuglés par la pénombre. Le garçon dut faire un effort pour descendre les quatre marches qui conduisaient au sein de l'enclave obscure. Les dalles étaient couvertes de tapis écarlates, et des tentures rouges tombaient du plafond. Une table de pierre noire occupait le centre de la salle. C'était un meuble monumental qu'on avait dû récupérer dans quelque temple, et Peggy Sue lui trouva l'allure d'un autel conçu pour les sacrifices humains. Des chaises capitonnées de velours cramoisi entouraient la table. Il y en avait une dizaine. Déjà une servante disposait des couteaux, des fourchettes qu'elle tirait d'un coffret de cuir. Ranuck prit place, invitant les visiteurs à en faire autant. Peggy Sue déposa le chien bleu sur une chaise et s'assit. Pour se donner une contenance, elle ramassa le couteau posé devant elle et en éprouva le fil sur son pouce. C'était une arme redoutable, un scalpel tout droit sorti d'une salle de chirurgie et qui paraissait déplacé sur une table de banquet. L'adolescente serra les dents, en alerte. Cette salle noire, isolée, avait à ses yeux quelque chose de menaçant. Elle faisait penser à la chapelle secrète d'un culte interdit ou honteux. Un endroit suspect. On avait refermé les lourdes portes d'ébène, et seule la lumière des torches éclairait à présent les convives, allumant des scintillements sur les lames des coutelas. Obéissant à un signe de Ranuck, les servantes s'empressèrent de nouer au cou des invités de grandes serviettes rouges qui ressemblaient à des bavoirs pour adultes. Le grand vizir fit de même, et, saisissant son couteau et sa fourchette, il posa les coudes sur la table. Peggy se sentait de moins en moins à l'aise, elle venait de repérer à la surface du bloc de pierre des sillons de drainage évoquant ceux qu'on trouve d'ordinaire sur les autels sacrificiels.

— Je pense que vous n'avez jamais encore goûté à la délicieuse gourmandise, dit Ranuck sur le ton de la conversation mondaine. Si vous décidez de vous y adonner pendant notre séjour à la montagne, sachez que vous vous exposerez à certains désagréments quotidiens.

— La viande qui prend le goût de vieux mégots ? hasarda Peggy Sue.

— Oui, confirma le vizir, c'est l'une des sanctions principales. Si l'on n'aime ni les mégots ni la cendre froide (et encore moins le pipi de chat !), il devient difficile de s'alimenter correctement. C'est ce qui explique le délabrement physique de beaucoup de gens à Kromosa. Certains arrivent à vaincre leur répugnance et à se nourrir d'aliments au goût atroce, mais ils sont rares. Pour ma part, je n'y suis jamais parvenu.

— Vous vous adonnez à la drogue des montagnes ? Cette neige dont on fait des sorbets ? s'étonna Sebastian. Pourtant vous semblez en bonne santé.

Le vizir sourit. La lueur des torches allumait des reflets rouges sur sa trogne.

— C'est que j'ai choisi la seconde solution, expliqua-t-il avec fatuité ; il existe une viande qui ne prend pas le goût du vieux mégot lorsqu'on la mâche. Oui, une viande, *une seule.*

— Laquelle ? demanda Peggy Sue, craignant d'avoir déjà deviné la réponse.

— *La chair humaine*, répondit Ranuck. La chair humaine, à condition de la manger vivante, c'est-à-dire sur un humain en bonne santé, et qui ne risque pas de mourir pendant l'opération.

— C'est affreux, siffla l'adolescente, vous vous comportez comme un cannibale !

— Pas du tout ! protesta Ranuck avec un gros rire indulgent. Les cannibales dévorent les gens contre leur gré, moi je loue les services de personnes qui acceptent de me laisser prélever une partie de leur anatomie en échange d'une forte somme d'argent.

— Quoi ? explosa Peggy. Vous prétendez que des gens acceptent de se laisser dévorer ? Qu'ils se vendent à la tranche ou au kilo ?

— Bien sûr, ils se battent même par dizaines à la porte du palais pour bénéficier de cette faveur, car je les paye bien, très bien. Et qu'est-ce qu'un bras ou une jambe en regard d'une cassette pleine d'or qui vous permettra de vivre riche jusqu'à la fin de votre vie ? Je n'ai aucun mal à les recruter, ils viennent d'eux-mêmes, ils supplient mes cuisiniers de les choisir.

— *Vos cuisiniers...*, répéta Peggy Sue, atterrée.

— Le terme est impropre, admit Ranuck, puisqu'il ne s'agit nullement de faire cuire ces pauvres gens. Après un « casting » très strict, et une visite médicale, on se contente de les savonner et de les plonger dans un bain bouillant parfumé aux aromates, cela afin d'amollir leur chair. Ensuite on leur remet le montant de la prime : de l'or, des bijoux, parfois une petite parcelle de terre, et on les amène ici... *de leur plein gré*, je le souligne. Nous n'acceptons que les adultes, bien sûr. Trop de gens essayaient de nous vendre leurs enfants, je me suis élevé contre ce genre de pratiques, je suis un homme profondément moral, voyez-vous.

Peggy Sue dut faire un effort prodigieux pour ravaler sa colère. Très décontracté, Ranuck claqua des doigts. Une tenture rouge s'écarta, livrant le passage à une jeune fille. Elle avait la peau blanche et grasse, les cuisses fortes, les bras dodus. Peggy supposa qu'elle n'avait guère plus de vingt ans. Un valet saisit la nouvelle venue par la main et la conduisit à la table où il la fit s'étendre.

— Au menu, aujourd'hui, claironna-t-il, Ranya, qui vient d'avoir dix-neuf ans. Elle a été classée n° 1 au « casting » de ce matin.

La jeune fille se laissa faire mollement. Elle paraissait en état second.

— Elle est anesthésiée, expliqua le vizir, elle conservera toute sa conscience mais ne sentira rien. Le médecin de la Cour lui a fait absorber un breuvage qui l'insensibilise. Lorsque nous aurons fini, il soignera la plaie.

— C'est répugnant ! protesta Peggy.

— Non, corrigea Ranuck, ce qui est répugnant c'est de manger de la viande qui a le goût du mégot. Qu'avez-vous contre cette belle cuisse rosée ? Ne la trouvez-vous pas appétissante ? Elle sent le thym, la coriandre. Vous n'êtes pas obligés de participer, rassurez-vous, mais je tenais à vous informer, à vous prouver qu'il est possible de tourner la « malédiction des vieux mégots ».

— Qu'en savez-vous ? dit Peggy. C'est peut-être justement *cela,* la malédiction ? L'obligation de se nourrir de chair humaine ! De dévorer ses semblables comme un sauvage, de devenir à son tour un monstre ? Vous ne comprenez pas que la Dévoreuse vous a tendu un piège ? *En contraignant les hommes à s'entredévorer, elle diminue d'autant le nombre de ses ennemis !* Elle vous a berné...

Ranuck haussa les épaules.

— Ma chère, vos discussions philosophiques ne parviendront pas à me couper l'appétit. Si vous ne souffrez pas de la faim, laissez-moi au moins combler la mienne.

Et, d'un geste sec, il planta sa fourchette dans la cuisse de Ranya qui demeura impassible. Sebastian esquissa un geste de menace, mais Ranuck l'arrêta d'un claquement de langue.

— Allons, jeune homme, pas de scandale. Dix de mes gardes vous tiennent en joue derrière cette tenture, je suppose que vous ne voulez pas finir criblé de flèches ?

Il avait commencé à découper la chair au-dessous de la hanche. Ranya demeurait impassible. Et même, elle souriait, abîmée dans un rêve intérieur.

— Ce type d'alimentation implique une bonne connaissance de l'anatomie, commenta Ranuck, pas question de cisailler une artère d'un coup de couteau maladroit. Je ne veux pas la mort de cette gamine, que diable ! Pour qui me prenez-vous, pour un assassin ?

Peggy Sue détourna la tête.

L'horrible cérémonie s'éternisait, ponctuée de soupirs gourmands. Enfin Ranuck claqua dans ses mains.

— Appelez le chirurgien, ordonna-t-il. J'ai fini, qu'on recouse le gros bobo de cette charmante enfant. Elle pourra revenir si elle le désire, sa chair était excellente.

Il repoussa sa chaise et se leva. Une servante vint nettoyer à l'aide d'un linge humide ses mains et son visage.

— Et maintenant une bonne sieste, déclara-t-il joyeusement, rien de tel pour se fabriquer du lard. Je vais donner des ordres pour qu'on prépare la caravane et qu'on vous serve des nourritures plus... classiques !

Il paraissait heureux de sa plaisanterie.

Ranya sortit, soutenue par deux valets. Au moment de franchir la porte, elle reprit conscience et tint à esquisser une révérence, pour remercier son bienfaiteur.

— Avais-je bon goût, seigneur ? s'enquit-elle d'une voix tremblante d'espoir.

— Mais oui, mais oui, chère petite, fit Ranuck d'un ton bon enfant. Je suis très satisfait. Tu as mérité ta récompense.

Il prit congé à son tour, laissant Peggy et Sebastian face à face.

— J'en aurais bien mangé, moi, de cette Ranya, fit le chien bleu d'un ton boudeur, mais personne ne m'a demandé mon avis !

La montagne des délices

Lorsque Ranuck se fut retiré, Peggy Sue sortit dans le jardin. Elle avait besoin d'air frais pour se remettre de ses émotions. Suivie de ses amis, elle déambula un moment entre les fontaines et les massifs de roses violettes. Des jeunes gens dormaient çà et là, recroquevillés sur des bancs de marbre. Quand on s'approchait d'eux, ils tressaillaient, ouvraient les yeux puis retombaient dans leur somnolence. Du côté des cuisines, le chien bleu surprit plusieurs individus couverts de pansements qui quittaient le palais, une cassette d'or sous le bras. Peggy Sue émit l'idée qu'il s'agissait des précédents « repas » de Ranuck. Un peu plus loin ils reconnurent Ranya ; elle avait la cuisse bandée et comptait des pièces d'or, une expression joyeuse sur le visage.

Quand Peggy s'approcha d'elle pour la questionner, la jeune fille déclara, d'un ton d'excuse :

— Dans la basse ville les gens sont très pauvres. Pour beaucoup d'adolescentes, il est moins grave de se faire un peu dévorer que de mourir de faim. Grâce à l'or ainsi gagné, elles pourront quitter la ville, s'établir à la campagne et oublier la menace de la Dévoreuse. C'est ce que je vais faire de ce pas.

Ranuck ne vous a pas menti : il ne force personne à s'allonger sur sa table de banquet. Je suis venue de mon propre chef, en priant pour être sélectionnée, car le « casting » est sévère, je ne vous le cache pas. Il n'est pas facile d'être retenue. Si les pauvres ont échappé à l'asservissement de la drogue c'est parce qu'ils n'ont pas assez d'argent pour se payer un sorbet magique sur la montagne des délices ! Pour les riches, par contre, les prix prohibitifs pratiqués par les marchands de glaces ne posent aucun problème. Voilà pourquoi ils sont tous tombés sous le joug de la délicieuse gourmandise. La neige rose en a fait ses esclaves.

Ranya leur sourit et prit congé. Maintenant qu'elle était riche, elle comptait quitter Kromosa pour s'installer dans un endroit pas trop crevassé et y couler des jours heureux.

Les trois amis s'assirent sur un banc, et ils demeurèrent ainsi, dans l'odeur sucrée des fleurs, remuant des pensées moroses.

— Je vais vous dire ce que je pense au fond de moi, annonça soudain Peggy Sue. Les militaires n'ont que le mot guerre à la bouche. Je crois qu'ils ont pris l'habitude d'appeler « sorcier » tout savant qui cherche à comprendre le fonctionnement de la bête des souterrains. Si l'on en savait un peu plus sur elle, il serait peut-être possible d'entamer des pourparlers, de s'entendre, de signer une trêve... Hélas, dès qu'on fait mine de prendre contact avec la Dévoreuse, on est considéré comme l'un de ses complices, et aussitôt pourchassé. La fameuse « guerre contre les magiciens » a consisté, en réalité, à éliminer tous les scientifiques de Kandarta.

Ces gens n'étaient pas plus magiciens que vous et moi, mais ils avaient commis l'erreur d'étudier la Bête d'un peu trop près... Je suis prête à parier que certains d'entre eux pensaient qu'il serait utile d'expédier un ambassadeur au centre de la planète pour prendre contact avec la créature. Les militaires ne voulaient pas entendre parler d'un éventuel traité de paix. Ils ont fait exterminer les savants par centaines, par milliers. Voilà pourquoi Kandarta est revenue au Moyen Age. Elle a perdu ses connaissances scientifiques. Pour conclure, je dirai : méfions-nous de Massalia, il ambitionne de prendre le pouvoir. Il a tout intérêt à maintenir la planète dans l'obscurantisme [1].

— Je suis d'accord avec toi, approuva le chien bleu. Avant de tuer la bête, il faudrait peut-être essayer de discuter avec elle.

— Vous êtes dingues! s'emporta Sebastian. C'est un monstre. Elle dévore les enfants... Il faut la tuer. Dès que je pourrai m'approcher de l'arbalète je lui décocherai une flèche en plein cœur, et j'espère qu'elle en crèvera!

Alors que Peggy se préparait à protester, un serviteur vint les prévenir que la caravane était prête à partir; le grand vizir n'attendait plus qu'eux pour gagner la montagne des délices. Ils le suivirent. Ranuck avait pris soin de se dissimuler au fond d'un chariot anonyme mais dont l'espace intérieur avait été somptueusement aménagé. Les gardes à cheval qui escortaient le convoi portaient des capes de toile sur leurs cuirasses, et leurs armes étaient

---

1. Façon de penser qui refuse les idées modernes, la science, les grandes découvertes, le progrès, et s'accroche à la superstition, la magie, la croyance aux forces démoniaques.

cachées dans les sacoches de cuir pendant de part et d'autre de la selle.

La caravane s'ébranla aussitôt. Peggy Sue et ses amis, installés sur les coussins de fourrure du chariot de Ranuck, regardaient défiler le paysage dans l'entrebâillement du rideau couvrant la fenêtre. Le convoi avait pris la direction des remparts. Dès qu'il fut passé sous la herse de la grande porte, les chevaux pressèrent le pas.

— Cette portion de route n'est pas sûre, expliqua Ranuck. On y a dévalisé certains gourmets qui se rendaient à la montagne, les poches pleines d'or.

— Des *gourmets*? s'étonna Peggy.

— Oui, nous préférons ce terme à celui de « drogué ». Si vous n'avez jamais goûté à la délicieuse gourmandise, vous ne pouvez pas comprendre.

Dehors la lande grise s'étendait à l'infini. Les chevaux s'engagèrent sur une route de montagne. Dès qu'ils eurent pris de la hauteur, un épais brouillard s'abattit sur la caravane et la température fraîchit. Peggy Sue et Sebastian frissonnèrent sous l'œil narquois de Ranuck qui avait revêtu un manteau d'astrakan.

— Nous approchons du sommet, dit-il en se versant une coupe de vin chaud. Bientôt vous verrez la neige produite par le souffle de la Dévoreuse. Ce phénomène n'a cependant rien de magique : en s'élevant vers le ciel, l'haleine de la Bête, chaude et chargée d'humidité, se change en flocons... des flocons roses qui tournoient et tapissent le pic d'une couche épaisse. Toute la zone neigeuse est sous le contrôle des trafiquants. Ils ont érigé des murailles de barbelés sur le pourtour du sommet et montent la garde jour et nuit. Ce sont des individus agressifs, avec qui mieux vaut ne pas discuter. L'aristocratie de Kromosa vient déguster les sorbets sur le lieu même de leur « récolte », car on ne peut transporter la neige jusqu'à la ville. Elle est fine, poudreuse, et s'évapore en trente secondes dès que la température grimpe d'un degré. La redescendre au niveau de la plaine est impossible.

Sebastian écarta la toile de protection pour jeter un coup d'œil à l'extérieur. Une sorte de halo rosâtre entourait le pic, noyant le sommet de la montagne dans un brouillard irréel. De fins flocons voletaient dans la brume telle une poussière impalpable. De part et d'autre du chemin, la neige s'entassait en couche compacte, immaculée, d'un rose soutenu.

— C'est le plus beau spectacle qu'il m'ait été donné de contempler, s'extasia Ranuck. Les champs de la gourmandise.

Peggy Sue remarqua un groupe d'enfants qui ramassaient la neige à pleines mains pour en remplir de grands seaux. Le froid leur bleuissait les doigts, et leurs pieds étaient entourés de chiffons. Lorsque le convoi passa à leur hauteur, Peggy vit qu'ils portaient des muselières de cuir et que des gardes armés de fouets surveillaient le moindre de leurs gestes.

— Les muselières... commenta le grand vizir, c'est pour les empêcher de manger la neige. Si on les laissait faire, ils s'en gaveraient à longueur de journée, les petits goinfres ! Ce ne serait pas leur rendre service, n'est-ce pas ?

Peggy se demanda si Ranuck se moquait d'elle ou s'il était sérieux. Dans le doute, elle préféra se taire. Dehors, les enfants travaillaient fiévreusement pour essayer de se réchauffer. Leurs mains étaient constellées d'engelures. La bourrasque rose les enveloppait de son voile douceâtre, donnant à la scène l'allure d'un conte de fées. Peggy se frotta les yeux, mais le spectacle ne s'effaça point. Un garde, indisposé par la curiosité de la jeune fille, ébaucha dans sa direction un geste menaçant.

Il faisait de plus en plus froid, Sebastian et le chien bleu claquaient des dents.

— Je suis navré, bâilla Ranuck, j'aurais dû vous recommander d'emporter des vêtements chauds, je suis d'une distraction impardonnable!

Mais Peggy Sue était sûre qu'il avait agi dans le dessein de donner une leçon à ces étrangers insolents qui se mêlaient de lui reprocher son mode d'alimentation.

— Ne pourrait-on pas avoir une couverture? gémit la jeune fille dont les lèvres devenaient bleues. Nous autres Terriens supportons mal les basses températures.

— C'est vrai? fit Ranuck d'un air distrait. Je n'ai rien emporté, mais tout à l'heure nous ferons halte au chalet, vous aurez la possibilité d'acheter des fourrures.

Il ne paraissait pas disposé à se défaire de son manteau de fourrure ou à partager la couverture de loutre sur laquelle il était vautré.

— Buvez du vin chaud, dit-il, goguenard. Des aventuriers tels que vous n'ont rien à redouter du blizzard, n'est-ce pas? Vous avez affronté tant de dangers... *vous êtes de tels héros!*

La moquerie perçait sous ses propos.

Sebastian se précipita sur une coupe brûlante et en vida le contenu d'un trait. Comme il n'avait pas mangé depuis une éternité, le vin épais, coupé de miel, lui fit tourner la tête, et il retomba dans son coin, les yeux hagards.

« Quel idiot ! songea Peggy, irritée. A présent il est à moitié ivre. Voilà bien les garçons ! »

— Dès que nous serons au sommet, annonça Ranuck, nous tâcherons de voir le roi. Sa Majesté n'était pas très bien ces temps derniers. Les nerfs, bien sûr. La présence constante de cette bête qui arpente les souterrains de la planète, sous nos pieds. Et puis le dilemme éternel : doit-on ou non l'abattre en lui expédiant une flèche depuis l'entrebâillement d'une crevasse, en finir une fois pour toutes avec cette menace ? Il suffirait d'un carreau [1] d'arbalète bien placé pour la transpercer, c'est vrai... *mais que se passerait-il ensuite ?* Peut-on nous assurer qu'une fois la Dévoreuse anéantie, Kandarta ne deviendra pas aussitôt un enfer ? Son atmosphère pourrait s'évaporer, sa gravité disparaître... nous nous mettrions alors à flotter dans l'espace, à nous asphyxier... Il est fort possible que seule la magie de la bête rende l'œuf habitable. Comment savoir ? Les magiciens de Kromosa avaient des lueurs sur la question, mais notre bon général Massalia leur a fait trancher la tête sous prétexte qu'ils vénéraient la Dévoreuse. En outre, les gourmets forment à présent une opposition opiniâtre qui n'hésiterait pas à se révolter... voire à prendre le pouvoir, si l'on envisageait de la priver des bienfaits dispensés par la Bête.

Il était évident qu'en parlant au nom des gourmets il ne faisait qu'exprimer ses propres opinions.

---

1. L'arbalète tire des « carreaux », courtes flèches d'acier capables de perforer une armure.

Qui régnait à Kromosa? Walner le roi débile, ou Ranuck le drogué, qui mangeait de la chair humaine à chaque repas?

— Je persiste à penser que Massalia est un méchant personnage, insista le grand vizir. Il n'aime pas les animaux... Il colporte des calomnies sur la bête des souterrains. Vous savez, mes chers enfants, il ne faut pas croire tout ce qu'on raconte. Le peuple exagère les méfaits de l'animal. Je crois que la Bête a beaucoup à nous apprendre. Il y aurait de gros avantages à collaborer avec elle. Si l'on cessait de la persécuter, elle serait de moins mauvaise humeur et arrêterait de s'en prendre aux marmots des paysans!

Arrivé au sommet, le convoi s'arrêta devant une palissade de rondins qui, en se déployant sur quatre côtés, formait une sorte de fortin. De petits baraquements s'élevaient aux abords de cette station de sports d'hiver plutôt rustique.

« Ici, pas de gentils moniteurs souriants, songea Peggy, mais des gardes armés jusqu'aux dents. »

— Nous sommes encore trop bas, expliqua Ranuck, la délicieuse gourmandise se déguste au sommet de la montagne. Des chariots chauffés et bâchés de cuir emmènent les gourmets tout en haut du pic, là où l'on trouve la neige la plus pure, la plus chère aussi. Vous verrez d'ailleurs que la couleur en est incomparable.

D'un geste négligent, il désigna une cabane où l'on pouvait louer des fourrures. Peggy et ses amis sautèrent du chariot tandis que le vizir ordonnait à ses hommes de vérifier les attelages.

Les jeunes voyageurs se dirigèrent vers la baraque de rondins.

Peggy Sue grelottait, elle dut prendre sous son bras le chien bleu qui avait disparu au sein de la couche de neige et poussait des jappements angoissés. Les flocons roses collaient à la peau, vous glaçant jusqu'aux os. Par inadvertance, Peggy se passa la langue sur les lèvres, avalant du même coup les menues parcelles neigeuses qui s'étaient collées autour de sa bouche. Elle éprouva un terrible vertige en même temps qu'une bouffée de gourmandise incontrôlable. Ce fut bref mais intense ; elle crut qu'elle allait s'évanouir.

— Attention, chuchota-t-elle à l'intention de Sebastian et du chien bleu, il faut se méfier des flocons et se protéger le visage avec un chiffon. Si vous léchez la neige comme je viens de le faire, une faim dévorante s'emparera de vous. Les trafiquants doivent bien connaître ce phénomène, regardez les gardes : ils sont tous masqués !

C'était vrai. Aucune des sentinelles enveloppées de peau de loup n'avait la bouche découverte. Toutes portaient une muselière de cuir. Sebastian pesta et se plaqua la main sur le bas du visage. Seul le chien bleu s'obstina à tirer la langue et à gober les flocons qui voletaient.

— C'est bon ! jappait-il. Miam ! que c'est bon ! J'en veux encore !

Au moment où ils atteignaient l'auvent de la petite baraque, Sebastian les attira à l'écart. S'étant assuré que personne ne risquait de l'entendre, il murmura :

— Pouvons-nous faire confiance à ce Ranuck ? Il apprécie un peu trop la Dévoreuse, à mon goût ! Je crois que Massalia a raison, c'est bien le chef des compagnons de la pieuvre. Il la défend. Jamais il n'acceptera qu'on se serve de l'arbalète, il faudra se passer de sa permission.

Comme le visage de Peggy Sue trahissait l'hésitation, il ajouta :

— Il est visible que notre mission va contre les intérêts de cet homme. J'ai peur qu'il nous ait attirés dans un piège. Il pourrait bien avoir dans l'idée de nous éliminer... Une fois la palissade franchie, nous serons entre les mains des trafiquants de sorbets.

Sebastian se savait assez fort pour affronter dix hommes et le combat ne l'effrayait pas, mais il redoutait quelque traîtrise et cette histoire de neige délicieuse le mettait mal à l'aise.

— Cet homme ne m'inspire pas confiance, martela-t-il. Il ne nous attaquera pas de front, il le fera par la ruse.

— Tu peux rester ici si tu as peur, proposa le chien bleu, moi j'ai envie de grimper au sommet pour manger un peu de ces merveilleux sorbets.

— Imbécile ! siffla le garçon, regarde-toi, sale roquet ! Tu as avalé trois flocons et tu es déjà du côté de Ranuck. Qu'est-ce que ça sera quand tu en auras mangé une pleine coupe !

Pour mettre fin à l'algarade, Peggy poussa la porte de la baraque. Une bouffée de chaleur bienfaisante salua son entrée. L'intérieur du chalet empestait le suint, la graisse et la fourrure mal tannée. Un gros poêle ronflait dans un coin, jetant des lueurs rouges sur un comptoir encombré de peaux. L'adolescente s'en approcha, plongea les mains dans l'amoncellement de fourrures. Un petit homme obséquieux sortit de l'ombre pour vanter sa marchandise. Peggy trouva les peaux assez bon marché, ce qui l'étonna, car elle avait tout d'abord pensé qu'on chercherait à les escroquer sans vergogne. Mais le marchand avait peut-être identifié la voiture du vizir ? En agissant ainsi, il espérait sans doute s'attirer les bonnes grâces du Premier ministre. Sebastian avait choisi une cape d'ours, Peggy Sue l'imita. Le boutiquier affable procéda à de rapides retouches. Il était d'une extrême habileté et ajusta les vêtements en moins de dix minutes. Peggy tira trois pièces de la bourse que lui avait remise Massalia avant leur départ en mission. Elle se sentait mieux. Ils quittèrent la cabane, engoncés dans leurs fourrures mais désormais protégés du vent.

Ils réintégrèrent le chariot de Ranuck sous les regards narquois des soldats qui se moquaient de leur accoutrement. Sebastian se posta à l'arrière de la voiture, de manière à pouvoir en sauter si besoin était. Rien ne prouvait que le roi les attendait au bout du voyage. Ranuck avait pu imaginer ce piège à la lecture du faux sauf-conduit.

« Il a peut-être deviné nos intentions, songea le jeune homme. Il nous a entraînés ici pour nous éloigner le plus possible de l'arbalète. »

Le convoi s'ébranla, franchissant la palissade. De l'autre côté, le brouillard était encore plus dense et étouffait les bruits. On avait l'impression de se déplacer dans un paysage tapissé de coton rose. Peggy Sue éprouva un malaise furtif. Son estomac vide la torturait ; de plus, elle prenait peu à peu conscience que les flocons de neige avalés par mégarde avaient fortifié son appétit de manière anormale. *Jamais elle n'avait eu aussi faim.* Des images insolites défilaient dans son esprit. Elle revoyait Ranuck, attablé devant son horrible repas, découpant sans hésiter la cuisse de Ranya étendue sur la table. Le plus étrange, c'était que cette évocation ne la dégoûtait plus autant qu'auparavant.

Elle s'ébroua pour chasser l'hallucination, mais la peur demeura plantée au creux de son sternum, une peur dont elle cernait encore mal les contours.

La voiture cahotait sur les pierres du chemin. Des chariots bâchés de cuir émergèrent enfin de la brume, rangés en cercle.

A cet endroit la neige était d'un rose foncé, presque rouge pâle. Des serviteurs affublés de muselières en remplissaient des coupes d'or qu'ils portaient ensuite jusqu'aux voitures arrêtées. Des mains chargées de bagues jaillissaient alors des rideaux pour s'en emparer avidement. Les beaux seigneurs de Kromosa étaient tous là, occupés à déguster la délicieuse gourmandise tombant du ciel.

A ce spectacle, Ranuck s'agita sur son siège. Il transpirait et ses narines frémissaient comme celles d'un lion qui renifle le gibier.

— La meilleure neige, dit-il d'une voix sourde, le festin des festins. La nourriture des dieux. Quand on y a goûté, les mets les plus rares vous paraissent d'un seul coup aussi nauséabonds qu'un tas de crottes de chèvre.

Sebastian se glissa hors du chariot. Une jeune femme couverte de fourrure errait comme une somnambule dans le paysage enneigé, le visage empreint d'une béatitude qui lui déformait les traits. Les lèvres bleues, elle haletait en gloussant sottement. Une servante affolée essayait de lui faire réintégrer sa voiture.

— Parfois ils marchent jusqu'à ce que le froid les congèle, déclara Ranuck. On les retrouve dans un fossé, plus raides que des statues.

— C'est affreux, s'insurgea Peggy.

— Taisez-vous, petite idiote ! gronda Ranuck, vous ne pouvez pas comprendre. C'est une mort merveilleuse, au contraire.

Il écarta le rideau d'un geste brusque et ajouta :

— La voiture du roi est là-bas, finissons-en.

Il ne se contrôlait plus et mourait d'envie de plonger sa bouche dans la neige. En dépit du froid, la sueur ruisselait sur son front. Il bondit hors de la voiture.

Peggy le suivit malgré la répugnance qu'elle éprouvait à enfoncer ses pieds dans la couche poudreuse. A l'extérieur, le brouillard avait installé une atmosphère crépusculaire. La bourrasque rose recouvrait le sol et les chariots d'un tapis d'une mollesse extrême. L'adolescente eut l'impression d'évoluer dans un univers de crème fouettée. Le paysage ressemblait à une pâtisserie et ce sortilège donnait envie de mordre dans l'écorce des arbres pour s'assurer qu'ils n'étaient pas en chocolat.

— Le chariot du roi est là ! haleta Ranuck qui piétinait dans la neige.

Peggy Sue hocha la tête sans répondre. Elle était engourdie par le froid et la stupeur.

« Je me suis égarée sur un gâteau géant, ne cessait-elle de penser, un gâteau géant. »

Elle aurait voulut réagir, se reprendre, mais un étrange engourdissement s'emparait de son cerveau. Les flocons continuaient à se coller sur ses lèvres, à fondre dans sa bouche... Plus elle avançait, plus la montagne, le sol, les arbres lui apparaissaient sous l'aspect d'un amoncellement de sucre, de crème, de rubans de pâte d'amande. Le vent sentait le miel, les cailloux crissaient sous ses pieds telles des pépites de chocolat.

« Je suis en train de devenir folle, se dit-elle, folle de gourmandise ! »

Ils avaient atteint le chariot royal autour duquel patrouillaient deux centurions emmitouflés dans des peaux de loup. Ranuck écarta la bâche de cuir et se hissa sur le marchepied. L'intérieur de la voiture était tapissé de fourrures et chauffé par un poêle de céramique. Un jeune homme maigre se débattait sur un lit encombré de coussins soyeux. Des servantes se pressaient autour de lui, épongeant la sueur qui ruisselait sur son front. Peggy reconnut Walner d'après les statues qui se dressaient dans les jardins du palais royal. Des yeux déments illuminaient sa grosse tête couverte de fins cheveux jaunes. Il se débattait, cherchant à échapper aux attentions des servantes, brandissant une cuillère d'or et une coupe vide.

— Encore! hurlait-il d'une voix de garçonnet capricieux. Encore. Je veux un autre sorbet, vite.

Une femme se précipita, apportant une nouvelle coupe de neige rose. Walner y plongea aussitôt sa cuillère. Le froid lui avait bleui les lèvres, mais il ne cessait de transpirer comme si la fièvre le dévorait. Des veines palpitaient sur ses tempes et des frissons le parcouraient de la tête aux pieds.

— Aaah! râla-t-il en avalant une grosse bouchée de glace, c'est la nourriture des dieux. Ranuck! Mon bon Ranuck, c'est comme si je mangeais de l'ange... du chérubin cuit à point. C'est une chair si fondante, si... C'est cela, un ange, un jeune ange rôti à la broche, ou encore une sirène aux écailles rosées. Une petite sirène. As-tu déjà mangé de l'ange, Ranuck? Ou de la sirène?

A présent il pleurait, au comble de la joie. Il ajouta :

— C'est... c'est la chair d'un animal si fragile qu'il meurt dès qu'on pose la main sur lui. Un souffle d'air suffit à le cuire, et il fond sur la langue dès qu'on le porte à la bouche. C'est doux, crémeux comme un fantôme battu en neige. Oui, c'est cela : un sorbet de fantôme, une crème de spectre.

Il avait déjà vidé la coupe et tendait les mains pour en obtenir une autre. Ranuck s'agenouilla devant lui et tenta d'expliquer l'objet de sa visite, mais ses yeux ne quittaient pas les coupes de glace posées sur un plateau de vermeil à la tête du lit, et ses propos s'embrouillaient. Peggy Sue comprit qu'elle devait l'interrompre avant qu'il ne perde le fil de son discours.

— Nous voudrions tourner un film sur votre planète, mentit-elle. Le cadre est merveilleux, nous aurions besoin de visiter le palais afin de faire quelques repérages...

Mais Walner ne l'écoutait pas ; le regard fixe, il semblait abîmé dans la contemplation d'une table de banquet imaginaire.

— Des galettes de lune à la confiture d'argent, balbutia-t-il, des étoiles frites en beignets, une mousse de brouillard à la vanille, un iceberg à l'anis, une banquise à la menthe.

Peggy Sue avança la main pour le secouer, mais Ranuck s'interposa.

— Vous êtes folle, dit-il, scandalisé, *c'est le roi,* vous n'avez pas le droit de le toucher. Il faudra attendre demain... à l'aube il sera dégrisé.

— Mange, mon bon Ranuck, bégaya Walner en poussant vers la bouche du vizir une cuillère de sorbet, c'est de la confiture de volcan, de la marmelade de soleil, cela vous illumine l'estomac ! Regarde, je dois briller comme un lampion, je suis sûr que mon ventre est devenu transparent !

Il éclata d'un rire fou, tandis que le vizir avalait gloutonnement la cuillère de neige si obligeamment offerte. Peggy Sue recula, écœurée. Walner était dans l'incapacité de comprendre quoi que ce soit, et dans peu de temps Ranuck l'aurait rejoint sur la pente du délire. Kandarta était-elle donc gouvernée par des irresponsables ?

— Qui sont cette fille et ce chien bleu ? hoqueta le roi en étouffant un gloussement imbécile. C'est une surprise de ton chef cuisinier ? Qu'ils s'approchent, je veux leur mordre la cuisse ! La fille a l'air bien tendre.

Il riait aux larmes et les spasmes secouaient ses côtes saillantes. Les servantes se relayaient, épongeant la sueur de sa fièvre. Peggy battit en retraite, la rage au cœur. Combien de temps allait durer cette mascarade ? Sans même saluer le monarque, elle sauta hors du chariot pour rejoindre Sebastian. Lorsque ses pieds touchèrent le sol, elle eut la sensation de crever la croûte d'une meringue fraîche et une bouffée de gourmandise s'empara d'elle, incontrôlable. Sebastian, qui grelottait en silence, lança :

— Rien à faire, n'est-ce pas ? Je m'en doutais.

— Ils sont en pleine crise, grommela la jeune fille, cette fichue neige leur a tourneboulé le cerveau, voilà qu'ils s'imaginent être en train de manger de l'ange rôti Je suppose que c'est toujours comme ça. La neige provoque des hallucinations gastronomiques. C'est comme s'ils participaient à un banquet fabuleux et pouvaient absorber des tonnes de nourriture sans être le moins du monde incommodés. Ça a l'air tellement bon qu'après ils deviennent incapables d'avaler des aliments normaux. Ils ont l'impression que tout a un goût détestable.

— Que faut-il faire ? interrogea Sebastian. Le temps passe.

— On ne peut qu'attendre, coupa Peggy Sue, en espérant que leur crise de folie se terminera avec le lever du jour. D'ici là, dormons.

Elle se hissa dans le chariot, roula dans son manteau et ferma les yeux. Sebastian l'imita. En réalité Peggy ne dormait pas. Elle n'aimait pas ce qui était en train de lui arriver, cette espèce de fringale qui faisait de son estomac un gouffre en attente de nourriture. Les quelques flocons qu'elle avait absorbés avaient-ils déclenché en elle une folie analogue à celle dont souffraient Walner et son grand vizir ?

Elle caressa le chien bleu blotti sur ses genoux. Depuis leur arrivée au camp, le petit animal n'avait pas cessé de gober des flocons. Il semblait hagard et ne tenait plus sur ses pattes.

— Comment te sens-tu ? lui demanda Peggy. Tu as l'air bizarre.

— J'suis super bien, balbutia le chien. Ces papillons roses ont un goût génial.

— Quels papillons ?

— Ceux-là... les... les p'tits qui tombent du ciel...

Peggy Sue comprit qu'il faisait allusion aux flocons voletant devant son museau.

— Arrête d'en manger ! lui ordonna-t-elle, tu es en train de perdre la tête.

— Mais non... s'esclaffa l'animal. J'me sens en pleine forme...Et puis, si j'en gobe suffisamment il va me pousser des ailes et je pourrai voler avec eux. Ils m' l'ont dit... tu d'vrais essayer... C'est trop bon.

Au bout d'un moment, il sombra dans une sorte de stupeur dont Peggy Sue ne parvint pas à l'arracher. Incapable de trouver le sommeil, elle sauta sur le sol et se mit à marcher autour des chariots. Le brouillard rose l'enveloppait de ses gifles poudreuses, criblant son visage de piqûres d'aiguille. La jeune fille se masqua la bouche. Autour d'elle, la bourrasque palpitait, étirant au ras du sol ses écharpes de sucre filé qui rappelaient la « barbe à papa » des fêtes foraines.

Peggy fit quelques pas, la faim creusait un trou dans son ventre, une faim anormale qu'elle n'avait jamais éprouvée de toute sa vie.

« C'est l'influence de la neige rose, songea-t-elle, nous n'aurions jamais dû venir ici, c'était une erreur. Ranuck savait ce qui allait arriver. Il espère que nous prendrons goût, nous aussi, à l'enchantement des sorbets. *Il veut que nous devenions ses complices.* »

Peggy avançait au milieu de la tourmente. Machinalement, ses yeux suivaient les allées et venues des servantes occupées à remplir les coupes d'or avec la neige du sol. La gourmandise la submergea, lui mettant l'eau à la bouche.

« Il faut résister, pensa-t-elle, demain nous aurons quitté la montagne et l'envoûtement cessera. Il faut tenir jusque-là. Oui, tenir. »

Elle s'ébroua. Le froid pénétrait sa cape de fourrure et bleuissait ses mains. Résister, se répéta-t-elle, ne pas basculer du mauvais côté. Mais l'envoûtement était puissant, terrible... et la neige semblait si *bonne*, si *attirante*.

Le brouillard se levait, les bourrasques charriaient désormais moins de flocons. La Dévoreuse s'endormait et son souffle n'était plus assez puissant pour grimper jusqu'aux nuages. D'ici un moment la neige cesserait de tomber sur la montagne des délices.

Peggy Sue marcha jusqu'à un promontoire dominant la ville. A présent que la brume se dissipait, on distinguait les dômes dorés de Kromosa. En bas, dans les dernières lueurs du soleil couchant, on apercevait la ville coupée en deux. La fumée bleue coulant sur les ruines du ghetto et, de l'autre côté des remparts, la cité de marbre immaculée, avec ses jets d'eau, ses statues... ses cannibales vêtus de toges de soie !

Elle eut une pensée pour Goussah, qui courait là-bas, et se sentit emplie de tristesse.

Au même moment, un corbeau à bec de fer lui frôla la joue de son aile bleutée. Elle sursauta. Elle détestait ces oiseaux dont l'apparition trahissait toujours l'approche d'un maléfice. Un deuxième corbeau se mit à tourner dans le ciel, puis un troisième. Ils planaient en cercle, sans pousser le moindre cri, comme s'ils scrutaient la montagne, à la recherche de quelqu'un. Un tel comportement n'augurait rien de bon. Peggy sentit son cœur se serrer : « Me surveilleraient-ils ? »

Devinant une présence dans son dos, elle regarda par-dessus son épaule. Le grand vizir se tenait derrière elle, un sorbet à la main. Il le lui offrit. Incapable de résister, l'adolescente s'en saisit.

— Mangez, ma chère enfant, dit Ranuck d'un ton onctueux. Dès que le temps va devenir plus clément il commencera à fondre, et vous aurez laissé passer une belle occasion de vous régaler.

Peggy plongea la petite cuillère d'or dans la glace. Elle sentit la salive envahir sa bouche.

— Trêve de balivernes, déclara soudain le grand vizir d'un ton péremptoire. Allons droit au but... Rejoignez nos rangs. *Devenez, vous et vos amis, des compagnons de la pieuvre.* Vous en tirerez de grands avantages. Vous êtes célèbres, cela nous sera utile. Imaginez un peu... Nous pourrions construire des parcs à thèmes ici, à proximité de Kromosa. Chacun de ces parcs serait consacré à l'une de vos aventures. Il y aurait le jardin délirant du *Sommeil du démon*, les baleines cracheuses de cailloux du *Zoo ensorcelé*, et ainsi de suite. Ce serait facile à réaliser. Les enfants ont confiance en vous, ils vous aiment... ils viendraient par milliers.

— Et alors? demanda Peggy en portant une cuillerée de sorbet à sa bouche.

— Alors, il suffirait de les conduire dans des décors truqués, où les tentacules de la Dévoreuse les attendraient. Elle pourrait s'emparer d'eux facilement, sans se heurter à des portes blindées, des cages, des dortoirs réfrigérés.

— Vous voulez que nous lui fournissions sa nourriture, c'est ça?

— Oui, elle souffre, voyez-vous... Les paysans deviennent de plus en plus méfiants. Elle a désormais beaucoup de mal à se nourrir correctement. Il faut l'aider, sinon elle nous punira, elle cessera de nous délivrer la délicieuse gourmandise! Nous n'aurons plus aucune raison de vivre...

Peggy avala quelques miettes de neige rose. Elle savait qu'elle n'aurait pas dû, mais ç'avait été plus fort qu'elle, elle n'avait pu s'en empêcher. Elle frissonna de la tête aux pieds, et elle eut l'illusion que même ses cheveux changeaient de couleur trois fois par minute. Jamais elle n'avait mangé quelque chose d'aussi bon, cela valait toutes les crèmes au chocolat du monde, c'était... c'était... *indescriptible!*

— Je sens que nous nous comprenons, ricana Ranuck en s'apercevant que sa jeune interlocutrice était désormais sous l'influence de la neige rose.

Nous devons aider la bête des souterrains. Elle est seule contre tous. Elle représente l'avenir. Avec votre aide, nous la sauverons.

Peggy hocha la tête. Elle n'y voyait plus très clair. Plus elle y réfléchissait, plus cette idée de parc à thèmes lui semblait bonne... Les gosses ne se méfieraient pas ; une fois qu'ils auraient disparu, la direction s'indignerait de ce que la Dévoreuse ne respectait rien, pas même le parc *Peggy Sue et les fantômes*, et le tour serait joué !

— Nous reparlerons de tout cela une fois de retour au palais, murmura Ranuck. Je vous présenterai aux autres compagnons. Nous organiserons une petite cérémonie pour fêter votre entrée dans nos rangs. Je suis très satisfait de cette conversation.

Après un dernier sourire, il tourna les talons et disparut au sein des flocons. Peggy demeura immobile, en proie au vertige. Ses pensées lui échappaient. Elle s'aperçut qu'elle riait toute seule.

Sebastian apparut soudain devant elle et la secoua.

— Qu'est-ce que tu fiches ? s'emporta-t-il. Tu as l'air d'une folle. (Avisant la coupe d'or que l'adolescente tenait toujours à la main, il ajouta :) tu as mangé cette cochonnerie ? Tu es dingue !

— J'ai... j'ai trouvé le moyen de rester au palais... bredouilla Peggy, penaude. Nous allons faire semblant de nous allier aux compagnons de la pieuvre ; comme ça nous pourrons circuler en toute liberté et accéder à l'arbalète... C'est super, non ?

— Ouais, grommela le jeune homme, dubitatif, à condition de faire semblant. Mais si tu continues à manger cette saleté, tu seras réellement des leurs !

La confrérie des monstres

Ils rentrèrent au palais. Le roi Walner sortit de sa voiture, soutenu par ses servantes. Il riait sottement et, au passage, fit un pied de nez au chien bleu. On dut le porter jusqu'au sommet de l'escalier d'honneur.

— Sa Majesté est très fatiguée, diagnostiqua Ranuck, elle va garder la chambre un moment.

« Quelle aubaine pour toi, vieux scélérat ! songea Peggy, de cette manière tu peux régner à sa place et organiser les choses à ta guise. »

— Considérez-vous désormais comme mes invités, annonça le grand vizir avec un clin d'œil appuyé. Un valet va vous conduire à vos chambres, nous parlerons de nos projets dès ce soir.

Peggy Sue et Sebastian découvrirent qu'on leur avait octroyé des appartements princiers, remplis de soieries, de statues et d'objets en or de toutes sortes.

Le garçon sortit sur le balcon pour voir s'il lui serait possible, en escaladant la façade, de se hisser jusqu'à la terrasse où était remisée l'arbalète géante.

— Ça paraît difficile, avoua-t-il, déçu. Le marbre est si lisse et il n'y a aucun point d'appui. Il va falloir passer par l'intérieur.

Feignant de visiter le palais, les jeunes gens s'approchèrent de la pièce stratégique. Encore une fois, ils durent rebrousser chemin, l'endroit était gardé par des sentinelles qui leur intimèrent de faire demi-tour avant de recevoir une flèche au travers du corps.

— C'est mal parti, grommela Sebastian. Il va falloir imaginer un stratagème...

Des esclaves leur servirent un succulent déjeuner dans leurs appartements, mais ni Peggy Sue ni le chien bleu ne parvinrent à avaler quoi que ce soit.

— C'est dégoûtant, hoqueta le petit animal, la viande a un goût de vieux mégot.

— Exact, fit Peggy, c'est comme si je mâchais de la cendre froide...

Sebastian frappa du poing sur la table.

— Voilà ce qui arrive quand on se drogue! gronda-t-il. Vous avez mangé de la neige rose, vous êtes bien punis! Dans peu de temps vous partagerez les banquets de Ranuck, vous deviendrez des cannibales.

— Non... non... balbutia Peggy Sue, ça va passer. Nous n'avons pas mangé assez de neige pour être irrémédiablement intoxiqués.

— C'est ce que vous croyez, ragea le garçon. Vous êtes tombés dans le piège que nous tendait le grand vizir. Voilà pourquoi il nous a emmenés sur la montagne des délices. Il savait qu'une fois que vous auriez goûté à la neige vous deviendriez ses complices.

— Ça va passer, répéta Peggy, toute pâle. Je ne recommencerai pas.

— Moi, ça ne me déplairait pas de manger de la cuisse humaine, avoua le chien bleu, mais, bon, je ferai comme Peggy.

*

Ranuck ne tarda pas à se manifester. Embusqué derrière les colonnes de marbre du palais, il avait auparavant longuement observé Peggy Sue et le chien bleu.

« Il sait que nous avons mâché de la neige, se dit la jeune fille. Il attend que la délicieuse gourmandise fasse effet... »

Emergeant de l'ombre, le grand vizir s'avança. Il souriait d'un air complice et s'exprimait en chuchotant comme s'il entendait laisser Sebastian à l'écart de cette discussion entre « amis ».

— C'est dur, n'est-ce pas, de s'alimenter « normalement » quand on a été initié aux prodiges de la neige ? susurra-t-il. Il me semble que vous avez maigri, non ?

Peggy Sue se troubla ; depuis quarante-huit heures elle essayait de se nourrir de fruits et de pain, mais tout prenait un horrible goût de mégot dans sa bouche. Elle avait vomi deux fois dans les jardins, derrière les massifs de roses.

— Pourquoi vous forcer ? s'étonna Ranuck. Il serait plus simple de venir déjeuner à ma table. Je vous invite de bon cœur. Mon cuisinier m'a prévenu que le « casting » d'aujourd'hui était excellent. De belles filles bien saines et dodues à souhait. Elles trépignent d'impatience à l'idée d'être mangées par des dignitaires de haut rang.

Il se tamponna le front à l'aide d'un mouchoir imbibé de parfum et dit, d'une voix à peine audible :

— Il serait temps de passer aux choses sérieuses. Je viendrai vous chercher ce soir afin de vous présenter aux compagnons de la pieuvre. Je vous expliquerai en quoi consiste la cérémonie. Une fois que vous aurez accepté de rejoindre nos rangs, vous ne pourrez plus revenir en arrière.

Sur un sourire énigmatique, il s'éclipsa, laissant l'adolescente en proie à l'inquiétude.

— Tu joues un jeu dangereux, maugréa Sebastian lorsqu'elle lui rapporta cette conversation. Ces gens-là sont très forts, ils peuvent agir sur ton esprit, te transformer... Si tu les fréquentes, tu deviendras leur esclave sans même t'en apercevoir.

— J'essaye de gagner du temps, protesta la jeune fille. Pendant que je fais semblant de copiner avec Ranuck, débrouille-toi pour trouver un moyen de t'approcher de l'arbalète. Il est temps d'en finir, j'ai hâte de rentrer à la maison.

— Ce n'est pas facile, avoua le garçon, penaud. La seule façon d'accéder à la terrasse serait d'escalader la façade, mais elle est lisse comme du verre, et les arêtes des murs sont si tranchantes qu'elles me sectionneraient les doigts.

*

Lorsque la nuit fut tombée, le grand vizir fit son apparition. Il était vêtu d'une robe de soie noire brodée d'étoiles d'or. Dans cet accoutrement, il avait plus que jamais l'air d'un ogre.

— Venez, ma chère enfant, dit-il, je vais vous présenter à la confrérie. Il y a de grands avantages à devenir un compagnon de la Bête.

Posant sa main alourdie de bagues sur l'épaule de Peggy Sue, il la guida à travers le dédale des couloirs jusqu'à une crypte dont la porte était défendue par des gardes brandissant des haches.

Peggy et le chien bleu se faufilèrent dans la salle à la suite du vizir. Une centaine de conjurés se tenaient là, le visage dissimulé par des cagoules coniques. Dans les trous des masques, leurs yeux scrutaient la jeune fille et le chien avec méfiance.

Au fond de la crypte, posé sur un autel de marbre, un fragment de tentacule momifié tenait lieu d'idole.

— Voilà comment tout a commencé, expliqua Ranuck. Un jour, ce morceau de pseudopode a été tranché par un garde au moment où il jaillissait d'une crevasse. Au lieu de m'en débarrasser, je ne sais pourquoi, j'ai eu l'idée d'en couper une tranche et de la manger.

Peggy sentit son estomac se retourner et elle dut accomplir un effort surhumain pour ne pas vomir sur les babouches du grand vizir.

— C'est drôle, non ? s'extasia Ranuck. Sans mon incurable gourmandise, je n'aurais jamais établi de contact avec la Bête. J'aurais continué à croire aux fables du général Massalia.

— Vous avez eu un « contact » ? s'étonna l'adolescente.

— Oui, dès qu'on mange un morceau de la Dévoreuse, on entend sa voix qui vous parle. Elle résonne pour vous seul, dans le secret de votre esprit... Elle vous explique tout. Elle vous rassure, vous dit ce qu'il convient de faire. Tous les compagnons de la pieuvre doivent déguster une tranche de tentacule lors de la cérémonie d'initiation.

— Seulement une tranche ? grommela le chien bleu. *J'en veux six !* On dirait du calamar, ça n'a pas l'air mauvais, surtout si vous avez de la sauce piquante... Vous avez prévu de la sauce piquante, au moins ?

Peggy lui tira l'oreille pour le faire taire, mais le petit animal se pourléchait déjà les babines.

— Une fois cette cérémonie accomplie, continua le vizir, impossible de revenir en arrière. La Bête est en vous. Elle voit par vos yeux, elle entend par vos oreilles. Vous êtes son ambassadeur à la surface de la coquille... les imbéciles diraient : son espion.

— Et qu'obtient-on en échange? demanda l'adolescente.

— Manger la chair de la Bête rend immortel, haleta Ranuck. L'intelligence se développe, on comprend des choses qui échappent aux simples humains. Et puis... il y a la délicieuse gourmandise!

Peggy s'avança d'une dizaine de pas pour examiner le fragment de tentacule. On eût dit une énorme limace de cuir ratatinée. Autour de l'autel, une table avait été dressée. Des assiettes de marbre noir semblaient attendre qu'on y dépose des morceaux de l'horrible gigot.

— Nous en mangeons à chaque réunion, se dépêcha d'expliquer Ranuck, pour fortifier nos pouvoirs. Si tu acceptes d'être des nôtres, tu seras notre invitée. La Bête sera heureuse de t'accueillir dans nos rangs. Tu n'auras qu'à lui demander ce que tu veux, elle te l'accordera. Parmi nos compagnons, certains peuvent voler dans les airs, d'autres se rendre invisibles, d'autres encore traversent les murs ou entendent ce qui se dit à trente kilomètres à la ronde...

« Autant de qualités pour faire un bon espion! » songea Peggy Sue.

Elle dévisagea les comploteurs encagoulés qui l'encerclaient.

« Peut-être s'imaginent-ils seulement posséder ces pouvoirs, se dit-elle. La Dévoreuse les dupe pour mieux les manipuler. »

— Certes, mentit-elle, c'est alléchant...

— N'hésite pas trop longtemps, l'avertit le grand vizir, maintenant que nous t'avons dévoilé la vérité nous ne pourrons te laisser partir que si tu deviens l'une des nôtres. J'ai d'ailleurs l'impression que ce garçon, Sebastian, ne nous aime pas beaucoup... Verrais-tu un inconvénient à ce que nous nous débarrassions de lui ? Après tout, ce n'est qu'un personnage secondaire, tu pourrais continuer tes aventures sans lui...

— Je vais essayer de le convaincre, bredouilla Peggy. En fait, je le mène par le bout du nez. Il fera ce que je lui commanderai de faire. Et puis il est très fort, cela pourrait nous servir.

— Si tu le dis, lâcha Ranuck avec un haussement d'épaules. Réfléchis à ma proposition. Demain soir tu t'assiéras à cette table et tu mangeras ton premier morceau de tentacule. Alors, tu deviendras l'une des nôtres, et mes braves compagnons n'auront plus besoin de porter ces cagoules. Rappelle-toi : une fois qu'on a signé le pacte, plus question de revenir en arrière. La Bête s'installera en toi pour l'éternité. Elle sera dans ta tête, dans ton corps, elle guidera ton esprit et chacun de tes gestes. Tu ne seras plus jamais seule.

— Quel bonheur, souffla Peggy en se sentant pâlir. J'ai hâte d'y être...

Elle quitta la crypte en adressant des sourires aux conjurés.

— Hé ! protesta le chien bleu, on part déjà ? *Mais on n'a rien mangé !* Elle avait pourtant l'air bien appétissante cette limace fumée.

Les portes d'acier se refermèrent derrière eux et les gardes se remirent en faction, la hache à la main.

Peggy s'empressa de regagner ses appartements. Sebastian l'y attendait. Elle lui raconta tout.

— Ça va mal, observa le garçon. Nous nous sommes jetés dans la gueule du loup. Si tu refuses de devenir leur complice, ils nous supprimeront... Peut-être même nous mangeront-ils !

— Il faut passer à l'action, décida Peggy. Nous n'avons plus le choix. Nous devons nous emparer de l'arbalète !

— J'y ai réfléchi, et il n'y a pas trente-six solutions, soupira Sebastian. Le mieux est d'attaquer de front et de les surprendre. Les gardes ne se méfieront pas de nous, ils nous prennent pour des enfants sans défense. Ils ne connaissent pas ma force. Je peux les assommer sans problème. Ils n'auront même pas le temps de comprendre ce qui leur arrive.

— N'exagère pas, lui rappela Peggy. Tu sais bien que tu peux déployer une puissance herculéenne pendant *trois* minutes, mais qu'ensuite tu t'écroules pour dormir. Si cela se produit, tu t'effondreras à leurs pieds et ils te transperceront de leurs javelots.

— Je ferai vite, assura le garçon. Une fois la Dévoreuse abattue, je pense que les compagnons de la pieuvre perdront tous leurs pouvoirs.

— Sans doute.

— Alors ne tardons pas.

*

Le cœur serré, les trois amis se dirigèrent vers la partie du palais où se trouvait entreposée l'arbalète géante. Hélas, lorsqu'ils voulurent s'engager dans le corridor menant à la terrasse, les soldats leur barrèrent la route.

— Zone protégée, aboya un centurion, personne n'accède à la terrasse sans être accompagné du roi et du vizir. Déguerpissez, les gosses, ou je vous botte les fesses !

Le chien bleu en profita pour passer entre les jambes du soldat et galopa en aboyant jusqu'à la porte interdite.

— Mon chien ! pleurnicha Peggy, jouant la petite fille éplorée. Laissez-moi passer, je veux juste récupérer mon chien... Il n'obéit à personne...

— Zone protégée, répéta sottement le soldat, personne n'accède à l'arbalète en l'absence du roi et du vizir.

Sebastian esquissa un geste pour l'écarter, mais aussitôt dix légionnaires jaillirent de derrière les colonnes et le mirent en joue avec des javelots.

Sans attendre, le garçon se jeta dans la bataille, leur écrasant le visage à coups de poing. Une fureur démentielle l'habitait, et ses bourrades cabossaient casques et cuirasses comme s'il s'agissait de simples boîtes de conserve. Progressant à grandes enjambées, avec une rapidité inouïe, il frappait sans relâche. Eberluée, Peggy Sue le regardait bouche bée. Jamais elle n'avait vu son petit ami se battre avec autant de fureur.

« Ça ne durera pas, songea-t-elle avec angoisse, dans deux minutes il sera épuisé et tombera endormi, tout d'un bloc. »

Elle ne se trompait pas, la fatigue rattrapait déjà Sebastian. Le jeune homme savait qu'il avait atteint la limite de ses forces. Dans peu de temps, il allait s'abattre, fauché par le coma, les soldats en profiteraient alors pour le tuer.

« Je dois finir ce travail ! se répétait-il. Dégager le couloir et atteindre la porte de la terrasse... vite ! Tant que je suis un surhomme ! »

Le corridor était jonché de blessés. Le chien bleu galopait en avant, les crocs découverts, grondant comme un démon, et les soldats prenaient la fuite en se demandant s'ils avaient affaire à un simple roquet ou à un loup-garou. Sebastian bondissait, balayant les tables, les fauteuils, brûlant dans un déploiement d'énergie fantastique ses dernières secondes de conscience.

Les trois amis se trouvaient maintenant tout près de la porte menant à la terrasse. Il leur suffirait de la pousser pour accéder à l'arbalète. Avec de la chance, tout serait fini dans peu de temps.

— Que se passe-t-il ici ? tonna soudain la voix de Ranuck.

— Seigneur, haleta le centurion, ce sont ces gosses, ils essayent de s'emparer de l'arbalète... Ils nous ont pris par surprise, le garçon est un vrai démon. Il a la force de dix lions...

— Je vois, gronda le vizir ; et, dévisageant Peggy Sue : tu m'as trompée, petite peste ! Tu n'as jamais eu l'intention de rejoindre nos rangs, tu obéis à ce vieux fou de Massalia ! Tant pis pour toi ! Puisqu'il en est ainsi, je vais prendre les choses en main et te punir comme tu le mérites !

Brusquement, le gros homme parut s'enfler tel un ballon dans lequel on soufflerait trop de gaz. Un craquement retentit et Ranuck se fendit de haut en bas ! Son corps se déchira telle une banane qu'on épluche. De cette charpie émergea une créature abominable dans laquelle on avait du mal à reconnaître la physionomie bonasse du grand vizir. C'était à présent un être écailleux, dont l'allure générale rappelait celle d'une pieuvre. La chose se débattait pour se dégager du corps éclaté qui l'immobilisait encore, et des jets de gaz enflammés s'échappaient de sa bouche.

— La Dévoreuse l'a remodelé à son image ! balbutia Peggy Sue. Il ne mentait pas, la Bête était bien en lui. Elle nous surveillait par ses yeux !

Les gardes eux-mêmes n'avaient pu réprimer un mouvement de recul. Maintenant la « pieuvre » bleuâtre se dandinait sur ses tentacules, crachant de courtes bouffées de flammes.

— Tuez-la ! hurla le chef des soldats. Mais tuez-la donc !

Les centurions s'emparèrent de leurs arcs pour mettre le monstre en joue.

— Mais c'est le grand vizir, protesta l'un d'eux, on ne peut pas tirer sur lui.

— Ce n'est plus le grand vizir ! rugit leur chef, au comble de la terreur. C'est un monstre !

Les flèches volèrent, se fichant dans le cuir écailleux de la chose sans lui causer le moindre dommage.

— Regardez ! bredouilla Peggy à l'adresse de ses amis, nous avons sous les yeux le portrait en réduction de la bête des souterrains. Son double, en quelque sorte.

— Pas terrible, admit le chien bleu. En plus, il sent mauvais.

— Il faut en profiter pour forcer le passage, haleta Sebastian. Allons-y ! Pendant que les sentinelles se battent avec le monstre, faufilons-nous jusqu'à la porte.

Soudain, d'autres pieuvres bleues surgirent du fond du couloir pour porter secours à « Ranuck ». Peggy comprit qu'il s'agissait des comploteurs dont le grand vizir était le chef. Des jets de feu s'échappaient de leur gueule. Encore malhabiles, les pieuvres hésitaient à attaquer les gardes, mais il était visible que ce répit ne durerait pas. Dès qu'elles auraient compris comment ne plus s'emmêler les tentacules en marchant, elles passeraient à l'attaque !

Les flèches se fichaient dans leur chair caoutchouteuse sans les blesser, et elles les balayaient d'un coup de patte comme s'il s'était agi de moucherons importuns.

— Allons-y ! ordonna Sebastian. C'est maintenant ou jamais !

Il s'élança en direction de la porte, zigzaguant entre les soldats, pour l'heure trop occupés pour lui prêter attention.

Peggy Sue le rejoignit ; au moment de se glisser dans l'entrebâillement du battant, elle regarda une dernière fois par-dessus son épaule. Dans le corridor, les monstres avaient capturé deux gardes. Les saisissant à bras-le-corps, ils les serraient comme s'ils voulaient danser avec eux. Les soldats se débattaient en hurlant sans pouvoir éloigner leur visage de la gueule cornée des monstres. Les flammes s'échappant du museau des créatures leur roussissaient les cheveux et le nez.

Sebastian et Peggy Sue se faufilèrent sur la terrasse et rabattirent le vantail derrière eux.

Le vent de la plaine les fit frissonner. Ils constatèrent qu'ils se trouvaient à une centaine de mètres du sol, sur un large balcon s'avançant au-dessus du vide.

L'arbalète était là, sa flèche tachée de rouille engagée dans le couloir de tir.

« Par les dieux du cosmos, songea Peggy, ce n'est qu'un vieux machin ! On dirait un morceau de ferraille oublié chez un brocanteur. Jamais elle ne fonctionnera. »

D'un même mouvement, les trois amis s'étaient avancés vers la balustrade dominant l'abîme. En contrebas s'étirait la crevasse géante qu'ils devaient prendre pour cible.

L'adolescente se rappela les propos de Massalia : « C'est le meilleur angle de tir sur toute la planète. Un couloir rectiligne menant directement au centre de l'œuf. La flèche filera droit vers la Dévoreuse et se fichera dans son cœur. »

Sebastian vacilla, tirant Peggy de ses réflexions. Il était pâle et ne tenait plus sur ses jambes.

— La fatigue... haleta-t-il, la fatigue.

— Pointe l'arbalète ! siffla Peggy Sue, devinant que son ami allait s'écrouler. Pointe l'arbalète, je ferai le reste.

Sebastian était tombé à genoux, les yeux mi-clos. Dans un dernier effort, il mit à profit sa force herculéenne pour faire pivoter la machine de guerre de manière que la flèche vise la crevasse. Tout de suite après, il s'abattit sans connaissance, et son front sonna sur le marbre.

Peggy Sue comprit qu'elle devait désormais se débrouiller seule. Elle contourna l'engin, à la recherche du levier commandant le tir. Elle savait qu'elle courait un risque énorme. Si la bête était seulement blessée elle pouvait, sous le coup de la fureur, jaillir de sa cachette, faisant exploser la coquille, et s'abattre sur le palais, les écrasant tous... mais l'heure n'était plus aux tergiversations, il fallait tuer le monstre avant que les compagnons de la pieuvre ne reprennent l'avantage. Elle avança les doigts vers la manette et l'abaissa, libérant le câble.

La flèche fila en vibrant dans le couloir de tir, rasa les créneaux et monta dans le ciel.

Tout de suite, Peggy Sue comprit que le projectile n'atteindrait pas son but. Mal empenné, il déviait dans le vent en prenant de la hauteur. A cent mètres au-dessus du sol, il vira sur la gauche. Son ombre gigantesque couvrit les toits de la ville, plongeant Kromosa dans les ténèbres. Peggy serra les dents, attendant le choc fatidique. Comme elle l'avait deviné, la flèche rata l'entrée de la crevasse et se planta droit dans la plaine, à quinze mètres de sa cible. Elle resta fichée là, tel un arbre de fer.

Peggy Sue se mordit la lèvre jusqu'au sang.

« Raté ! pensa-t-elle, au bord des larmes. C'est raté ! »

Au même moment, un tentacule s'enroula autour de sa gorge, l'étouffant...

Le châtiment

Lorsque Peggy reprit conscience, elle se trouvait enchaînée au fond d'un cachot. Sebastian, lui aussi entravé, dormait à ses côtés. Quant au chien bleu, on l'avait ficelé comme un saucisson.

Ranuck, debout sur le seuil de la geôle, les observait d'un œil amusé. Il avait recouvré son apparence humaine, mais sa peau déchirée était couturée de points de suture, si bien qu'il avait l'air d'une poupée de chiffon mal recousue.

— Je t'avais prévenue, ricana-t-il. La Bête voit tout. Je suis ses yeux, ses oreilles, sa vengeance. Elle est en moi, elle me prête sa puissance quand j'en ai besoin. Tu aurais pu devenir l'une des nôtres...

— Vous voulez dire une pieuvre bleue? siffla la jeune fille avec insolence. Merci bien, d'après ce que j'ai pu en voir ça ne me fait pas trop envie. Les ventouses ne me vont pas au teint.

— Comme tu veux, soupira Ranuck. Je n'ai pas de temps à perdre avec toi. J'ai ordonné aux gardes de vous jeter dans la grande crevasse, celle qui descend directement au cœur de l'œuf. De cette manière vous tomberez droit dans la gueule de la bête. Ainsi prendra fin la série *Peggy Sue et les fantômes...* Vos lecteurs ne verront jamais paraître de tome VII!

J'avoue que je m'en réjouis car cette série m'a toujours agacé [1].

Il se détourna dans un grand froissement de soie et disparut dans le couloir pendant qu'un soldat verrouillait la porte du cachot.

Après son départ Peggy Sue se creusa la tête pour imaginer un moyen d'évasion mais ne trouva rien. Lentement, Sebastian sortit de son coma. Il s'assit, les yeux gonflés de sommeil.

— Si j'en juge par les chaînes dont nous sommes couverts, nous avons échoué, grommela-t-il.

— Oui, murmura la jeune fille. L'empennage de la flèche géante était défectueux. Elle est partie de travers. Elle a manqué la faille d'une dizaine de mètres.

— Que va-t-il se passer maintenant ?

Peggy le lui expliqua.

Elle achevait à peine son récit quand les gardes firent irruption dans la geôle.

— C'est l'heure, dit celui qui les commandait. En route pour la crevasse. La Dévoreuse attend son déjeuner.

La petite troupe quitta le palais royal pour gagner la plaine. Jusqu'au bout Peggy espéra un miracle. Elle imagina que Servallon, le vieux scribe, ou Goussah, le coureur, allaient leur porter secours, mais personne ne vint, et ils se retrouvèrent bientôt au bord de l'immense faille. La flèche géante plantée de travers étirait son ombre sur la lande, la transformant en cadran solaire.

---

1. La lettre que Ranuck avait envoyée au courrier des lecteurs n'a d'ailleurs pas pu être publiée car elle était trop injurieuse !

— Un dernier souhait ? s'enquit le centurion qui n'était pas mauvais homme.

— Déliez-nous les mains, demanda Peggy, nous voulons mourir libres.

— D'accord, fit le soldat, et il ordonna qu'on les libère.

— Ne nous poussez pas, ajouta la jeune fille, laissez-nous sauter de notre propre initiative.

Et elle s'avança vers la crevasse.

Dès qu'elle eut tourné le dos aux centurions, elle prit la main gauche de Sebastian et cala le chien bleu sous son autre bras.

— Tu as récupéré tes forces, n'est-ce pas ? chuchota-t-elle au jeune homme. Tiens-moi très fort par la main. Quand nous sauterons, essaye d'agripper quelque chose : une saillie, une racine... et plaque-toi contre la paroi. Ils croiront que nous sommes tombés dans le gouffre et ils s'en iront. Tu nous hisseras à la surface dès qu'ils seront partis.

Je vais essayer, souffla le garçon.

Arrivés au bord de la lézarde ils s'embrassèrent... et sautèrent dans le vide.

Dès qu'ils commencèrent à tournoyer dans l'abîme, Sebastian lança sa main droite vers la paroi de granit et s'accrocha à une pierre saillante. Leur chute s'arrêta brutalement, mais ils restèrent plaqués contre la muraille, à se balancer au-dessus du précipice. Sebastian crispait les doigts de sa main droite sur le caillou ; de la gauche il tenait Peggy Sue qui, elle, serrait le chien bleu sous son bras !

Ils restèrent un moment silencieux pour laisser le temps aux soldats de s'éloigner, puis le jeune homme se mit à gigoter pour essayer de localiser une encoche où poser les pieds.

— Bon sang! haleta-t-il après une minute de vains tâtonnements, *il n'y a rien*... Pas une seule corniche... Rien... Je ne vais pas pouvoir rester comme ça éternellement. Vois-tu quelque chose?

— Non, souffla Peggy. C'est lisse... Du granit, partout du granit... Pas de racines, pas de prise nulle part.

— Je pourrais essayer de t'imprimer un mouvement de balancier, hasarda Sebastian, et t'expédier vers la surface. Avec un peu de chance tu retomberais sur la plaine.

— Non, protesta Peggy, c'est trop risqué. Et puis tu n'auras pas assez de force pour m'expédier si haut! Nous sommes à plus de vingt mètres sous la terre.

— Alors nous sommes fichus, murmura Sebastian. Dès que mes forces s'épuiseront, je serai forcé de lâcher prise.

— Je suis désolée, gémit Peggy. J'espérais qu'il y aurait des racines, une plate-forme... Au lieu de ça c'est une vraie cheminée, toute droite... toute lisse.

— Ce n'est la faute de personne, philosopha le chien bleu. C'était une belle aventure.

Peggy Sue tressaillit, quelque chose était en train de lui chatouiller le nez. D'abord elle crut qu'il s'agissait d'une toile d'araignée, puis elle se rendit compte que quelqu'un était en train de descendre une corde dans la faille. Une grosse corde à nœuds.

— *Hé!* cria-t-elle.

— J'ai vu... haleta Sebastian.

Peggy leva les yeux. Des ombres se pressaient en haut, sur le pourtour de la crevasse.

— Ça va? tonna une voix amplifiée par la voûte. C'est moi, Massalia! Tenez bon, nous allons vous tirer de là.

Peggy connut une seconde d'intense frayeur quand Sebastian dut lâcher prise pour saisir au vol la corde qui pendait sous son nez, mais l'opération se passa pour le mieux. Dès que les adolescents eurent empoigné le filin, les hommes du général les hissèrent à l'air libre.

Une fois à la surface, le chevalier les poussa vers un chariot bâché.

— Vite ! ordonna-t-il, inutile de nous faire repérer par les gardes de Ranuck. Mon campement est à trois kilomètres. Vous y serez à l'abri.

La carriole s'ébranla en grinçant. Massalia vint rejoindre les jeunes gens sous la bâche et leur tendit une gourde afin qu'ils se désaltèrent.

— Désolée pour l'arbalète, s'excusa Peggy, ça a raté.

— Je sais, bougonna le chevalier, ce n'était pas votre faute, l'empennage était de travers. Je suppose que Ranuck avait pris la précaution de le saboter pour que la flèche n'atteigne pas sa cible. J'aurais dû y penser. J'ai été stupide. Ce n'est pas de cette manière qu'il fallait s'y prendre.

— Allez-vous attaquer le palais ? s'enquit Sebastian.

Le vieux chevalier eut un rire amer.

— Je n'ai pas assez d'hommes, lâcha-t-il. A peine une petite troupe. La plupart sont vieux, comme moi. Ce sont d'anciens compagnons de guerre qui devraient être depuis longtemps à la retraite.

— Alors c'est fichu ? dit tristement le jeune homme.

— Pas encore, murmura le général. Il nous reste encore le plan B. Avez-vous entendu parler des îles volantes ?

Capitaine Fantôme

— Avez-vous entendu parler des îles volantes? répéta Massalia.

Peggy Sue et ses amis ignoraient tout des fameuses « îles volantes ». Ils posèrent aussitôt mille questions, mais Massalia se fit mystérieux, ne voulant rien leur révéler par avance. Il fallait qu'ils se rendent compte par eux-mêmes, prétendait-il.

— C'est notre seule chance de détruire la Bête, répétait-il. J'ai des contacts avec les gens qui s'occupent de ça. Des hors-la-loi. Des pirates... Je leur ai demandé de passer nous prendre demain. A mon avis, s'il existe une solution, c'est là-bas que nous la trouverons.

*

Comme il l'avait annoncé, un véhicule rébarbatif (qui tenait le milieu entre le char d'assaut et le bus scolaire) s'arrêta le lendemain matin devant le fortin. Personne n'en descendit et c'est tout juste si l'une des portières s'entrebâilla pour permettre aux voyageurs de monter.

Peggy Sue et Sebastian firent le voyage les yeux

bandés, tassés à l'arrière du camion militaire dont les chenillettes brassaient la boue. Au moment d'entrer dans le fourgon, Peggy Sue avait entraperçu les silhouettes de trois hommes vêtus comme des pirates : foulard écarlate noué sur le crâne, cartouchières s'entrecroisant sur la poitrine. Dans la pénombre, elle avait noté le scintillement des métaux guerriers : cuivre des douilles, lames des sabres.

Ensuite, il avait fallu subir les cahots du véhicule et le silence pesant des hors-la-loi. Après plusieurs heures de route on avait estimé que les passagers étaient désormais incapables de s'orienter, aussi les avait-on délivrés du bandeau. Peggy avait cligné des paupières, éblouie.

Le fourgon roulait au milieu du paysage dévasté d'une ancienne usine à gaz dont la plupart des cuves avaient explosé. Les installations, à moitié éclatées, avaient pris un étrange aspect mi-solide mi-liquide rappelant celui d'une tablette de chocolat oubliée en plein soleil.

Peggy Sue nota que trois réservoirs étaient encore intacts. Après avoir traversé les ruines, le camion s'engagea dans un campement loqueteux. Des drapeaux flottaient à la pointe de grands mâts.

« Nous voilà chez les pirates ! murmura télépathiquement le chien bleu. Mais où sont les galions chargés d'or ? »

Les ruelles de l'agglomération étaient pleines d'hommes barbus, armés jusqu'aux dents.

« L'île de la Tortue [1]... », pensa la jeune fille.

1. Ile célèbre dont les pirates des sept mers avaient fait leur refuge.

Des souvenirs de lecture lui emplirent soudain la tête.

Le campement évoquait pour elle le repaire interdit de quelque flibuste avec sa population farouche d'éclopés portant bicorne à tête de mort, pistolets à la ceinture et perroquet sur l'épaule. Mais, à la différence des écumeurs de mer, les hommes qui déambulaient dans les travées du bidonville avaient la peau bleuâtre, les yeux rougis par les exhalaisons toxiques. *Les cuves fuyaient !* Ces émanations planaient sur le campement, corrodant jour après jour les poumons des « pirates » en attente d'embarquement.

Les ruelles trop étroites interdisant au camion de s'avancer plus loin, on les fit descendre. Peggy Sue renifla encore. Elle avait un arrière-goût amer sur la langue, comme si elle avait, par mégarde, sucé un bonbon fourré à la compote de momie.

— C'est le gaz, dit Massalia en la voyant grimacer, le béthanon B. Il est extrêmement volatil et les installations sont en mauvais état. Le feu est prohibé dans l'enceinte de l'usine, ici on mange froid et on ne fume pas.

— Il y a eu un accident ? s'enquit Peggy en désignant la silhouette tourmentée des cuves qui se découpaient en ombres chinoises sur l'horizon.

— Des tas d'accidents, soupira le général. La Dévoreuse a plusieurs fois attaqué les installations. Le béthanon B est très sensible à la chaleur. Une simple étincelle le fait exploser.

— Pourquoi s'obstiner à l'extraire ?

— Parce que sa portance est fantastique. Gonflé au béthanon, un ballon de baudruche pas plus gros que le poing peut soulever un éléphant. Nous nous trouvons dans une exploitation clandestine. Toutes les usines sont fermées depuis vingt ans. Il est interdit de pomper les gaz qui filtrent à travers les crevasses de la coquille. Il y a eu beaucoup trop de catastrophes.

— Ce gaz, demanda Peggy Sue, vous voulez dire qu'il provient de la Bête?

— Oui, c'est l'une de ses émanations.

Les pirates s'impatientaient; d'une bourrade, ils firent comprendre à Peggy qu'elle devait s'engager sans plus attendre dans les ruelles du bidonville. La jeune fille s'étonna de leur mutisme. Elle ne tarda pas, du reste, à remarquer qu'un silence surprenant régnait dans les sentes pourtant encombrées de la cité-labyrinthe.

— Ils sont muets? finit-elle par demander à son compagnon.

— Pas vraiment, fit Massalia, mais le gaz irrite les cordes vocales, parler devient douloureux.

Peggy fit la grimace. Bientôt les ruelles s'élargirent et on déboucha sur une place encombrée de treuils, de filins.

L'adolescente retint sa respiration et leva les yeux vers le ciel. Quelque chose se tenait là, quelque chose qui coupait le souffle. C'était un énorme ballon dirigeable. Un aérostat fuselé, dont la silhouette rappelait celle d'une baleine. L'enveloppe à demi gonflée devait mesurer cinquante mètres de long, elle était prise dans un filet aux mailles serrées. Les flancs de la nef palpitaient, comme sous l'effet d'une puissante respiration.

Peggy prit conscience qu'elle était plantée au bord d'un quai d'embarquement. Des dockers [1] allaient et venaient, transportant sur leur dos des caisses rectangulaires. Une colonne s'était constituée, acheminant le fret vers l'aérostat. Les caisses étaient ensuite entassées les unes sur les autres, comme les briques d'un mur, et assujetties par des cordes. Un filet enveloppait le tout, constituant une sorte de nacelle suspendue au ballon géant.

— De quoi s'agit-il? s'impatienta Sebastian. Tout cela est, certes, fort pittoresque, mais je voudrais comprendre.

— C'est simple, soupira Massalia. Beaucoup de gens en ont assez de vivre sur terre, à la merci de la Dévoreuse. Ils ont imaginé de s'exiler dans le ciel, loin de ses tentacules. Voilà pourquoi ils utilisent ces ballons. Ils embarquent à dix ou douze familles, avec assez de vivres pour tenir le plus longtemps possible, et ils quittent la Terre. Ils restent en l'air jusqu'à ce qu'ils aient épuisé leurs provisions. Pour boire, ils recueillent l'eau de pluie. On surnomme ces ballons des îles volantes. Ils montent très haut, plus haut que les avions. Bien sûr, tout ça est assez dangereux.

— En tout cas, il ne faut pas avoir le vertige! souffla le chien bleu.

Peggy Sue restait fascinée par la masse du ballon.

— Cet aérostat est le plus ancien de la flotte, expliqua le général, on l'a baptisé *Capitaine Fantôme.*

— Pourquoi? demanda Sebastian.

— Parce qu'il a survécu à bien des aventures... et même à plusieurs de ses équipages. (Massalia

1. Ouvriers préposés au chargement des navires.

s'interrompit pour annoncer :) mes enfants, voici l'ingénieur en chef Hinker, c'est lui qui dirige ce camp retranché. Il est l'inventeur des îles volantes.

Peggy Sue bafouilla une formule de politesse. Le visage du capitaine avait l'air d'un masque confectionné pour Halloween par des enfants maladroits. A dire vrai, toute sa tête semblait sculptée dans une bougie amollie par la chaleur. « Sans doute une explosion de gaz ? » pensa la jeune fille en essayant de ne pas faire preuve d'une curiosité gênante. L'homme dit quelque chose, mais il avait la voix enrouée.

Peggy Sue pointa le doigt vers le ballon et demanda :

— Vous voulez que nous embarquions à bord de ce ballon ? Mais pour quoi faire ?

— Une fois gonflés au béthanon B, les ballons sont capables d'enlever dans les airs des charges énormes, expliqua Hinker. Ils pourraient soulever une maison si on le désirait, il suffirait juste de calculer la valeur du mélange nécessaire à cet effort, c'est tout. Mais ils peuvent également *descendre* à volonté.

Il parut hésiter, mâchonna sa moustache, puis, se rapprochant de Peggy, déclara :

— Je n'ai pas le temps de vous faire un long discours. Mais dans l'état actuel de notre technologie, c'est le seul moyen dont nous disposons pour mettre la Dévoreuse hors de combat.

— Comment cela ? grogna Sebastian.

— En gros voici le plan de bataille, déclara Massalia s'interposant entre l'ingénieur et les adolescents. Vous allez utiliser le *Capitaine Fantôme* pour vous infiltrer dans la crevasse qui mène au cœur de l'œuf. Le mélange gazeux de l'enveloppe vous permettra de descendre au centre de la planète, là où la bête se tient recroquevillée.

— Et... et ensuite ? bredouilla le garçon.

— Quand vous serez en bas, vous déposerez une bombe à retardement près de son repaire, vous l'amorcerez et vous vous dépêcherez de remonter en regonflant le ballon. Si tout va bien, vous aurez le temps de ressortir à l'air libre avant que la bombe explose.

— *Au fou !* glapit le chien bleu, *il est fou !* Vite, une camisole, une ambulance ! Qu'on l'emmène ! Enfermez-le et jetez la clef au fond d'un puits !

— C'est un bon plan, protesta Hinker. Le *Capitaine Fantôme* est le vaisseau le plus évolué que nous ayons conçu à ce jour. Il présente des perfectionnements dont ses prédécesseurs ne bénéficiaient pas.

— *Des perfectionnements ?!* siffla ironiquement Sebastian en regardant l'aérostat par-dessus son épaule. Des perfectionnements... Vraiment ? Une enveloppe plus constellée de rustines qu'un vieux pneu de bicyclette, un filet et des cordes. Quelles merveilles de technologie !

— Ne soyez pas stupide, trancha Massalia. Vous avez peur et je comprends votre réaction, mais vous savez que j'ai raison, et qu'il n'existe pas d'autre solution.

Hinker esquissa un pas en avant, et il invita ses honorables visiteurs à visiter la nef. Les trois amis durent se résoudre à suivre l'étrange guide.

Massalia s'appliquait à détailler les finesses de son plan, mais Peggy l'écoutait distraitement.

Vu de près, le ballon était plus impressionnant

encore. Les caisses et les bonbonnes de gaz, amarrées au centre du filet, formaient un énorme ballot qui tenait lieu de nacelle.

— Les caisses contiennent des vivres, des outils, des lampes... *et des explosifs*, annonça Hinker. Les bonbonnes de gaz servent à gonfler le ballon. On vous enseignera comment le manœuvrer, ce n'est pas difficile. La crevasse est bien assez large pour que le *Capitaine Fantôme* s'y faufile. Pour descendre, il vous suffira de dégonfler l'enveloppe.

— Et... la Dévoreuse ? hasarda Peggy Sue. Comment nous accueillera-t-elle ?

— Si vous êtes prudents, silencieux, elle ne devrait pas vous voir. N'oubliez pas que la nuit règne, là-dessous. Vous embarquerez des provisions de chou bleu, leur puanteur fera fuir la bête. Il vous suffira d'en faire bouillir une pleine marmite pour que la créature se détourne du ballon.

— Du chou bleu ! Ah, oui, génial ! ricana Sebastian, comme ça, lorsque nous reviendrons sur la Terre, plus personne ne voudra nous approcher !

*

Dans l'heure qui suivit, on leur fit visiter les moindres recoins du *Capitaine Fantôme*. Hinker hochait la tête et souriait pour affirmer que tout irait bien, cependant son sourire aux lèvres rongées par le feu avait quelque chose de sinistre.

— N'hésitez pas trop, les supplia Massalia. Le temps nous manque. Cette installation est secrète, les soldats de Ranuck peuvent la prendre d'assaut demain s'ils en apprennent l'existence. Il faut tuer la Dévoreuse avant qu'elle soit devenue assez forte pour faire éclater sa coquille. Il en va de notre survie à tous.

Peggy Sue serra les mâchoires. Elle n'arrivait pas à se décider. Qui devait-elle croire ? N'avait-elle pas trop vite prêté crédit aux délires de Massalia ? La Dévoreuse était-elle vraiment mauvaise ?

— Essayez, au moins, lui chuchota le général. Si une fois engagés sous terre vous jugez la chose impossible, vous remonterez. C'est d'accord ?

Peggy était fatiguée, elle avait faim. Hinker leur fit signe de le suivre. Abandonnant le dirigeable, ils revinrent au quai et s'installèrent dans une taverne où on leur servit de la viande froide et du poisson cru.

L'ingénieur tira des plans froissés de sa poche et tenta d'expliquer à ses interlocuteurs les « perfectionnements » dont le *Capitaine Fantôme* était équipé.

— La bombe est détachable, annonça-t-il, rassurant. Un enfant pourrait l'amorcer. Nous allons vous montrer comment la larguer à proximité de la Bête. Une fois que vous l'aurez déclenchée, vous disposerez de quatre jours pour remonter à la surface. Passé ce délai, si vous n'êtes toujours pas sortis de l'œuf, vous serez tués par l'explosion.

Plongée dans les ténèbres

On leur dispensa une formation de soixante-douze heures au cours de laquelle ils durent se familiariser avec les différentes manœuvres.

« C'est comme un stage de voile, se répétait Peggy, sauf que là il s'agit de descendre dans le ventre de la planète ! »

Cette formalité remplie, Hinker leur demanda de se défaire de tous les objets métalliques qu'ils possédaient.

— En bas, expliqua-t-il, vous allez traverser des couches de gaz stagnants qui proviennent des poumons de la Dévoreuse. Certains de ces gaz sont inflammables, ils peuvent exploser à la moindre étincelle. La coquille contient du silex, si du métal frottait contre cette pierre cela produirait de grosses étincelles. L'explosion vous anéantirait. Il faut réduire les risques. Le gaz...

Sa voix déformée par l'enrouement donnait au mot un son sifflant désagréable. *Le gazzzzze...*

Les adolescents durent ensuite se dépouiller de leurs vêtements pour enfiler l'uniforme du personnel « volant ». Les habits, de facture assez fruste, ne comportaient aucune fermeture Eclair et s'ajustaient au moyen de lanières et de boutons de bois.

— En bas, continua Hinker, gardez vos masques à oxygène en bandoulière. Mettez-les dès que vous éprouverez des difficultés respiratoires.

Pour finir, on leur posa sur le crâne un casque de cuir rembourré, et de grosses lunettes. Ainsi affublés, ils se sentaient ridicules. Le chien bleu, à qui ce déguisement avait été épargné, se roula dans la poussière en glapissant de rire.

— On va y aller, annonça Hinker. Il faut profiter de la brume pour amener le *Capitaine Fantôme* au-dessus de la crevasse. De cette manière, les soldats de Ranuck ne pourront nous voir.

Il ne cachait pas sa hâte d'expédier son petit monde dans les profondeurs.

Dès que Peggy Sue et Sebastian furent équipés, l'ingénieur les conduisit à la nacelle.

— Si je ne t'aimais pas assez pour te suivre en enfer, je ficherais le camp ventre à terre, souffla le chien bleu à l'adresse de Peggy.

Au-dessus de la tête de la jeune fille, le ballon achevait de se gonfler, et sa peau tendue prenait un aspect luisant. Brusquement les amarres gémirent, le dirigeable s'éleva d'un bon mètre tandis que les caisses grinçaient et remuaient sous les pieds des passagers.

L'estomac de Peggy Sue tournicota. Le « pont » tanguait comme celui d'un navire secoué par les vagues.

Peggy se cramponna aux cordages dont les entrelacs formaient une toile d'araignée tout autour de la nacelle. La portance du ballon augmentait rapidement. On le sentait impatient de bondir dans le ciel. Il tirait sur ses amarres, les faisant geindre.

— Quelle histoire de dingue, haleta Sebastian. Si on m'avait dit que je descendrais au cœur d'un œuf géant...

En bas, les pirates avaient attaché le ballon à une dizaine de gros camions lestés de blocs de ciment. Ces véhicules tireraient le *Capitaine Fantôme* jusqu'à la crevasse, là, Sebastian commencerait à le dégonfler doucement pour le faire descendre dans le gouffre de la coquille.

Les camions démarrèrent.

— Ils doivent faire vite, expliqua Sebastian, sinon l'aérostat les soulèvera du sol pour les emporter dans les airs.

Peggy Sue observa avec anxiété le ventre du ballon sillonné de coutures. Il semblait sur le point d'éclater.

Grâce au brouillard, on atteignit la crevasse sans problème.

— Nous y sommes, annonça Hinker par le téléphone. Vous pouvez commencer à dégonfler la vessie. Tournez la manette d'un cran vers la gauche. La portance diminuera et le *Capitaine Fantôme* s'enfoncera dans la crevasse.

Sebastian obéit.

Aussitôt, comme par magie, l'aérostat perdit de l'altitude et descendit de plusieurs mètres. Le vertige s'insinua en Peggy Sue qui voulut s'éloigner du bord.

Les câbles reliant la nef aux camions furent largués. Enfin libre de ses mouvements, le *Capitaine*

Fantôme s'enfonça dans les ténèbres de la coquille entrouverte.

— C'est horrible, gémit le chien bleu, j'ai l'impression de pénétrer dans la gueule d'un requin... Cette crevasse est en train de nous avaler !

— Je sais, haleta Peggy. Tu as vu comme il fait noir ? Dire que nous sommes en train de descendre dans le ventre de la planète !

— Ce serait une aventure formidable si je n'avais pas aussi peur, couina le petit animal. Nom d'une saucisse atomique ! On n'y voit rien là-dedans.

Peggy Sue serrait les cordages à s'en scier les doigts. Sous ses semelles, les caisses remuaient. Tangage, roulis. Tangage, roulis.

— Et il n'y a même pas une barrière où s'accrocher, se lamenta-t-elle, rien que ces cordages emberlificotés.

Elle crispa les mâchoires pour empêcher ses dents de claquer et rabattit le capuchon de sa parka sur la tête pour se donner l'impression d'être protégée.

« Je vais tomber, je vais tomber, je vais... »

Les mots crépitaient dans son esprit.

Passant d'un filin à un autre, elle entreprit de se déplacer vers la tente de toile huilée que les hommes de Hinker avaient dressée au sommet de l'amoncellement des caisses. C'était un abri dérisoire qui tremblotait dans le vent. Sa forme arrondie lui donnait l'aspect d'un igloo. Par moments elle semblait prête à s'envoler tant ses parois vibraient dans les bourrasques.

— Ça y est, commenta le chien bleu, nous sommes dans la crevasse et nous continuons à descendre... Le ciel commence à rétrécir au-dessus de nous. Regarde ! Ce n'est déjà plus qu'un petit zigzag couleur d'azur. Et toute cette nuit... Comment peut-il faire aussi noir ?

Peggy Sue était trempée de sueur. Sebastian se matérialisa tout à coup devant elle. Il se déplaçait en marin habitué au roulis et ne cherchait nullement le secours des cordages pour rester debout. Comme tous les garçons, il était excité par cette aventure et refusait de penser aux dangers à venir. Peggy lui en voulut pour cette insouciance qu'elle était loin de partager.

— Ne t'affole pas si tu as le mal de l'air, souffla Sebastian en lui caressant la joue, tu t'y feras vite. C'est l'affaire de vingt-quatre heures.

Peggy aurait voulu le croire !

Sebastian l'aida à pénétrer dans la tente dont l'ouverture était maintenue fermée par des lacets.

— Il ne faudra jamais la laisser ouverte, expliqua-t-il, c'est le seul endroit où nous serons à l'abri du gaz. Si l'atmosphère devient irrespirable à l'extérieur, nous nous réfugierons ici et nous ouvrirons une bonbonne d'oxygène. Voilà pourquoi cet abri est important. Si tu suffoques, viens vite ici. Tu te rappelleras ?

Ils entrèrent à quatre pattes, et Peggy se sentit mieux. L'igloo de toile reconstituait un monde à sa mesure. Une odeur de poisson séché et de pemmican [1] montait de la caisse à vivres. Il n'était pas question de faire du feu, il fallut se contenter de cette nourriture froide qu'on mit à ramollir dans

---

1. Viande fumée, déshydratée, qui se conserve presque indéfiniment.

une écuelle d'eau. Des sacs de couchage étaient roulés près du coffre à ravitaillement.

— Pas mauvais, ce truc, fit le chien bleu qui broutait salement dans son écuelle.

— Allons-nous toujours rester dans le noir? s'inquiéta Peggy. C'est horrible et on risque de tomber. Pour le moment nous sommes encore éclairés par la lumière du jour qui s'insinue dans la crevasse, mais ça ne va pas durer.

— Rassure-toi, répondit Sebastian. Nous avons des torches électriques à faisceau réduit. On les a barbouillées de peinture bleue pour qu'elles portent moins loin. Et puis il y a ces lunettes, elles permettent d'y voir la nuit... du moins tant que la pile fonctionne. N'oublie jamais de les éteindre quand tu t'endormiras.

Il avait tiré d'un sac trois paires de grosses lunettes caoutchoutées dont il fit la distribution. Attacher celles du chien bleu ne fut pas une mince affaire!

La collation terminée, Sebastian encouragea ses amis à retourner dehors, pour s'habituer au ballon. Il rangea écuelles et gobelets, laça la tente et s'en alla en louvoyant vers la proue. Peggy Sue renonça à le suivre. Rien qu'à le voir se pencher au-dessus du vide, les mains dans les poches, elle sentait l'estomac lui remonter dans la gorge.

Pour s'accoutumer au roulis, elle fit quelques pas sur le plancher mouvant. Les caisses bougeaient. Ces dérobades continuelles rendaient l'équilibre du voyageur assez précaire.

Rassemblant son courage, elle s'approcha de Sebastian, toujours planté à la proue du vaisseau à la lisière de l'abîme, le bout des semelles déjà dans le vide.

— A quelle profondeur sommes-nous? interrogea-t-elle.

— Moins soixante mètres, annonça le garçon. Le ballon descend lentement. Il faudrait peut-être le dégonfler davantage pour diminuer la portance?

Les yeux protégés par ses grosses lunettes de vision nocturne, il observait Peggy.

— Tu te sens bien? s'enquit-il. L'atmosphère à l'intérieur de la coquille est un peu spéciale. Dès qu'on s'enfonce, la composition de l'air change. Les gaz ont tendance à déclencher chez les humains des poussées hallucinatoires. C'est bref mais souvent intense. Il faut s'y préparer.

— On va devenir fous? interrogea le chien bleu. Comme lorsque nous avons traversé la prison?

— Possible, murmura Sebastian. Grâce aux masques respiratoires et à la tente de survie on ne risque pas de perdre la tête, mais on peut faire des rêves bizarres ou être assaillis par des idées saugrenues. Le tout est de ne pas paniquer.

*

Jusqu'au soir Peggy resta aux aguets. Le ballon se balançait moins, mais l'air s'était chargé d'une humidité pénétrante qui faisait gémir les cordages. La jeune fille avait fini par s'asseoir au milieu du pont, le plus loin possible du vide. L'obscurité l'effrayait. Elle aurait voulu que le *Capitaine Fantôme* soit illuminé comme un lustre, hélas, allumer une lampe, ç'aurait été éveiller l'attention de la Dévoreuse...

« Si je dois faire pipi cette nuit, pensa-t-elle, je vais passer par-dessus bord. »

Mauvais rêve

Cette nuit-là, Peggy Sue rêva de la Dévoreuse. Elle la vit, tapie au centre du monde, nœud vivant de tentacules emmêlés ; ses mille membres grouillant telle une couvée de serpents. L'adolescente ne distingua pas son mufle car la Bête était recroquevillée dans la pénombre, seulement éclairée par les rais de lumière filtrant des lézardes fissurant la coquille. La créature était lourde, chaude, baignée d'exhalaisons méphitiques [1], et son souffle grondait sous la voûte fendillée de la coquille. Elle attendait, parcourue de sursauts, tantôt s'éveillant, tantôt se rendormant, énorme poussin en voie d'achèvement. Parfois la faim la tirait de l'engourdissement, et elle lançait ses pattes aux alentours pour explorer les lézardes des parois.

Elle était là depuis dix mille ans, roulée en boule au sein de l'œuf de pierre. Un animal de légende l'avait pondue dans l'encre du cosmos, entre deux planètes, et, depuis ce jour, il lui avait fallu inventer bien des ruses pour arriver à se procurer la nourriture dont elle avait besoin. Trois siècle plus tôt, elle avait écouté les premiers explorateurs terriens fou-

1. Gaz provenant de la décomposition d'éléments organiques. Très inflammable.

ler sa coquille; elle avait sondé leur esprit, leur chair, déterminant leurs besoins organiques. Elle avait fabriqué de l'oxygène pour les convaincre de rester, elle avait injecté dans les parois de l'œuf assez d'or et d'argent pour éveiller leur convoitise. Elle les avait domestiqués, elle, la Bête dont personne ne soupçonnait l'existence. Elle avait fait ce que lui ordonnait son instinct, elle était douée d'une patience infinie, et ses pouvoirs ne connaissaient pas de limites. Elle avait besoin des humains pour se nourrir... Voilà pourquoi il fallait qu'ils s'installent sur Kandarta et se multiplient.

A présent son temps de réclusion touchait à sa fin. Son corps parvenait doucement à maturité. Il lui fallait désormais peu de chose pour être complet : quelques organes à affiner ici et là, des couches d'écailles supplémentaires. C'est pour cette raison qu'elle devait manger : pour parvenir au stade ultime de l'achèvement. Quand ses muscles seraient gainés d'un cuir insensible aux rayons cosmiques, elle s'ébrouerait au sein de la nuit. Elle donnerait des coups de tête dans les parois de l'œuf, et là-haut, à la surface, des villes entières s'écrouleraient, le goudron des rues s'émietterait, les campagnes se disloqueraient. Kandarta exploserait sous la poussée interne de ses ailes, et la planète volerait en éclats, s'éparpillant dans l'espace.

Alors la Dévoreuse sortirait enfin de sa prison pour s'élancer dans le cosmos, grand oiseau plus noir que la nuit, ptérodactyle des confins de l'Univers.

Ce ne serait plus très long maintenant, il suffirait de quelques milliers d'enfants, d'un dernier grand festin. Il lui fallait ce surplus de nourriture, cette matière première sans laquelle elle retomberait en hibernation, pour trois dizaines de siècles encore.... Affamée, elle sondait les crevasses avec une fièvre proche de la fureur. *Où se cachaient les enfants?*

Elle était presque complète, achevée. Si elle ne trouvait rien à se mettre sous la dent tout serait à refaire. Le sommeil s'emparerait à nouveau de son esprit et son corps se ratatinerait, perdant ses formes puissantes. Il fallait qu'elle mange, coûte que coûte, qu'elle lance l'armée de ses tentacules à l'assaut, dans chaque crevasse, dans chaque fissure, qu'elle explore le monde dérisoire que les hommes avaient installé à la surface de la coquille.

Elle se savait belle et terrible, promise à un avenir grandiose. Dès qu'elle aurait quitté l'œuf, elle volerait de planète en planète, éclipsant la lumière du soleil. Elle ne voulait pas attendre plus longtemps. Pour le moment, elle était là, recroquevillée dans l'intimité moite de cette terre creuse, si fragile. Elle rassemblait ses forces, écoutant par toutes les lézardes le pépiement obstiné des hommes au labeur. Elle les épiait aussi, collant son œil aux entrebâillements du sol. Elle les regardait s'agiter, la fringale au ventre.

Mais attendre dans l'obscurité, c'était long, *si long...*

Orages souterrains

Peggy Sue était fort mécontente. En effet, depuis quatre jours Sebastian ne se donnait même plus la peine d'entretenir un semblant de conversation avec ses amis. Il agissait comme s'il était seul à bord, comme si Peggy Sue n'avait pas plus d'épaisseur que les volutes de gaz enveloppant le vaisseau.

— Tu vas bien ? lui demanda-t-elle. Il y a plus de quatre jours que tu ne m'as pas adressé la parole !

Sebastian leva les yeux et dit :

— Peggy, nous n'avons quitté la surface que depuis vingt-quatre heures. Et je n'arrête pas de te poser des questions, c'est toi qui ne me réponds pas. Tu es en train d'halluciner. C'est l'air des profondeurs. Essaye de résister aux idées bizarres qui te traversent la tête...

Peggy Sue fronça les sourcils. Vingt-quatre heures ? *Seulement vingt-quatre heures ?* Elle avait pourtant bien l'impression d'avoir dormi quatre nuits à bord du dirigeable. Mais peut-être confondait-elle les nuits avec les simples siestes qu'il lui était arrivé de faire, de temps à autre ? Tout s'embrouillait dans son esprit, et elle se sentait tantôt pleine d'une étrange lucidité, tantôt confuse, à peine capable de déchiffrer trois lignes dans le manuel de bord.

— Il ne faut pas tant t'agiter, dit Sebastian. Tu t'hyperventiles [1] et le gaz court-circuite ton cerveau. Si tu continues ainsi, tu risques de brûler tes cellules mentales et de devenir idiote.

Peggy Sue se demanda si elle devait le croire. Perdait-elle la boule ou bien... *ou bien était-ce Sebastian qui ne parvenait plus à estimer correctement l'écoulement du temps?*

La peur s'empara d'elle : et si leurs cerveaux se consumaient un peu plus chaque fois qu'ils aspiraient une bouffée d'air mêlée de gaz? Combien de temps allaient-ils rester conscients à ce rythme?

Elle enfila son masque, mais l'engin était assez difficile à supporter.

— Ça gratte, dit-elle au chien bleu, et puis on transpire comme dans un bain de vapeur quand on a ce truc sur la figure. Je dois déjà avoir les joues couvertes de boutons!

*

Une heure plus tard, il se mit à pleuvoir. Une averse drue, méchante, cingla les flancs de l'aérostat, éveillant à l'intérieur de la vessie des échos inquiétants. La pluie ne tarda pas à se changer en grêle, et Peggy Sue éprouva le besoin de sortir de l'igloo pour vérifier que les rustines du ballon ne se décollaient pas.

— Hé! cria-t-elle, ce n'est pas de l'eau, c'est de la terre, des cailloux... ça provient de la voûte, au-dessus de nos tête.

---

1. Excès d'oxygène dans le sang dû à une respiration trop rapide.

L'aérostat résonnait comme un tambour. L'adolescente leva le bras pour se protéger le visage de la morsure des graviers. Le *Capitaine Fantôme* allait-il résister au martèlement ?

Elle se mordit la langue en espérant que la douleur allait chasser son angoisse. A ce moment, elle crut entendre gronder un orage, quelque part au nord. Des lumières jaunâtres scintillèrent dans le lointain. Il y eut un craquement, sec, terrible, un brasillement de flash, puis un roulement, énorme, interminable, se répercuta sous la voûte immense de la coquille.

— Des explosions de méthane, diagnostiqua Sebastian. La pluie de graviers devait contenir des silex, en s'entrechoquant ils ont produit des étincelles qui ont enflammé les gaz stagnants. Si ça se produit à notre hauteur, nous serons plus rôtis que des poulets à la broche !

Peggy serra les dents ; elle ne se faisait aucune illusion. En cas d'explosion, ni Sebastian ni elle n'auraient le temps de se voir mourir. Le ballon empli de gaz se changerait en une boule de feu dont l'incandescence éclairerait les parois de l'œuf à des lieues à la ronde. Ils seraient vaporisés.

— Les éboulements ont cessé, annonça le chien bleu. Le danger est passé. Nom d'une saucisse atomique ! Ces cailloux m'ont meurtri le dos... J'ai l'impression d'avoir reçu une volée de coups de bâton.

Cache cache...

Dans le courant de la journée, Peggy Sue perçut de curieux raclements sur bâbord.

— Tu as entendu ? demanda-t-elle au chien bleu. Tu vois quelque chose ?

— Oui, fit l'animal dont la vue était bien plus aiguisée que celle des humains. Une ombre...

Peggy plissa les paupières. Des explosions lointaines jetaient des éclairs intermittents qui trouaient la nuit.

« Toujours le méthane, songea la jeune fille. On dirait des flashes d'appareil photo. On n'a pas vraiment le temps de voir grand-chose... »

C'est au cours de l'un de ces « flashes » qu'elle aperçut la main.

D'abord elle détourna la tête, refusant d'accorder le moindre soupçon d'existence à cette ombre qui se déplaçait derrière la brume. Puis elle se résolut à affronter la vérité et attendit l'éclair suivant. Quand il se produisit, elle chercha à localiser l'apparition, mais celle-ci s'était déjà évanouie. Peggy demeura figée, le souffle court. Qu'avait-elle vu ?

Une main?

Une main gigantesque aux doigts écartés.

— Tu penses à la même chose que moi? demanda-t-elle au chien bleu.

— Ouais, fit l'animal, ou nous avons été victimes d'un mirage ou bien...

Une heure plus tard, la jeune fille revit la main. Ou plutôt l'ombre de la main.

Elle sursauta, s'emparant de la lorgnette d'approche. Hélas, le temps qu'elle porte la longue-vue à son œil, l'ombre s'était volatilisée.

« Elle tâtonne, pensa-t-elle. Elle cherche, à l'aveuglette. »

L'ombre revint le lendemain, plus proche cette fois, et Peggy perçut son odeur. Comme précédemment, elle eut l'impression qu'une main énorme tâtonnait au milieu des nuages pour s'emparer d'eux. Elle s'ouvrait, se refermait, explorant l'espace; tour à tour s'approchant, s'éloignant...

Accrochée aux cordages, la jeune fille regardait palpiter ces longs doigts crochus dont la forme — au fur et à mesure qu'elle se précisait — n'avait rien d'humain.

— Tu la vois? criait-elle à Sebastian. Est-ce que tu la vois?

— Oui, souffla le garçon. Je sais à quoi tu penses, mais pas de panique! Il peut s'agir d'une hallucination. Ne nous emballons pas. Mettons nos masques. L'air que nous respirons est sans doute chargé de gaz hallucinogène.

Peggy priait pour qu'il s'agisse d'une simple hallucination, mais l'image persista alors même qu'elle avait coiffé son masque respiratoire.

La main...

La main avait l'air réelle. Trop réelle.

Et puis il y avait cette odeur. Une odeur de tourbe et de moisissure, une odeur de caveau.

Peggy renifla prudemment, l'odeur ne s'évaporait pas. Cela rappelait l'eau croupie ; un relent qui venait d'en bas, des profondeurs du monde, du cœur de l'œuf.

C'était l'odeur de la Dévoreuse.

C'était la puanteur qui s'échappe d'une geôle mal aérée et au creux de laquelle végète un prisonnier couvert de vermine.

La bête des souterrains avait flairé leur présence. Elle était affamée, elle voulait se nourrir. Elle avait lancé l'un de ses innombrables tentacules pour saisir ce garde-manger volant qui la narguait, là-haut, au milieu des nuages gazeux.

Tel un interminable serpent, le pseudopode ondulait, essayant de s'emparer de la proie qui dérivait au sein des nuées. Il tâtonnait, au hasard, fouillant l'épaisseur des brumes.

« C'est impossible, songea Peggy Sue. Nous sommes à des milliers de kilomètres du centre de l'œuf, cela voudrait dire que... »

Où avait-elle la tête ? Pourquoi s'étonner de ce prodige : il s'agissait d'une bête dont la coquille avait le volume d'une planète ! D'une bête gigantesque qui, une fois née, pourrait masquer la lumière du soleil en déployant ses ailes. Dans cet ordre de grandeur, un tentacule long de trois cents kilomètres n'avait rien d'invraisemblable.

— Sebastian, bredouilla-t-elle, la Dévoreuse... elle est là ! Ce n'est pas un mirage... Elle essaye de nous attraper.

Le jeune homme se contenta d'esquisser une moue de scepticisme.

Agacée, Peggy se remit à scruter le brouillard. Elle était certaine d'avoir raison. Cette fois il ne s'agissait pas d'une hallucination comme dans la cour de la prison, lorsqu'ils s'étaient crus attaqués par des squelettes et des pommes cannibales... non, cette fois c'était réel !

L'odeur de tombeau le prouvait.

Luttant contre la panique, elle essaya de prévoir ce qui allait se passer. La main de la Dévoreuse allait tôt ou tard réussir à les localiser. Elle s'abattrait alors sur le vaisseau comme un grappin aux pointes acérées. *Crevant le ballon.*

Peggy se rappelait les ongles de la main momifiée entraperçue dans la pénombre du métro. Des griffes de corne jaune, d'une puissance destructrice défiant l'imagination. Si cette arme naturelle capturait le dirigeable, elle le réduirait en pièces, puis elle se refermerait sur les occupants de la nacelle pour les entraîner au fond de son terrier.

Oui, c'est ainsi que les choses se dérouleraient, et cela pouvait arriver d'une seconde à l'autre. Tout à l'heure, *maintenant,* la monstrueuse patte pouvait jaillir des nuages et fondre sur le ballon. Dès que le *Capitaine Fantôme* était descendu dans la lézarde elle avait flairé sa présence ; elle avait décidé de l'arraisonner. Maintenant elle tâtonnait, explorant les nuages, comme on retourne de vieilles boîtes emplies de papier de soie à la recherche d'un objet perdu.

L'ombre allait revenir. L'ombre de cette « main » grande ouverte raclant la voûte de l'œuf. Elle finirait par entrer en collision avec le dirigeable : plus le temps passait, plus la rencontre devenait inévitable. Alors les griffes, les griffes gigantesques...

Peggy se sentait devenir folle.

— Calme-toi, lui conseilla Sebastian. Je ne suis pas du tout convaincu que cette image soit réelle. La peur a pu la faire naître dans notre esprit.

Ils demeurèrent aux aguets, auscultant la brume de tous côtés, guettant le retour de la main.

La Dévoreuse allait-elle se lasser? Non! Une bête qui attendait depuis mille ans avait des réserves de patience inépuisables. Elle allait continuer à fouiller méticuleusement chaque recoin du ciel. D'ailleurs, sans les courants d'air souterrains filtrant par les crevasses, et qui poussaient le ballon de droite à gauche, elle aurait depuis longtemps localisé sa proie.

Par bonheur, le tentacule finit par s'éloigner.

— Nous l'avons échappé belle, souffla le chien bleu. Ce n'était pas un mirage.

— Je sais, fit Peggy. Sebastian est trop sûr de lui. Depuis que nous sommes montés à bord du ballon, il veut jouer au capitaine. Il m'agace. Il devient lourd.

— Ça lui passera, grogna l'animal, conciliant. Ce sont des trucs de garçon.

Le vent de la folie

Une pénible tension régna tout le reste de l'après-midi, plongeant les naufragés dans un mutisme qui n'avait rien de volontaire. C'était comme si, d'un seul coup, les mots étaient devenus trop dangereux à prononcer. Peggy Sue avait l'impression d'avoir la tête pleine de vapeurs d'essence sur le point d'exploser.

L'aérostat dérivait au milieu du paysage tourmenté des nuées de gaz qui formaient d'étranges îles volantes sous la voûte immense de la coquille.

Elle se frottait de plus en plus souvent les yeux. Comme ses paupières étaient irritées, elle mit son masque et équipa pareillement le chien bleu.

Lorsqu'elle suggéra à Sebastian d'en faire autant, il haussa les épaules avec dédain.

— Tu penses que c'est juste bon pour les filles et les petits chiens ? lui lança Peggy, agacée. Tu te crois plus fort que nous ?

Sebastian souriait comme un gamin qui voit pour la première fois tomber la neige. Il pointa le doigt vers la masse d'un nuage phosphorescent [1] et s'écria d'un ton enjoué :

1. Qui brille dans l'obscurité parce qu'il est chargé de phosphore.

— Vous avez vu ? Vous avez vu ? C'est beau !

Il s'exprimait d'une voix haletante et parlait très vite, en mangeant les mots.

— Mets ton masque, insista Peggy. Tu es en train de respirer des gaz hilarants... c'est dangereux. C'est encore une ruse de la Dévoreuse... En nous faisant rire, elle espère nous pousser à commettre des imprudences.

Quand elle voulut s'approcher de Sebastian pour l'équiper, celui-ci la repoussa.

Il riait, piquant des fous rires de collégien. Il battait des mains devant la forme « époustouflante » d'un nuage luminescent.

— C'était un éléphant ! Un éléphant ! Vous avez vu ses grandes oreilles ?

Il courut sur le pont, se penchant au-dessus du vide au risque de basculer. Puis il grimpa dans les haubans, y effectuant des pirouettes gracieuses dignes d'un concours de gymnastique. Suspendu par les pieds, la tête en bas, il comptait les « moutons » de brouillard qui les entouraient. Peggy le regardait avec angoisse, s'attendant qu'il perde l'équilibre et disparaisse dans l'abîme.

— Et il avait le culot de nous donner des leçons ! grommela le chien bleu, en attendant, il s'est bien laissé surprendre !

— Ça donne envie de voler, tout ce ciel, hein ? cria le jeune homme. Il y a tellement de place. Peut-être qu'en remuant des bras on arriverait à imiter les oiseaux ?

— Ce n'est pas le « ciel », corrigea Peggy, nous sommes sous la terre, à l'intérieur d'un œuf de pierre gigantesque... Tu te rappelles ?

Sebastian lui tira la langue et se mit à bouder, grommelant qu'elle n'était qu'une « casse-pieds, comme toutes les filles ».

Peggy ne savait que faire. A l'idée de le poursuivre dans les haubans, la tête lui tournait.

Sebastian continuait à monologuer, évoquant tour à tour le ciel, la liberté, la chance qui leur était donnée de devenir des oiseaux.

— C'est comme si nous prenions un bain de nuages, criait-il, ça mousse, ça mousse. Je veux me savonner avec le soleil.

A cette débauche d'énergie succéda soudain un intense abattement, et le garçon se laissa glisser au sol, le visage défait, la bouche tremblante. Peggy Sue l'attira contre elle, le contraignant à s'asseoir. Sebastian grelottait.

— Je ne veux plus remonter à la surface, sanglotait-il comme un bébé. Je suis heureux ici. Je ne veux plus remonter. Tu ne me forceras pas, hein ?

Peggy lui murmura des paroles de réconfort. Elle se faisait l'effet de consoler un enfant de cinq ans réveillé par un gros cauchemar.

— Je viens de tout comprendre, haleta Sebastian. *La Dévoreuse m'a parlé !* C'est une chance qui nous est donnée. Il faut la saisir. La Vérité nous sera dévoilée au fur et à mesure que nous descendrons. C'est une initiation. Ne cherchons pas à résister. La solution est en bas, au fond de l'œuf, là où se cache la Bête. Le ballon va descendre, et tout nous sera révélé. Tout.

Peggy ne voulut pas le contrarier en essayant de le ramener à la raison, mais cette fièvre lui faisait peur. Elle serra Sebastian contre elle jusqu'à ce qu'il s'endorme.

Ils demeurèrent ainsi, blottis l'un contre l'autre, tandis que le ballon poursuivait sa lente dérive au milieu des courants aériens. Peggy s'appliquait à respirer à petits coups, comme l'on fait en présence d'une mauvaise odeur.

Le lendemain matin, les premiers fantômes apparurent.

Les fantômes

Peggy fut réveillée par d'étranges chuchotements qui se promenaient dans sa tête comme des souris dans un grenier. Elle crut d'abord qu'il s'agissait d'une transmission télépathique du chien bleu, mais ce n'était pas le cas.

« Allons, se dit-elle, encore ensommeillée. Il n'y a rien ni personne, c'est un effet du gaz. Une simple hallucination. N'y prête pas attention. »

Mais les voix se faisaient de plus en plus présentes. Il lui sembla distinguer un chœur de voix enfantines.

Il ne faut pas avoir peur, disaient les spectres. *La Bête n'est pas méchante. Venez nous rejoindre, on s'amuse bien avec elle... Ne restez pas sur le ballon, sautez dans le vide... On vous attend...*

Peggy hésitait encore à réveiller Sebastian et le chien bleu, quand les premiers fantômes apparurent, lui coupant le souffle...

D'abord, elle crut qu'il s'agissait d'une bouffée de brume poussée sur le pont par un courant d'air. C'était une fumée épaisse qui devait coller aux doigts comme la barbe à papa.

Peggy écarquilla les yeux, persuadée d'être victime d'une nouvelle hallucination ; hélas, l'image avait une netteté qui la rendait terriblement convaincante.

La jeune fille vérifia qu'elle portait bien son masque protecteur. Malgré tout, elle n'avait qu'une confiance limitée en ces engins vieillots.

« Le caoutchouc en est à moitié dissous, songea-t-elle. Il doit laisser passer du gaz. On n'est pas protégés à 100 %. »

Sous ses yeux, les volutes de brouillard modelèrent des silhouettes humaines : des garçonnets, des fillettes. Au coude à coude, immobiles, ils oscillaient dans le vent, se déformant parfois. Peggy Sue se répéta qu'il s'agissait d'un fantasme dû à la toxicité de l'air. Son masque était fêlé... ou bien sa pastille [1], saturée, ne filtrait plus le poison... En tout cas, elle ne devait pas accorder la moindre importance à ces apparitions stupides.

Au cours du quart d'heure qui suivit, les spectres enfantins continuèrent à se rassembler, couvrant le pont de leur foule silencieuse. Ils étaient une bonne centaine à présent, formant un peloton qui encerclait la tente. Peggy avait beau tourner la tête en tous sens, elle ne voyait plus que cette haie de silhouettes blanches. Elle commença à se sentir mal à l'aise et ferma les yeux.

« Quand je les rouvrirai, ils se seront évaporés, comme ça, hop ! » décida-t-elle.

---

1. Un masque à gaz est équipé d'un filtre, ou pastille, qui retient les particules toxiques véhiculées dans l'air. Quand cette pastille a trop servi, elle ne fonctionne plus.

Malheureusement, quand elle releva les paupières, les fantôme s'étaient encore rapprochés. Leurs traits s'affinaient. Les visages gagnaient en réalisme. Aucune colère, aucune menace n'imprégnait leurs traits. Au contraire, ils souriaient.

Salut Peggy Sue, dirent en chœur les jeunes spectres. *Il ne faut pas croire le général Massalia... La Bête n'est pas mauvaise... Elle ne nous a pas dévorés. Elle s'ennuyait, toute seule, alors elle a décidé de se procurer des compagnons de jeu. C'est pour cette raison qu'elle nous a capturés... Nous sommes en bas, avec elle, nous chantons, nous dansons... C'est super! Viens nous rejoindre... Plus d'école, plus de devoirs... Viens avec tes copains... La Bête sera heureuse de vous accueillir... Viens, il y a de la place pour tout le monde... C'est la fête!*

Peggy se boucha les oreilles. Ce fut inutile. Le murmure des fantôme pénétrait en elle par les pores de sa peau.

Les spectres marmonnaient, infatigables, monotones, et leurs voix finissaient par constituer un ronron qui vous poussait aux frontières du sommeil.

« Ils sont en train de m'hypnotiser, se dit la jeune fille. Je dois résister. »

— Taisez-vous! hurla-t-elle, vous ne me convaincrez pas! Je ne veux pas devenir la meilleure copine de la Dévoreuse!

Et elle se dépêcha de réveiller ses amis.

Vexés, les fantômes se turent.

— Que se passe-t-il? s'exclama Sebastian en se redressant.

— Les fantômes... haleta Peggy. La Dévoreuse nous envoie les fantômes des gosses qu'elle a mangés...

— On dirait des bonshommes de guimauve, observa le chien bleu, peut-être qu'on pourrait en faire notre petit déjeuner ?

— Pas de panique, lança Sebastian. Il s'agit encore d'une hallucination. Ces enfants ne sont pas réels.

— Bien sûr que non ! protesta Peggy, puisque ce sont des fantômes !

A présent, les spectres les encerclaient, reprenant leurs murmures. Cette fois ils étaient de mauvaise humeur et proféraient des menaces confuses.

Ils détestaient Peggy Sue, et surtout Sebastian, ce sale petit insolent qui refusait de croire en leur existence.

On ne vous laissera pas faire du mal à la Bête ! bourdonnèrent-ils. *Pas question que vous descendiez la tuer. On est là pour la défendre... Ici, on n'aime pas beaucoup les valets du général Massalia.*

Déjà ils se mettaient à ramper sur les haubans, s'élevant le long des cordages en direction du ballon. Ils ondulaient, fragiles fumées essayant de résister au vent qui les dispersait. Peggy Sue vit qu'ils avaient levé les bras et crispaient les doigts, donnant à leurs mains la forme d'une serre. Elle comprit tout à coup ce qu'ils voulaient faire : *ils allaient griffer l'enveloppe, la lacérer jusqu'à ce qu'elle crève !*

— Sebastian ! hurla-t-elle, il faut faire quelque chose ! Ils vont crever le ballon ! Empêchons-les !

— Calme-toi, répéta le jeune homme. Ce sont des images sorties de notre imagination. Ils n'existent pas. La Dévoreuse essaye de nous convaincre de faire demi-tour.

— Comment peux-tu en être aussi sûr ? riposta la jeune fille.

Coupant court à la dispute, le chien bleu s'était élancé. Il mordit l'un des jeunes spectres au mollet.

— Hé ! aboya-t-il, ils ne sont pas aussi immatériels que je le croyais. On dirait du caoutchouc.

— Mais oui, bien sûr ! haleta Peggy Sue. Ils durcissent ! Ils deviennent solides afin de pouvoir s'en prendre au ballon.

D'abord fumée, les revenants se changeaient en d'étranges créatures caoutchouteuses. Dans trois minutes, ce latex durcirait à son tour. Les mains de brume deviendraient solides, leurs ongles aussi durs que des griffes, et toutes ces serres se mettraient à crisser sur l'enveloppe du ballon, cherchant les points faibles des coutures.

— Non, cria Peggy Sue. Ça ne peut pas arriver. Vous n'existez pas !

Ne prêtant aucune attention à ses cris, les spectres poursuivirent leur ascension. Par moments les bourrasques les éparpillaient, désorganisant leur fragile cohérence, mais ils revenaient toujours à la charge, obstinément, comme la fumée d'un feu de camp — une seconde chassée par le vent — reprend sa place.

— Je vous interdis, cria Peggy. Je vous interdis...

Les fantômes se moquaient bien de ses ordres ! Ils grimpaient, rampant à la verticale le long des haubans. Peggy Sue s'assit et se cacha le visage dans les mains, s'efforçant de recouvrer son calme.

Elle devait expulser le gaz qui lui embrumait le cerveau, renvoyer les spectres au néant avant qu'ils se matérialisent davantage.

Quelqu'un lui toucha l'épaule et elle hurla, croyant qu'il s'agissait d'un ectoplasme. C'était Sebastian.

— Les fantômes, balbutia Peggy. Les fantômes...

— Ils n'existent pas, répéta doucement le garçon en tentant de la prendre dans ses bras. Calme-toi.

A la seconde où il prononçait ces mots, les griffes des spectres crevèrent l'enveloppe du ballon qui explosa. Le souffle de la déflagration propulsa Peggy Sue dans le vide.

« Je tombe ! songea-t-elle avec terreur, je vais plonger droit dans la gueule de la Dévoreuse ! »

Et elle s'enfonça en tournoyant dans les ténèbres des abîmes.

La forêt souterraine

Alors qu'elle tourbillonnait dans l'obscurité, Peggy sentit un tentacule s'enrouler autour de sa taille. Elle cessa aussitôt de tomber, mais sa terreur s'en trouva décuplée. Cédant à la panique, elle se mit à gigoter et à distribuer des coups de pied en tous sens. C'était stupide, car si le tentacule l'avait lâchée à cet instant, elle serait allée s'écraser comme une tomate mûre des centaines de kilomètres plus bas, au fond de l'œuf !

Après s'être essoufflée en pure perte, elle fit une remarque étrange :

« Bizarre, pensa-t-elle, ça ne ressemble pas à de la peau. Je ne sens pas d'écailles sous mes doigts. On dirait plutôt de l'écorce... »

Ne sachant que faire, elle prit son mal en patience. Enfin, des lumières apparurent dans le lointain... Il ne s'agissait pas d'explosions de méthane mais bel et bien de flambeaux résineux dont les flammèches dansaient dans les courants d'air.

Ces lueurs permirent à la jeune fille de constater que le tentacule noué autour de sa poitrine était en réalité une racine... *Une racine interminable d'une élasticité extrême.* Elle n'avait pas été capturée par la Dévoreuse mais par une sorte de liane sortant d'une fissure de la voûte granitique. Elle ne tarda d'ailleurs pas à distinguer des dizaines de racines semblables grouillant dans la pénombre telle une nichée de serpents. Elles ondulaient mollement ou cinglaient l'air ; parfois elles s'emmêlaient ou se nouaient avec paresse. Le spectacle était à la fois grandiose et terrifiant.

Ces tubercules hérissés de radicelles avaient fini par former une espèce de toile d'araignée. Ce filet étroitement tricoté, suspendu au-dessus du vide, constituait une « piste d'atterrissage » pour tout ce qui tombait des crevasses.

Au fur et à mesure qu'elle s'en rapprochait, Peggy se rendit compte que des dizaines d'enfants couraient à la surface de cette épuisette végétale.

La racine géante qui l'avait interceptée au cours de sa chute la déposa sur la « toile d'araignée » et dénoua son étreinte. Incapable de conserver son équilibre, Peggy tomba à quatre pattes.

« Ce filet a bel et bien été tricoté avec des racines, constata-t-elle. Les mailles ont l'air vivantes... Elles bougent ! »

Une musique aigrelette lui fit relever la tête. Un garçon d'une dizaine d'années s'avança. Il était vêtu de haillons verts et soufflait dans une flûte. D'autres enfants le suivaient, portant des torches enflammées. On eût dit des lutins habillés de feuilles.

— Bienvenue chez les compagnons de la forêt souterraine, lança-t-il en cessant de souffler dans son instrument. Je suis Pipoz, le charmeur de serpents. Je travaillais dans une fête foraine. Mon patron était méchant ; pour lui échapper — un jour qu'il voulait me battre — j'ai sauté dans une crevasse et je me suis retrouvé emberlificoté dans un fouillis de racines. Des racines, ça ressemble à des serpents... Comme j'avais ma flûte, j'ai essayé de les charmer, et ça a marché !

Il avait une drôle de tête constellée de taches de rousseur et un nez pointu. Ses cheveux rouges s'échappaient de dessous son bonnet mité.

— Bienvenue, dit très sérieusement un garçon d'environ seize ans qui brandissait un flambeau. Moi, je suis Anaztaz, le chef de cette communauté. Pipoz vient de te sauver la vie en ordonnant à cette racine de t'attraper au vol. Il a suffi qu'il lui joue un petit air approprié, et hop !

— Merci, bredouilla Peggy Sue en essayant de se redresser, mais où sont mes amis ?

— Ne crains rien, répondit Anaztaz d'un ton protecteur, d'autres racines les ont capturés. Ils seront là dans un instant.

— Vous commandez vraiment à ces lianes ? s'étonna la jeune fille.

— Oui, confirma Anaztaz en levant haut la torche afin d'éclairer la voûte. A l'origine, il s'agissait des racines des grands arbres plantés à la surface de l'œuf par les colons. A force de s'insinuer dans les crevasses, ces racines ont fini par déboucher ici, dans l'espace intérieur de la coquille où les gaz projetés par la Dévoreuse ont commencé à les baigner, déclenchant en elles d'incroyables mutations. Peu à peu, elles ont grandi, atteignant des proportions considérables... et surtout, elles sont devenues *vivantes* !

Le garçon se tut car deux racines venaient de déposer Sebastian et le chien bleu en bordure du filet végétal. Peggy fut bien soulagée de les voir en pleine forme, mais elle n'osa courir à leur rencontre car elle éprouvait de grandes difficultés à se déplacer sur les mailles grossièrement tressées.

— Hé ! haleta Sebastian, où sommes-nous ?

— Ecoute-moi et tu l'apprendras, lui lança Anaztaz d'un ton autoritaire. Ici, on doit respecter les règles de la communauté. Puisque les racines vous ont sauvé la vie, vous appartenez désormais à la confrérie des survivants de la forêt souterraine. En conséquence, vous devrez obéir à nos règles sans discuter. C'est le prix à payer. Si vous n'êtes pas d'accord, vous pouvez toujours sauter dans le vide pour aller rejoindre la Dévoreuse.

Derrière Anaztaz, les porteurs de flambeaux ricanèrent. Ils étaient tous vêtus de costumes de feuilles ou de fibres végétales tricotées qui leur donnaient l'allure de créatures des bois. « Mi-humains mi-légumes, marmonna télépathiquement le chien bleu, ils aiment jouer aux petits chefs. Je flaire que ça ne va pas très bien se passer avec ces jeunes gaillards. »

— Du calme, Anaztaz, intervint Peggy Sue. Pas la peine de monter sur tes grands chevaux. Nous te sommes reconnaissants de nous avoir sauvé la vie... Nous étions sur un ballon, des fantômes nous ont attaqués. Ils ont fini par crever l'enveloppe avec leurs ongles. Tout a explosé et...

Anaztaz ricana.

— Il n'y avait aucun fantôme, lâcha-t-il d'une voix dédaigneuse. Je vous ai observés à la lorgnette. C'est *vous* qui avez crevé le ballon, avec *vos* ongles... Les gaz émis par la Dévoreuse vous ont fait perdre la tête. Sans mes racines vivantes, vous étiez fichus. La Dévoreuse vous a bel et bien bernés.

Pipoz fit un pas en avant, soucieux de détendre l'atmosphère.

— Je vous apprendrai à jouer de la flûte, déclara-t-il. Après dix leçons vous serez capables de commander à des racines de longueur moyenne.

— Ça reste à vérifier, nasilla Anaztaz, encore faut-il qu'ils soient doués pour la musique. Qu'ils apprennent d'abord à se déplacer sur le filet, on verra ensuite à quoi on peut les employer. (Se tournant vers les trois amis, il ajouta :) Vous devrez faire vos preuves ; ici on n'a que faire des bons à rien. Si vous ne filez pas droit, on vous balancera par-dessus la toile.

« Charmant garçon ! siffla le chien bleu. Encore un à qui le pouvoir est monté à la tête. »

Peggy et ses amis durent bon gré mal gré se joindre à la petite troupe. Les compagnons de la forêt souterraine sautaient de maille en maille avec habileté. Hélas, leurs bonds faisaient osciller le filet, ce qui rendait l'équilibre des arrivants encore plus précaire. Seul le chien bleu (à cause de ses quatre pattes) s'en tirait honorablement.

La patrouille traversa le filet en diagonale. Un peu partout, des enfants et des adolescents jouaient de la flûte pour dompter les racines.

— Seule la musique peut les contraindre à obéir, expliqua Pipoz. Au naturel, elles se comportent comme des serpents. Si ma mère ne m'avait pas enseigné une douzaine de mélodies magiques, je n'aurais jamais réussi à les commander. En fait, elles sont assez sauvages. Il leur arrive de se battre entre elles, de s'étrangler, de se couper en deux.

— Cette agressivité a du bon, observa Anaztaz, les racines sont d'excellentes combattantes. Elles nous défendent de la Dévoreuse. Elles repoussent les tentacules quand ceux-ci essayent de venir chercher de quoi manger sur le filet !

— *Les racines se battent pour vous?* s'étonna Peggy.

— Oui, se rengorgea Anaztaz. Il faut bien sûr connaître les mélodies d'attaque, de riposte, et savoir se servir d'une flûte comme d'une arme de guerre, ce n'est pas donné au premier venu.

« Ben voyons ! » se moqua mentalement le chien bleu.

— Sans les racines mutantes... et sans Pipoz, continua Anaztaz, nous serions morts depuis longtemps. Le filet s'étend sur plus de dix kilomètres aujourd'hui, c'est notre œuvre. Il a permis de sauver bien des gosses. Les petits idiots qui sautent dans les crevasses rebondissent ici. Quant à ceux que les tentacules ont capturés, nous envoyons les racines les intercepter. Ça ne marche pas toujours, mais il est fréquent que nous parvenions à priver la Dévoreuse de ses proies.

— Beau travail ! dit Peggy Sue.

— Oui, j'en suis fier, martela Anaztaz, mais pour arriver à de tels résultats, il faut de la discipline. Voilà pourquoi vous allez tout de suite suivre des cours de musique et de tricot. Rappelez-vous le principe fondamental du filet : ici les inutiles n'ont pas leur place, nous sommes tous des soldats !

*

Les jours suivants, Peggy Sue et ses amis durent se conformer aux règles de la communauté.

Celles-ci n'avaient rien d'amusant.

D'abord la nourriture se composait de racines et de ronces cuites, ou encore de bouillies d'écorce moulue. On buvait de la sève, ou de l'eau de pluie qu'on récupérait par les crevasses du sol. On faisait du feu en entrechoquant des silex récupérés sur la voûte.

Pis que tout, il fallait suivre d'interminables leçons à l'école de musique dirigée par Pipoz. On y apprenait les mélodies magiques permettant de commander aux racines vivantes. Chaque série de notes provoquait une action définie : *Attaque! Fais un nœud! Vire à gauche (à droite)! Passe au-dessus (en dessous)*... et ainsi de suite. La difficulté consistait à jouer ces airs très vite, d'instinct, et au bon rythme. Le rythme comptait plus que tout, car sans lui la magie n'opérait pas et les racines continuaient à se prélasser tels des boas repus au fond d'un vivarium.

Peggy Sue s'ennuyait ferme car elle avait toujours trouvé la magie casse-pieds. Les formules à apprendre par cœur, les incantations imprononçables, tout cela l'ennuyait ; voilà pourquoi elle avait refusé de suivre l'enseignement que lui proposait Granny Katy, sa grand-mère.

« La magie c'est tricher! avait-elle coutume de déclarer, je préfère me débrouiller par mes propres moyens. »

Comme on s'en doute, dompter les racines mutantes la barbait profondément. En plus, elle ne jouait pas très bien de la flûte et ses fausses notes provoquaient des catastrophes (à deux reprises elle faillit étrangler un autre élève en provoquant un faux mouvement de la racine qu'elle était censée diriger !).

Il n'y avait pas de vraies maisons sur la toile d'araignée, mais des huttes composées de racines mortes et de feuillages tressés. Certains préféraient dormir dans des nids, comme des oisillons ; mais la plupart des gosses vivaient dans des cabanes mal fichues où ils se regroupaient par tranches d'âge et pratiquaient l'autodiscipline. Ils étaient tous très intéressés par le chien bleu car il n'y avait aucun animal sur le filet. Celui-ci en profita pour cabotiner comme à son habitude ; il adorait jouer les vedettes.

De temps à autre, Anaztaz venait inspecter la classe et y allait de son petit discours (Anaztaz adorait les discours !).

— Les racines sont nos amies, radotait-il. Sans elles, il y a belle lurette que la Dévoreuse nous aurait tous dévorés. Sans elles, pas de filet, pas moyen de repousser les attaques des tentacules ou de récupérer les gosses que la bête a kidnappés. Grâce à elles nous sommes en sécurité. Pensez-y au lieu de pleurnicher parce que la soupe n'a pas bon goût ! Vous êtes davantage en sécurité ici, sur la « toile d'araignée », qu'à la surface où vos parents ont été incapables de vous protéger ! Ceux qui voudraient remonter chez eux sont de petits imbéciles qui mériteraient bien que je les jette dans le vide ! Des ingrats, oui ! Je vous le répète : les racines nous défendent mieux que les adultes ne pourraient le faire.

En disant cela, il s'excitait et finissait par devenir tout rouge. Peggy Sue le trouvait plutôt joli garçon, mais il lui faisait peur.

— Il joue au petit roi, grommela Sebastian alors qu'Anaztaz sortait de la classe. Je ne sais pas ce qui me retient de lui balancer mon poing sur la figure.

— C'est vrai que nous sommes un peu ses prisonniers, avoua Peggy, mais il faut se montrer malins.

Pour le moment les choses vont mal. Je suis comme toi, je n'ai pas envie de passer les dix prochaines années à manger des radicelles bouillies ou à tresser des fibres végétales pour en faire des culottes. Patience, j'aurai bien une idée qui nous permettra de prendre la poudre d'escampette !

Outre le dressage des racines, il fallait participer au tricotage de la toile. Pour cela, les jeunes devaient cueillir les racines mortes qui pendaient de la voûte et les utiliser pour tresser de nouvelles mailles. C'est ainsi que le filet s'agrandissait.

— Ne coupez que des racines *mortes*, répétait Pipoz. Les vivantes se rebelleraient, elles saccageraient la toile en gigotant pour se dénouer. Mais faites bien attention à ne pas confondre une racine *morte* et une racine *endormie !* Si vous essayez de trancher une racine assoupie, elle vous étranglera comme un boa constrictor, ou vous écrasera la cage thoracique.

Armés d'une hache de silex, Peggy Sue et Sebastian durent donc apprendre à se déplacer dans l'enchevêtrement des lianes et des pseudopodes végétaux tombant de la voûte fendillée. Ce n'était pas facile. Parfois, cela revenait à grimper dans les haubans d'un trois-mâts en *très* mauvais état. Peggy perdit deux fois l'équilibre. Par chance, elle rebondit sur le filet, mais le choc lui meurtrit le dos.

« Tu es rayée comme un zèbre ! » lui annonça le chien bleu en examinant ses hématomes.

Chaque fois qu'ils s'approchaient d'une racine pendante, les deux adolescents échangeaient un regard inquiet en se demandant si elle était morte ou endormie. Ils n'avaient pas assez d'expérience pour faire la différence au premier coup d'œil en fonction de la couleur de l'écorce ou de la souplesse du bois.

— Elles ont toutes le même aspect, grognait Sebastian.

Ils commirent plusieurs erreurs qui faillirent leur coûter la vie. Ayant entamé à coups de hache une racine qui faisait la sieste, ils manquèrent d'avoir la tête arrachée, car le serpent végétal claqua à la manière d'un fouet pour manifester sa fureur.

La vivacité des appendices était stupéfiante. S'ils ne se trouvaient point sous l'influence d'un flûtiste dont la musique les hypnotisait, ils se comportaient en animaux égoïstes, n'hésitant pas à attaquer leurs voisins pour se ménager davantage de place.

— En réalité, expliqua Pipoz, les racines n'aiment pas travailler. Elles n'aspirent qu'à somnoler dans l'obscurité, à s'étirer paresseusement comme un dormeur dans son lit. Quand on est à la surface et qu'on contemple les forêts plantées par les premiers colons terriens, on ne se doute pas de l'importance prise par les racines des arbres. Elle est disproportionnée. C'est comme un iceberg, on n'en voit jamais qu'un dixième, les neuf autres sont sous l'eau. Ici, les racines sont cent fois plus longues que l'arbre auquel elles sont rattachées.

Pipoz était gentil, Peggy Sue l'aimait bien. Il avait l'air d'un farfadet échappé d'un dessin animé. Une sorte de Peter Pan grassouillet aux joues constellées de taches de rousseur.

Il jouait admirablement de la flûte.

— Ma mère était sorcière, dans un cirque, confia-t-il un soir à la jeune fille. Elle disait la bonne aventure, elle fabriquait des potions d'amour. Elle m'a appris ces mélodies magiques qui commandent aux animaux.

— Seulement aux animaux ? demanda Peggy.

— Non, avoua Pipoz, ça marche aussi sur les gens. Si je voulais que tu tombes amoureuse de moi je n'aurais qu'à jouer un certain air sur ma flûte... et tu... *tu m'embrasserais...* mais je ne le ferai pas parce que ça serait tricher.

Il avait rougi en prononçant ces mots.

— La magie, c'est toujours de la triche... philosopha Peggy Sue pour dissimuler sa gêne. C'est pour ça que je n'ai pas voulu devenir sorcière.

Sentant Pipoz en veine de confidences, elle murmura :

— Tu ne trouves pas qu'Anaztaz est méchant ?

Pipoz haussa les épaules et se renfrogna. Quand il répondit, ce fut d'une voix apeurée.

— Il se fait un devoir d'assurer notre protection, chuchota-t-il, c'est beaucoup de responsabilité. Mais c'est vrai qu'il se montre parfois autoritaire. Il faut apprendre à le connaître.

— Tu n'as tout de même pas l'intention de passer ta vie sur le filet ? s'étonna l'adolescente.

— Je ne sais pas. Je n'y ai pas réfléchi. Ici, je suis devenu quelqu'un d'important. A la surface je n'étais qu'un petit charmeur de serpents dans un cirque minable au chapiteau tout rapiécé. Mon patron me bottait les fesses et me faisait balayer la crotte des éléphants. Si je retourne là-haut ça recommencera. Je ne tolérerais plus que les adultes me donnent des ordres. Ce sont des bons à rien, ils ont saccagé la planète. Sans leurs forages, leurs industries et leur pollution, la Dévoreuse ne se serait jamais réveillée et nous vivrions en paix sur la coquille.

*

L'école de tricot était dirigée par une fille de seize ans nommée Zita ; elle détestait Peggy Sue qu'elle jugeait malhabile dans son travail de tressage.

— Sur ta planète tu es peut-être une vedette, répétait-elle, mais ici, sur la toile d'araignée, tu n'es qu'une petite apprentie de rien du tout, et tu n'es pas fichue de tresser une maille correctement. J'espère qu'un tentacule t'emportera lors de la prochaine attaque, comme ça je serai débarrassée de toi !

Après une semaine de ce régime, Peggy, Sebastian et le chien bleu se réunirent pour décider de la conduite à adopter.

— On ne peut pas rester là, attaqua le garçon, bille en tête. J'ai horreur de la flûte, ça me met les lèvres en sang ; et puis ces mélodies débiles sont impossibles à jouer, il faudrait avoir quinze doigts et trois mains pour exécuter correctement les accords.

— Deux solutions se présentent à nous, énonça Peggy. Soit nous utilisons les racines mortes pour essayer de grimper à la surface en nous faufilant dans une crevasse... Soit nous poursuivons notre mission et nous tentons de descendre au fond de l'œuf pour rencontrer la Dévoreuse.

— Mais nous n'avons plus de bombe ! protesta Sebastian. Quand le ballon a éclaté notre équipement est tombé dans le vide. Il s'est écrasé quelque part en bas, dans les ténèbres. Que feras-tu lorsque tu te retrouveras nez à nez avec la bête des souterrains ?

— Comment nous y prendrons-nous pour descendre ? interrogea le chien bleu. Si tu veux sauter par-dessus bord, il faudrait au moins prendre le temps de fabriquer un parachute de fibres tressées, et je ne crois pas qu'on t'y autorisera.

— Je sais tout ça, coupa Peggy. J'ai hâte de rentrer à la maison, moi aussi, mais on ne peut pas abandonner ces enfants à leur sort. On doit aller jusqu'au bout. Je me dis qu'il faut essayer d'établir le dialogue avec la Dévoreuse, comprendre qui elle est réellement. Depuis que nous sommes arrivés sur Kandarta je n'ai entendu que des histoires contradictoires à son sujet. Tantôt elle est mauvaise et croque les marmots, tantôt elle est gentille et attire les gosses dans les profondeurs de la coquille pour se distraire de sa solitude. Tantôt il faut la tuer pour sauver la planète, tantôt il faut la laisser vivre car la supprimer reviendrait à détruire Kandarta. Je ne sais plus où j'en suis.

— Pareil pour moi, approuva le chien bleu. Chacun y va de sa version. Difficile de se faire une opinion.

Sebastian haussa les épaules.

— Je suis comme vous, marmonna-t-il, ça m'embête d'abandonner ces mioches à leur sort, mais je ne voudrais pas finir mes jours dans le ventre de la Dévoreuse. Donnons-nous une semaine pour imaginer un plan de bataille, passé ce délai nous remonterons à la surface en escaladant les racines, et nous demanderons à Massalia de nous réexpédier sur la Terre. A l'impossible nul n'est tenu.

*

— Pourquoi ne subissez-vous pas l'influence des gaz hallucinogènes projetés par la Bête ? demanda

Peggy à Pipoz alors qu'elle se promenait avec lui sur le filet.

— Ce sont les tentacules qui projettent le gaz par leurs ventouses, expliqua le garçon au visage de farfadet. Mais ils viennent rarement par ici car les racines les repoussent. Jusqu'à présent, nous avons toujours réussi à les empêcher de casser les stalactites [1] auxquelles la toile d'araignée est accrochée. Si la Bête parvenait à briser ces points d'ancrage, le filet s'écroulerait comme un pont de lianes dont on coupe les câbles principaux, et nous basculerions dans le vide. Notre survie dépend des racines. Elles constituent nos seules armes, nos seules défenses contre les dangers qui viennent d'en bas. En ce qui concerne le gaz hallucinatoire, il existe une autre parade : *boire de la sève.* Le jus des lianes fonctionne à la manière d'un contrepoison. Deux gorgées de sève quotidiennes suffisent généralement à vous protéger des hallucinations.

*

Le lendemain, Anaztaz vint interrompre la classe de flûte pour faire une déclaration. Il avait le visage fermé, les yeux durs.

— Chers enfants, commença-t-il, chers survivants, chers compagnons de la forêt souterraine. Je me présente devant vous porteur de mauvaises nouvelles. Nos guetteurs ont détecté des mouvements en provenance du fond, des ombres sinueuses. Il semblerait que des tentacules s'élèvent dans la nuit avec l'intention de nous attaquer, une fois de plus. Vous êtes des soldats, des flûtistes de guerre. Je vous

---

1. Sorte de colonne calcaire en forme de cône qui pend au plafond des grottes.

ordonne de gagner sans attendre vos postes de combat et de vous tenir prêts à défendre notre territoire. La bataille sera rude, j'aurai besoin de tout le monde, même des débutants. Cette fois il ne s'agit plus d'un entraînement. Les tentacules peuvent frapper n'importe quand, dans deux jours comme dans une heure. Notre survie à tous dépend de vos flûtes.

Les élèves échangèrent des regards inquiets. La plupart d'entre eux prenaient soudain conscience qu'ils ne s'étaient pas assez appliqués et connaissaient trop peu de mélodies magiques. Peggy et Sebastian étaient de ceux-là.

— Fort bien, déclara Pipoz dont la brusque pâleur trahissait l'angoisse, nous allons réviser les accords principaux qui permettent de faire bouger les racines.

Pour la première fois depuis le début des cours, personne ne lança de plaisanterie.

Quand on eut fini de repasser les mélodies de base, Pipoz ordonna aux élèves de le suivre et leur indiqua leur affectation aux différents points stratégiques du filet.

— Les apprentis se tiendront en renfort derrière les flûtistes aguerris, expliqua-t-il. Ils observeront leurs gestes, mémoriseront les mélodies. Si les « maîtres » viennent à être emportés par les tentacules, les apprentis prendront aussitôt leur place et s'efforceront de les imiter. Réagissez vite, et ne cédez pas à la panique. Fuir ne vous sera d'aucune utilité. Courir sur la toile est dangereux car les vibrations se propagent au long des mailles et finissent par déséquilibrer tout le monde. Si vous vous mettez à galoper en tous sens, le filet vibrera comme une peau de tambour, et nous roulerons cul par-dessus tête. C'est le meilleur moyen de basculer dans le vide. Gardez votre sang-froid, quoi qu'il arrive.

Peggy Sue serrait nerveusement les doigts sur sa longue flûte de bois à vingt trous. Elle ne se sentait pas à la hauteur de ce qui se préparait. Elle fut séparée de Sebastian, mais le chien bleu demeura à ses côtés.

— Tu vas rester avec moi, lui souffla Pipoz. De cette manière tu seras davantage en sécurité.

« Il est amoureux de toi et il veut te protéger, observa mentalement l'animal. Ça me rassure, je te voyais mal partie ! »

Le maître flûtiste se dépêcha de disposer ses guerriers musicaux aux points stratégiques de la toile d'araignée. Tout le monde était nerveux. A son commandement, on emboucha les flûtes pour lancer la mélodie de base qui sonnait le réveil des grosses racines endormies. Les sortir de l'engourdissement n'était jamais chose facile car elles n'aimaient rien tant que paresser tels des boas repus.

Les plus jeunes avaient été chargés d'allumer les torches et de veiller aux incendies. Des seaux remplis de sève épaisse attendaient d'être renversés sur les départs de feu. Plus personne ne parlait. On écoutait les échos lointains résonnant sous la coquille.

Peggy Sue s'assit en tailleur derrière Pipoz. Elle regrettait d'avoir été séparée de Sebastian, mais elle savait que le flûtiste avait agi intentionnellement, par jalousie amoureuse. C'était mignon, toutefois elle craignait que Pipoz ne se mette dans l'idée de l'ensorceler au moyen d'une mélodie magique. Serait-elle capable d'y résister ?

« Et s'il me forçait à l'embrasser ? songea-t-elle soudain. Sebastian le prendrait fort mal, c'est sûr ! »

— Attention ! cria Pipoz, *les voilà !* Déployez les racines pour former un barrage défensif. Le choc sera rude.

Peggy Sue se pencha en avant et scruta les ténèbres. Peu à peu elle distingua quelque chose qui montait des abîmes. Des formes vagues, sinueuses. Tout le monde retenait son souffle. Autour du filet, les racines géantes de la forêt souterraine ondulaient en émettant des craquements d'écorce. Tout à coup, deux tentacules jaillirent en pleine lumière. Ils ressemblaient à ceux d'une pieuvre par leurs ventouses, mais se terminaient par des mains griffues. La jeune fille dut faire appel à ses réserves de courage pour ne pas prendre la fuite en voyant ces affreuses choses se diriger vers le filet.

— *Barrage !* cria Pipoz, la mélodie du barrage, vite !

Les flûtistes embouchèrent leurs instruments ; un air s'éleva, étrange, aigrelet. Ça n'avait rien de charmant, et personne n'aurait eu envie de danser sur une pareille chanson, mais les racines géantes se dressèrent aussitôt tels des cobras en colère pour faire face aux tentacules.

Dès lors, ce fut l'empoignade.

Les racines, obéissant aux impulsions musicales des flûtistes, se nouèrent autour des tentacules, les emprisonnant dans un lacis de nœuds compliqués qui les immobilisèrent. Les yeux écarquillés par la frayeur, Peggy assistait à ce combat de titans. De part et d'autre, les pseudopodes luttaient pour avoir raison de leur adversaire. Les doigts griffus de la Bête entamèrent l'écorce des racines sans parvenir à leur faire grand mal, car ces dernières ne réagissaient pas à la souffrance. Les secousses ébranlèrent si fort la voûte que des pierres mêlées à de la terre tombèrent sur la tête des enfants.

Les flûtistes jouaient sans relâche, prenant à peine le temps de recouvrer leur souffle. Tous essayaient d'imiter Pipoz qui, à la manière d'un chef d'orchestre, leur indiquait l'enchaînement des différentes mélodies pour obtenir que les racines exécutent des mouvements de plus en plus complexes.

Hélas, les tentacules étaient bien plus puissants que les racines, et ils ne tardèrent pas à forcer le barrage.

Peggy Sue crut sa dernière heure arrivée !

Pendant une demi-heure, le filet fut l'objet d'assauts d'une agressivité inouïe. Chaque fois qu'un tentacule se cramponnait aux mailles, une racine intervenait, le garrottant aussi étroitement que possible pour lui faire lâcher prise.

La toile d'araignée, secouée de toutes parts, tirait sur ses attaches. Peggy avait blotti le chien bleu dans son giron pour lui éviter de passer par-dessus bord. Elle-même avait le plus grand mal à demeurer assise. Les secousses l'avaient envoyée rouler loin de Pipoz. Des pierres, des débris d'écorce, des tronçons de lianes dégringolaient de la voûte, assommant les flûtistes. Un tentacule réussit à se libérer et sectionna l'une des racines à mi-corps. Des jets de sève jaillirent, aspergeant les enfants tel un étrange sang verdâtre.

« Pourvu que Sebastian ne soit pas blessé ! » se répétait l'adolescente.

La confusion se changea peu à peu en panique. Les apprentis musiciens commencèrent à refluer en désordre. Certains s'embrouillaient dans leurs mélodies et provoquaient des catastrophes car il arrivait que les racines s'attaquent entre elles au lieu de s'en prendre aux pseudopodes de la Bête !

Anaztaz courait d'un bout à l'autre du filet pour donner des ordres. Zita et ses « tricoteuses » rafistolaient du mieux possible les mailles sectionnées qui menaçaient de filer, comme un bas... et de faire basculer tout le monde dans l'abîme.

Avisant une racine inactive, Peggy saisit sa flûte et s'appliqua à la réveiller pour la transformer en une arme redoutable. Elle n'était pas très adroite à ce jeu, toutefois elle réussit à étrangler un tentacule jusqu'à ce qu'il devienne presque noir et batte en retraite.

Chaque fois qu'un pseudopode heurtait le filet, la secousse expédiait un gosse par-dessus bord. C'était comme si on avait jeté un éléphant sur un trampoline, la vibration était si énorme que tous ceux qui s'y trouvaient assis étaient projetés dans les airs.

La bataille dura une éternité. On dut juguler un début d'incendie car les flambeaux avaient mis le feu aux lianes tressées. L'équipe des pompiers s'empressa de déverser des seaux de sève sur le foyer, asphyxiant le brasier avant qu'il ne prenne une ampleur catastrophique.

« La dévoreuse essaye d'arracher le filet de ses points d'ancrage, constata Peggy. Sans le rempart des racines, elle y parviendrait. Elle le décrocherait de la voûte de la même façon qu'une pieuvre géante déracinerait un lustre d'un plafond. »

Enfin, après un siècle de chaos, d'assauts, de contre-attaques, les tentacules battirent en retraite et se replièrent à l'abri des ténèbres. Ils ne repartaient pas intacts ; les racines les avaient tailladés, lacérés et même amputés de plusieurs dizaines de mètres.

Peggy se redressa. Autour d'elle s'élevaient des cris et des pleurs. Il y avait beaucoup de blessés. Les chefs de section faisaient l'appel pour essayer de déterminer le nombre des disparus.

Un affreux pressentiment s'empara de la jeune fille. Clopinant de maille en maille, elle fit le tour de la zone placée sous le commandement de Pipoz. Chaque fois qu'elle croisait l'un des élèves de l'école de musique, elle criait :

— Tu n'as pas vu Sebastian ?

Certains la dévisageaient sans comprendre, trop choqués par la bataille, mais quelques-uns lui répondaient :

— Par là... à droite, il était avec Andoriz.

ou encore :

— A un moment il s'est replié avec Martaroz et Zabilief. Ensuite, je l'ai perdu de vue.

Enfin, elle se heurta à Zita, la responsable des cours de tricot.

— Oui, lui annonça-t-elle sans ménagement, il était à côté de moi... du moins jusqu'à ce qu'une maille cède sous ses pieds et qu'il bascule dans le vide. Il est tombé, ton petit ami. Aussi vite qu'une enclume, et personne n'a rien pu faire pour le rattraper.

Descente aux enfers

Peggy Sue ne pleura pas.

— Je suis certaine qu'il n'est pas mort, déclara-t-elle au chien bleu. S'il l'était, il me semble que quelque chose se serait cassé en moi, or je le sens toujours là. Il est vivant, j'en ai la certitude, je dois aller à son secours.

Le petit animal passa son museau entre les mailles du filet pour scruter l'abîme s'ouvrant sous ses pattes.

— Tu as raison, fit-il. D'ailleurs je flaire son odeur. Elle est très reconnaissable. Les garçons sentent toujours mauvais, ça tient à ce qu'ils ne se lavent jamais. Dans le cas qui nous occupe, ça pourrait se révéler utile. Sebastian puait principalement du pied gauche... Je ne sais pas pourquoi, mais ça nous fournira un sacré indice lorsqu'il s'agira de retrouver sa piste.

— Il a pu s'accrocher quelque part, continua la jeune fille sans prêter attention aux paroles du chien. A une liane... à... à une racine. Ou bien sa chute a été interrompue par une saillie de la roche. On va aller le chercher. On fabriquera un parachute et on sautera dans le vide.

— Je m'en réjouis d'avance, fit le chien bleu pour ne pas la contrarier. C'est une super idée.

— Essaye de le contacter par télépathie !

— C'est déjà fait, mais ça ne marche pas. Les nappes de gaz arrêtent les ondes mentales. Et puis la distance est trop grande. Je n'ai pas assez de puissance pour émettre aussi loin. Désolé.

*

Seul Pipoz remarqua le chagrin de Peggy Sue. Cela n'avait rien d'étonnant : d'une part il était amoureux d'elle, d'autre part les habitants du filet avaient trop à faire avec les travaux de remise en état pour s'occuper des états d'âme de leurs voisins.

La bataille avait causé de grands préjudices à la toile d'araignée. Zita et ses apprenties travaillaient sans relâche pour ravauder les mailles qui s'en allaient. On chiffrait à plus de cinquante les enfants disparus.

— Nous n'avons pas le temps de les pleurer, déclara Anaztaz dans un nouveau discours, car la Dévoreuse peut remonter à l'attaque dès demain. Elle dispose de milliers de tentacules, ceux que nous lui avons abîmés ne la gêneront guère. Notre seul espoir, c'est qu'elle finisse par se lasser de perdre bataille après bataille et apprenne à nous craindre.

— Cinquante enfants disparus, grommela le chien bleu, je ne sais pas si l'on peut considérer cela comme une grande victoire.

Pipoz, lui, ne cessait de se rapprocher de Peggy.

— Tu ne peux pas rester toute seule, insistait-il. Si personne ne te protège tu deviendras le souffre-douleur de Zita. Elle est jalouse de toi ; et comme c'est la petite amie d'Anaztaz, elle s'empressera de le dresser contre toi. Elle te fera une vie impossible.

Je sais que tu tenais à Sebastian, mais nous sommes en guerre, il faut se dépêcher d'enterrer nos morts car le chagrin nous rend vulnérables et fait de nous des proies faciles. Si tu deviens ma petite amie, je t'apprendrai les secrets des mélodies magiques. Personne n'osera plus te chercher noise.

— Tu es gentil mais tu vas un peu vite en besogne ! haleta la jeune fille, interloquée.

— Nous n'avons pas le temps d'attendre, riposta le flûtiste. Demain nous serons peut-être dans l'estomac de la Bête, il faut profiter du présent.

Peggy Sue ne voulait pas le vexer et s'en faire un ennemi car elle devinait que l'influence de Zita était grande sur le filet.

— Je vais réfléchir, mentit-elle. Pour l'instant je suis trop triste.

— Ne tarde pas trop, lui conseilla Pipoz, Anaztaz pourrait bien t'affecter à des besognes dangereuses, comme la coupe des racines blessées, par exemple.

Dans les jours qui suivirent, à l'occasion de travaux effectués en commun, Peggy se renseigna auprès des autres enfants.

— Sait-on ce qu'il y a en bas ? demanda-t-elle.

— Non, pas vraiment, lui souffla une fillette nommée Zillia. On n'est même pas sûrs que la Bête mange ceux qu'elle capture.

— Que veux-tu dire ?

— Si l'on écoute bien, on entend des chansons... des rires. Des fois je me dis qu'on s'amuse davantage en bas qu'ici, sur la toile. Un jour j'ai reconnu la voix d'un garçon avec qui j'étais copine. Marcuz. Il est tombé lors d'une attaque. Je le croyais mort, et puis...

— Et puis ?

— Et puis, une fois que tout le monde dormait et qu'il n'y avait plus aucun bruit, j'ai cru entendre sa voix dans les échos montant du fond. Il avait un rire très personnel... C'est pour ça que j'ai tout de suite su que c'était lui.

— La chute dans le vide ne l'avait donc pas tué ?

— Non... Je sais qu'Anaztaz dirait que c'est idiot, mais en réalité on ne sait pas comment est fait le fond de l'œuf. Il y a peut-être une couche énorme de mousse. Ou alors du caca. Le caca de la Dévoreuse... Ça amortit le choc quand on tombe, si bien qu'on ne se casse pas le cou. Je ne sais pas, moi. Il faudrait que quelqu'un se décide à aller y voir.

Quand elle fut de nouveau seule avec le chien bleu, Peggy murmura :

— Tu as entendu, qu'en penses-tu ?

— Tout est possible. Depuis l'affaire du château noir, j'ai appris à ne pas tirer de conclusions hâtives. La véritable identité du Docteur Squelette nous a bien étonnés, rappelle-toi.

En réalité le petit animal ne voulait pas faire de peine à sa maîtresse. Au fond de lui, cependant, il pensait que Sebastian était bel et bien mort. Cela ne le gênait pas trop car il n'aimait que Peggy Sue pour qui il se serait fait couper en tranches. Comme beaucoup de bêtes, il était exclusif dans son affection. Et puis il estimait que le temps était venu pour la jeune fille de changer de petit ami... ou mieux encore : de n'en plus avoir du tout !

« Nous serions très bien tous les deux, se disait-il. Pas besoin d'un garçon. Ce Sebastian me casse les pieds. Je préférais quand il se changeait en sable, au moins il n'était pas tout le temps là à me rabrouer ! »

Mais cela il ne le disait pas, car il se serait plutôt laissé écraser par un rouleau compresseur que de rendre Peggy malheureuse.

— Je vais essayer de fabriquer un parachute, décida l'adolescente. Il faudrait que j'arrive à voler un bon morceau de cette toile qu'ils tissent ici à partir de fibres végétales.

— Ce sera difficile, objecta le chien. Ils veillent dessus comme si c'était de l'or !

Peggy Sue ne tarda pas à s'apercevoir que c'était vrai ! Zita plaçait tout ce qui sortait des ateliers de tissage dans une hutte surveillée par des adolescents armés de couteaux. Peggy se voyait mal attaquer la cabane, d'autant plus qu'elle soupçonnait Zita d'avoir deviné ses intentions.

— Elle va te faire une crasse, sûr et certain ! annonça le chien bleu. Elle a peur qu'Anaztaz ne tombe amoureux de toi, lui aussi, et ne la répudie. Méfie-toi d'elle, il pourrait bien lui venir l'idée de te pousser dans le vide pendant que tu dors. Je vais monter la garde pour la dissuader de tenter le coup.

*

Comme l'avait prévu Pipoz, Zita obtint d'Anaztaz qu'il affecte Peggy au secteur des racines, avec pour mission d'élaguer celles mortellement blessées dans la bataille. Peggy se vit donc remettre une hache de silex, une corde et quelques crampons censés lui faciliter l'escalade.

— Tu devras trancher les racines trop endommagées, lui expliqua Anaztaz. Surtout celles qui surplombent le filet car, une fois desséchées, elles pourraient se détacher de la voûte et nous tomber dessus. Fais attention, car elles ont des réflexes surprenants. Essaye de les couper petit bout par petit bout. De cette manière on les récupérera pour en faire de la fibre à vêtements.

Peggy ne se rebella pas. Elle savait ce travail dangereux mais cette occupation l'empêcherait de penser en permanence à Sebastian. Elle se confectionna un sac à dos rudimentaire dans lequel elle installa le chien bleu. Grâce à ce bricolage, elle pourrait l'emmener avec elle dans les hauteurs en conservant les mains libres.

En cet équipage, elle s'approcha du bord du filet et, prenant appui sur les radicelles hérissant le corps d'une grosse racine, commença à s'élever en direction de la voûte.

En fait, les racines étaient si grosses qu'on avait l'impression d'escalader le tronc d'un arbre. Terrifié par le vertige, le chien bleu se recroquevilla au fond du sac.

Après un quart d'heure d'escalade, Peggy se trouva si enfoncée dans le fouillis des lianes et des tubercules de toutes sortes qu'elle perdit de vue le filet. Les efforts qu'elle devait déployer lui occupaient l'esprit et l'empêchaient de penser à Sebastian, ce n'était pas plus mal.

Elle avait l'illusion d'évoluer au cœur d'une jungle miniature suspendue dans le vide. Les racines bougeaient lorsqu'elle les touchait.

— On dirait des crocodiles assoupis, souffla le chien bleu. Des crocodiles d'écorce.

Il fallait prendre soin de s'encorder si l'on ne voulait pas être projeté dans l'abîme quand l'une de ces curieuses « bestioles » s'ébrouait tout à coup.

— Des queues de dinosaures, commenta encore le chien bleu. Ouais... ça fait penser à des queues de diplodocus. Surtout quand elles bougent.

Il n'avait pas tort, le danger résidait dans la taille et le poids des racines. Elles n'aimaient pas qu'on leur trotte sur le dos. Si elles vous frappaient, vous étiez aussitôt aplati.

Peggy s'appliqua à repérer les racines blessées. De grandes griffures zébraient leur écorce, et la sève en coulait, comme du sang vert pâle. Elle la recueillait dans sa gourde, car Pipoz lui avait dit qu'en boire était le seul moyen d'échapper aux hallucinations provoquées par le gaz.

— Ecoute un peu... murmura soudain le chien bleu, en regardant ce bazar une idée m'a traversé la tête.

— Laquelle ?

— Tu as remarqué que les racines à moitié coupées continuent à vivre ? Elles bougent, elles rampent.

— Oui, je suppose qu'elles survivent tant qu'elles ont assez de sève, ensuite elles se dessèchent et meurent, comme les fleurs dans un vase.

— Ouais, ouais... coupa l'animal, impatient. Le principe est le même. Je me dis que nous pourrions utiliser l'une de ces racines pour descendre au fond de l'œuf.

— Comment ?

— On en choisirait une grosse, on y creuserait une sorte d'habitacle pour s'y installer. Ensuite, à l'aide d'une mélodie magique tu lui ordonnerais de ramper le long de la paroi, comme une énorme chenille, et de descendre peu à peu au centre de la planète.

— Tu veux dire que nous chevaucherions la racine comme si c'était une espèce de serpent ?

— Ouais. Génial, non ? Kandarta est une toute petite planète, à peine un ballon de foot perdu dans le cosmos. La racine ne mettrait pas longtemps à ramper sur la face interne de la coquille.

Peggy réfléchit ; l'idée paraissait folle mais elle était loin d'être stupide.

— Nous n'avons pas le choix, insista le petit animal, tu sais bien que tu n'arriveras jamais à coudre de parachute. Zita te surveille de près. Le seul moyen de descendre, c'est d'utiliser une racine comme véhicule. Il faut en choisir une qui ne soit pas trop affaiblie par ses blessures et... l'apprivoiser !

— D'accord, fit Peggy Sue. Je vais réviser mes cours de flûte et demander à Pipoz de m'apprendre une mélodie permettant de faire ramper une liane à la manière d'une chenille. Il faudra se montrer prudents, car je doute qu'Anaztaz considère notre évasion d'un bon œil.

Excités par leur projet, les deux amis se remirent au travail avec ardeur. Après bien des déceptions ils trouvèrent enfin ce qu'ils cherchaient : une racine encore vigoureuse mais qu'un coup de griffe de la Dévoreuse avait à demi séparée du tronc auquel elle était rattachée.

— Il faut l'évider, expliqua le chien. Creuser une sorte de cockpit au milieu, comme si c'était un avion. Je vais t'aider avec mes dents. J'espère que je ne me flanquerai pas des échardes plein la langue !

Peggy saisit sa hache de silex et tailla une large encoche dans l'écorce. Elle craignait par-dessus tout un soubresaut de la racine qui les aurait expédiés dans le vide. Par bonheur, affaiblie par ses blessures, elle ne se rebella point. Le bois se révéla mou, plus proche de la pomme de terre que du chêne, et c'était tant mieux, car de cette manière Peggy pouvait creuser rapidement.

— Le problème, haleta-t-elle entre deux coups de hache, c'est que nous ne savons pas combien de temps elle va survivre. As-tu pensé à ce qui se passera si elle meurt avant d'avoir atteint le fond de l'œuf? Elle se détachera de la paroi, comme une chenille crevée, et tombera dans le vide.

— Je sais, soupira le chien bleu. Mais il faut bien prendre des risques, non? Espérons que la chance sera de notre côté et que ce truc vivra jusqu'au moment où nous toucherons le fond.

— D'accord, fit l'adolescente. Je suis prête à tout pour retrouver Sebastian. Mais, une fois en bas, comment remonterons-nous? Il n'y aura pas de racines au centre de la planète.

— Je ne sais pas encore, avoua l'animal. Nous aviserons le moment venu. Je pensais que nous pourrions essayer de retrouver les débris du ballon et recoudre l'enveloppe?

— Tu as raison, s'enthousiasma Peggy. Le *Capitaine Fantôme* est quelque part là-dessous avec son chargement. Il y avait des bonbonnes de béthanon B, ce gaz qui soulève n'importe quoi. Si nous parvenons à fabriquer un petit ballon à partir des fragments de l'enveloppe déchirée, nous nous envolerons dans les airs sans difficulté.

— Ça me paraît un plan acceptable, conclut le chien bleu. A présent assez creusé, tu dois aller réviser tes cours de flûte car il est capital que tu saches conduire cette racine.

Peggy et son compagnon à quatre pattes redescendirent sur le filet. En croisant Zita, Peggy prit une expression défaite car il ne fallait pas que sa rivale ait l'impression que quelque chose se tramait dans le secret de la forêt suspendue.

*

Pendant trois jours, Peggy Sue suivit des cours de perfectionnement avec Pipoz. Elle affirmait vouloir devenir plus efficace en prévision de la prochaine attaque. Le jeune charmeur de serpents en était ravi et lui enseignait avec enthousiasme l'art de commander aux racines.

Malgré sa bonne volonté, la jeune fille s'embrouillait et multipliait les fausses notes. Pendant ce temps, le chien bleu s'employait à voler des provisions.

*

Quand elle ne faisait pas de musique, Peggy grimpait dans les racines pour achever de tailler l'habitacle au sein duquel ils se recroquevilleraient pendant la descente. Elle y avait fixé des sangles de fibre tressée afin de pouvoir s'attacher au cas où ils devraient voyager la tête en bas.

— Tu n'es pas au point question musique, observa le chien, mais nous ne pouvons pas attendre plus longtemps, la racine se dessécherait. Il faut y aller maintenant. J'ai rassemblé assez de nourriture pour tenir deux semaines en se rationnant. Quand nous aurons soif nous boirons de la sève. Espérons que la chance sera de notre côté.

Il avait raison. Peggy savait qu'il lui aurait fallu six mois pour devenir une flûtiste acceptable, elle ne disposait pas d'un tel délai.

— Tu es bien sûr de vouloir m'accompagner? demanda-t-elle au chien bleu, tu as conscience que cette expédition relève du suicide?

— Alors nous baptiserons notre racine *Capitaine Suicide*! aboya l'animal. Dépêche-toi au lieu de dire des absurdités. Je crois qu'Anaztaz commence à se douter de quelque chose. Il faut ficher le camp avant que l'idée ne lui vienne de te faire jeter en prison.

Peggy confectionna un lien pour attacher la flûte autour de son cou car elle ne voulait pas courir le risque de la laisser tomber dans l'abîme.

Les deux amis quittèrent la toile pour gagner la forêt souterraine en essayant d'attirer le moins possible l'attention. Le sac contenant les provisions ralentissait l'escalade. Ils retrouvèrent bientôt leur « véhicule » dont la santé ne semblait pas s'être dégradée. En une dizaine de coups de hache, Peggy acheva de le séparer de l'arbre auquel il appartenait.

— Vite! cria-t-elle. Dans l'habitacle!

A la suite du chien bleu, elle sauta dans la cavité creusée dans le corps de la racine et s'y ficela au moyen des courroies. Ces précautions observées, elle saisit la flûte et commença à jouer.

Tout d'abord, la racine resta immobile, puis la magie des notes fit effet, et elle se mit à ramper au milieu du fouillis des lianes.

— Oh ! la, la ! gémit le chien, ça remue ! J'ai déjà le mal de mer !

Peggy Sue était trop occupée à souffler dans l'instrument pour lui répondre. Diriger la racine n'était pas une mince affaire. Chaque fois qu'elle faisait une fausse note, le tubercule frissonnait de toute son écorce comme s'il se préparait à exploser.

Après avoir longtemps zigzagué dans l'enchevêtrement végétal, l'étrange véhicule sortit de la forêt souterraine suspendue au « plafond » et s'avança sur le granit de la coquille nue, telle une chenille monstrueuse sur un mur.

« Le voyage commence », songea Peggy.

*

On n'y voyait pas grand-chose. L'intérieur de l'œuf était à peine éclairé par la lumière du jour filtrant au travers des crevasses, et parfois il fallait traverser une interminable zone nocturne avant de retrouver un rayon de soleil.

Peggy espérait qu'on verrait bientôt surgir la courbure intérieure de la coquille ; ce serait à cet endroit qu'on entamerait la vraie descente.

— Je me languis déjà, se lamenta le chien bleu. Je me rends compte que c'était une idée idiote. Nous serons morts d'ennui avant de toucher le sol !

Il exagérait à peine, et Peggy partageait cette crainte. Souffler dans la flûte de bois se révélait fort pénible à la longue. Elle prit concience qu'ils s'étaient peut-être embarqués à la légère dans cette folle aventure.

« Aurai-je la force de jouer jusqu'en bas ? » se demanda-t-elle avec angoisse.

La face interne de la coquille n'était pas lisse. Des aspérités de toutes sortes la hérissaient ; les radicelles du « véhicule » végétal s'y accrochaient comme l'auraient fait les pattes d'un insecte.

Chaque fois que la jeune fille s'arrêtait de jouer, la racine s'immobilisait et se lovait sur elle-même tel un serpent qui s'endort.

— J'ai les lèvres en feu et les joues me font mal, soupira Peggy. Nous ne sommes pas sortis de l'auberge.

— Je ne peux pas t'aider, répondit le chien, une flûte ne sert à rien si l'on n'a pas de doigts pour en boucher les trous.

Dès qu'elle eut un peu récupéré, Peggy se remit à jouer ; aussitôt la racine sortit de son engourdissement et reprit sa reptation.

« Une chenille, songea de nouveau la jeune fille. Une minuscule chenille qui trotte sur la muraille d'un château-fort. »

Dans l'antre de la Bête

La racine rampante mit trois jours pour atteindre la courbure interne de la coquille et amorcer sa descente. Peggy Sue, qui avait présumé de ses talents de flûtiste, était au bord de l'épuisement. Quand elle s'arrêtait de jouer, le pseudopode s'immobilisait et restait accroché à la voûte, surplombant le gouffre ; ses radicelles verrouillées aux aspérités du terrain.

— C'est super tant qu'il a encore de la force, remarqua le chien bleu, mais que se passera-t-il quand il commencera à s'affaiblir ?

Les deux amis dormaient par à-coups, grignotaient des galettes et buvaient de la sève fermentée qui avait une saveur d'hydromel.

— Je suis inquiète, avoua la jeune fille à son ami à quatre pattes, l'écorce de la racine devient de plus en plus molle... tu as vu ? On pourrait y graver nos noms du bout de l'index.

— Cette espèce de carotte ambulante est en train de s'affaiblir, diagnostiqua le chien bleu. La sève se fait plus rare, elle irrigue de moins en moins les fibres du bois.

— Je crois aussi qu'elle a du mal à remuer, et

pourtant je ne joue pas plus mal que d'habitude. J'ai peur qu'elle se décroche bientôt. Lorsque ses forces diminueront, les radicelles deviendront incapables de s'agripper aux rugosités de la paroi. Nous tomberons en piqué... comme un avion qui s'écrase.

En prononçant ces mots, elle regarda par-dessus bord, essayant de sonder l'abîme. Elle ne vit rien que la nuit.

« Sebastian est quelque part en bas, songea-t-elle. J'irai le retrouver, coûte que coûte. Et s'il est mort, eh bien tant pis, je me fiche que la racine aille s'aplatir au fond de l'œuf! »

— Ne sois pas pessimiste, intervint l'animal. La situation n'est pas encore désespérée.

*

Ils perdirent la notion du temps. La racine, bien qu'affaiblie, continuait à descendre, obéissant aux airs de flûte malhabilement exécutés par Peggy Sue.

— La fin approche, haleta la jeune fille. Et puis j'ai les lèvres en sang, je n'arrive plus à souffler, ça me fait trop mal. J'ai l'impression que mes joues ont triplé de volume. A quelle profondeur sommes-nous d'après toi?

— Kandarta est un gros œuf mais une petite planète, réfléchit le chien. Je dirais que nous avons parcouru la moitié du trajet. Nous sommes probablement à mi-hauteur.

— Tomber dans la moitié d'un abîme c'est toujours tomber de trop haut! s'esclaffa Peggy. Zut et rezut! J'aurais dû confectionner ce parachute, nous serions descendus en douceur.

— Pas de regrets inutiles; tu sais bien que Zita t'aurait prise la main dans le sac. Elle te surveillait en permanence.

Les provisions épuisées, ils durent se résoudre à grignoter la chair du tubercule géant. Le cœur de la racine était mou, c'est ce qui lui permettait de rester aussi flexible. Hélas, cette chair dont la consistance rappelait celle de la pomme de terre avait un goût infect.

Autre problème : la sève se raréfiant, les deux voyageurs commençaient à souffrir de la soif.

Alors que Peggy sommeillait, les épaules sciées par les sangles qui l'empêchaient de tomber, le chien bleu la réveilla en lui léchant la figure.

— Ecoute ! dit-il, *on entend rire...* ça vient d'en bas.

— Mais non, tu hallucines, bâilla l'adolescente avec mauvaise humeur.

— Non, je t'assure ! s'entêta l'animal. Des rires... des rires de gosses. On dirait qu'ils sont des centaines à bien s'amuser, là-dessous !

Peggy daigna enfin ouvrir un œil.

— Tu as raison, admit-elle au bout de dix secondes. Ça rigole ferme.

Elle se rappela ce que lui avaient dit les enfants des fuyards avant de sauter dans la crevasse : « On s'amuse bien en bas. »

— C'est peut-être la Dévoreuse qui imite des voix de gosses, hasarda-t-elle.

— Possible, admit son compagnon. Mais je flaire des odeurs multiples, comme s'il y avait beaucoup de gens. Une vraie foule, en vérité. Ça a l'air peuplé.

— Tu crois qu'il pourrait s'agir d'une espèce de camp de prisonniers ? Un camp où seraient détenus tous les enfants enlevés par la Bête ?

— Je ne sais pas.

Ils se turent pour écouter la nuit. A ce niveau l'obscurité était totale. De temps à autre, une explosion de méthane allumait une brève fulgurance au cœur de l'œuf, mais on était alors si ébloui qu'on n'avait pas le temps d'enregistrer ce qui vous entourait.

— C'est curieux, fit le chien bleu, j'ai une bonne oreille, comme tous les animaux, et depuis une minute j'ai l'impression bizarre que les rires montent et descendent.

— Comment ça ?

— Je suis incapable de l'expliquer... ça monte et ça descend, c'est tout. Ça se rapproche et ça s'éloigne, et puis ça recommence. Comme si...

— Comme si les rieurs volaient tout autour de nous ? suggéra Peggy.

— Ouais, peut-être bien. Mais je dirais plutôt comme s'ils sautaient tout autour de nous.

— Ça n'a aucun sens !

— Je le sais bien.

Comme il fallait s'y attendre, la racine se déplaça de plus en plus lentement, puis elle finit par s'arrêter. Recroquevillée sur elle-même, elle resta accrochée aux aspérités de la paroi sans répondre aux incitations de la flûte dans laquelle Peggy Sue soufflait de toutes ses forces.

— Arrête, fit le chien bleu, c'est terminé, elle est à bout. Elle ne fera pas un mètre de plus.

— Elle va se décrocher, haleta l'adolescente. Ce n'est plus qu'une question de minutes.

La racine oscillait au-dessus du gouffre. Ses radicelles lâchaient prise les unes après les autres au fur et à mesure que la vie désertait les fibres du bois.

— Qu'est-ce qu'on fait ? s'enquit le chien, on reste dans le « véhicule » ou on saute ?

— Je ne sais pas ce qui sera le pire, avoua Peggy. Je sais qu'on va tomber, de toute façon, mais j'ai la trouille de me jeter dans le vide.

Ils n'eurent pas le temps de s'interroger davantage. Brusquement, la racine géante se décrocha et se mit à tournoyer dans les ténèbres. Les sangles harnachant ses passagers cédèrent sous l'effet de la secousse. Peggy Sue et son compagnon à quatre pattes se retrouvèrent projetés hors de l'habitacle.

« C'est la fin ! songea l'adolescente, cette fois nous allons nous écraser ! »

Pendant dix minutes elle tournoya dans le vide, les mains tendues dans l'espoir de s'accrocher à quelque chose. Hélas, il n'y avait rien... rien que le gouffre et la nuit. Le vent lui déformait la chair du visage et lui coupait la respiration. De manière inexplicable, elle « sentit » le sol se rapprocher. Une sorte d'instinct animal l'avertit qu'elle allait percuter le fond de l'œuf d'une seconde à l'autre. Elle serra les dents, se préparant au choc.

Celui-ci eut lieu... mais, au lieu de s'aplatir comme un gâteau de riz jeté du trentième étage, *Peggy Sue rebondit dans les airs !*

« Hé ! hoqueta-t-elle, qu'est-ce qui m'arrive ? »

Elle n'en revenait pas. C'était comme si elle était tombée au beau milieu d'un trampoline. Le fond de l'œuf, caoutchouteux, avait absorbé une grande partie de l'impact avant de la réexpédier d'où elle venait !

Elle s'éleva dans la nuit pendant trente secondes puis retomba. Elle rebondit aussitôt, mais beaucoup moins haut. Ce manège se reproduisit cinq fois de suite, jusqu'à ce que toute l'énergie de la chute ait été absorbée par la mollesse du sol.

Quand elle se retrouva à quatre pattes dans l'obscurité, la tête lui tournait. Elle explora les environs d'une main prudente.

« C'est du latex, constata-t-elle en palpant le fond de l'œuf. Ou de la sève d'hévéa. Ça forme une espèce de nid caoutchouteux. C'est normal, suis-je bête ! La Dévoreuse s'en est servie pour améliorer le confort de sa cachette. Elle n'allait pas passer mille ans à se meurtrir les fesses sur un lit de roches pointues !

— Tu es là ? fit la voix télépathique du chien bleu dans son esprit. Ne bouge pas. Je peux te localiser en me guidant sur la longueur d'onde de tes pensées. J'arrive.

Peggy s'assit dans l'obscurité. Elle n'osait plus bouger de peur de s'envoler dans les airs. Le chien bleu ne tarda pas à la retrouver.

— Quelle histoire ! s'exclama-t-il. J'en ai encore l'estomac qui tournicote.

— Une chose est sûre, murmura Peggy, Sebastian ne s'est pas tué en tombant du filet. Il doit être quelque part aux alentours. Tu devrais essayer de lui lancer des messages télépathiques. Maintenant que nous sommes près de lui, tes ondes devraient traverser les nappes de gaz.

— On n'y voit rien, grogna l'animal. As-tu toujours le sac ? Il y a une lampe à huile dedans, ce serait peut-être le moment de l'allumer.

— La Dévoreuse risque de nous repérer.

— C'est vrai, mais on ne peut pas faire grand-chose dans le noir. Il faut courir ce risque.

Peggy fouilla dans le sac à dos, à la recherche de la lampe rudimentaire qu'elle avait emportée en quittant le filet. Alors qu'elle bataillait pour enflammer la mèche, des rires retentirent à proximité. Des lueurs vertes se mirent à scintiller dans les airs, montant et descendant à un rythme effréné.

— Des gosses ! constata le chien bleu. *Des gosses qui s'amusent à rebondir sur le caoutchouc du sol.* Il y en a des dizaines ! Ils tiennent dans les mains des cocons phosphorescents qui les éclairent.

C'était un curieux spectacle que ces marmots vêtus de haillons qui faisaient des galipettes dans les airs comme s'ils participaient à un concours de trampoline.

— Voici donc les fameux prisonniers de la Dévoreuse, observa Peggy Sue. Tous les enfants qu'elle a enlevés. Elle ne les a pas dévorés, contrairement à ce que racontait Massalia. Elle les garde ici.

— En tout cas, ils n'ont pas l'air malheureux ni maltraités, fit le chien. Tu as vu comme ils rigolent ?

— Tu n'as pas encore compris ? souffla Peggy. *La Bête leur fait respirer du gaz hilarant !* De cette façon ils sont heureux et ne pensent pas à s'évader. La moindre blague, la plus banale des occupations leur semblent follement drôles, mais ce n'est qu'une illusion.

— Si tu as raison, pourquoi ne sommes-nous pas en train de rire ?

— Parce que nous avons bu de la sève qui fait office de contrepoison. Tant que nous en avalerons, le gaz euphorisant n'aura pas prise sur nous ; malheureusement, sitôt que la gourde sera vide, nous deviendrons comme ces pauvres gosses. Tout nous semblera trop cool ! Et nous passerons nos journées à faire des galipettes dans l'obscurité en riant aux éclats.

— Alors, nous sommes dans un camp de prisonniers ?

— Oui, un camp de prisonniers où le rire sert à la fois de serrure et de geôlier.

Inquiets, les deux amis saisirent la gourde de sève et se dépêchèrent d'avaler une gorgée d'antidote.

— Combien de temps tiendrons-nous ? s'enquit le chien bleu.

Peggy secoua l'outre de cuir.

— Cinq ou six jours, en nous rationnant, hasarda-t-elle. Il faudra trouver le moyen de remonter à la surface avant de succomber nous aussi au poison de la rigolade.

Les enfants sauteurs avaient fini par s'approcher. Ils ne marchaient pas, non, ils se déplaçaient par bonds successifs utilisant la souplesse du sol. On eût dit une horde de kangourous.

— Salut ! cria l'un d'eux en se tordant de rire, bienvenue dans l'œuf. Vous venez de tomber, c'est ça ? Préparez-vous à une sacrée partie de rigolade. On se marre bien ici !

A ces mots, ceux qui l'accompagnaient se tordirent comme si leur copain venait de lâcher une blague irrésistible. Certains hoquetaient, d'autres se tenaient les côtes ou pleuraient de rire.

— Nous on est là depuis des années, reprit le gosse, et on ne s'en lasse pas. Pour rien au monde on ne reviendrait à la surface. Le jour où la Dévoreuse nous a enlevés est le plus beau jour de notre vie. Ouais !

— Ouais ! firent ses copains en se tordant de plus belle.

« Ils sont là depuis des années et ils n'ont pas

grandi, songea Peggy. Ça signifie que le gaz a arrêté leur croissance. La Dévoreuse les empêche de “ pousser ”. Elle ne veut pas être entourée d’adultes. »

— Je sais pourquoi ! fit la voix du chien bleu dans la tête de la jeune fille. Je viens de tout comprendre ! La Dévoreuse a beau être gigantesque, elle n’en est pas moins très jeune puisqu’elle n’est pas encore née ! Elle a beau avoir mille ans, ça ne représente pas grand-chose pour les animaux de son espèce. *La bête des souterrains est une enfant, elle aussi !* Voilà pourquoi elle ne veut pas côtoyer d’adultes ! Elle cherche à s’entourer de compagnons de son âge. Elle ne s’entend bien qu’avec eux.

— Mais oui ! tu as raison ! s’enthousiasma Peggy. Personne n’y a jamais pensé. La Dévoreuse est une espèce de petite fille capricieuse qui s’ennuie dans le noir et pique des colères. Elle est égoïste et ne voit pas plus loin que le bout de son nez. Elle ne réfléchit pas aux conséquences de ses actes... et tant pis si ses caprices déclenchent des catastrophes.

— On fait des concours de cabrioles aériennes, expliqua le gamin hilare. On invente des figures insensées. Certains d’entre nous parviennent à rebondir à trois kilomètres de hauteur, c’est trop cool !

— Combien êtes-vous ? s’enquit Peggy Sue.

— On sait pas, avoua l’enfant. Beaucoup, beaucoup.

— Ça ne vous gêne pas de vivre dans l’obscurité ?

— Mais non, t’es bête ! Au bout de quelque temps les yeux se modifient et on se met à y voir parfaitement dans le noir, comme les chats. C’est cool.

« Encore un prodige du gaz, se dit l’adolescente.

La Bête se débrouille pour adapter ses petits compagnons à leurs nouvelles conditions de vie. Elle est maligne ! »

Les gamins trépignaient, impatients de reprendre leurs jeux. Ils déposèrent les cocons luminescents aux pieds de Peggy.

— Cadeau ! annoncèrent-ils. Ça t'aidera en attendant que tes yeux se modifient. Faut pas avoir peur, la Bête est super sympa. Elle n'a jamais fait de mal à personne, elle aime bien qu'on chante pour elle. Alors on constitue des chorales et on va lui donner des récitals, ça la berce, ça lui permet de se rendormir pour un moment. Faudra vous intégrer à un groupe de chanteurs, nous on s'est spécialisés dans les chants de Noël, si ça vous dit.

— Comment te nommes-tu ?

— Zoltan... je suis le chef des kangourous jaunes, c'est le nom de notre bande. Tout le monde nous connaît, on a remporté le championnat de figures libres l'année dernière.

— Allez, on y va ! trépignèrent les garçons dans son dos. Y sont pas marrants ces deux nouveaux. Y rigolent pas. La Bête les aimera pas.

— C'est vrai, ça, renchérit Zoltan, faut vous décoincer, sinon vous n'apprécierez pas le séjour. Ce serait dommage. Dites-vous bien que vous êtes là pour... l'éternité !

Sur cette dernière blague, il bondit dans les airs suivi de ses amis qui hurlaient de rire.

— Quels affreux petits singes ! grommela le chien bleu.

— Grâce à lui nous en savons un peu plus sur ce qui se passe ici, fit Peggy Sue. Nous avons atterri dans un bagne. Le bagne des petits copains de la

Dévoreuse. Si elle a le malheur de vous choisir, on cesse de grandir et on rit pour le restant de ses jours.

— Essayons de retrouver Sebastian, décida l'animal. Nous verrons ensuite ce qu'il convient de faire.

Peggy assujettit le sac sur son dos et prit l'un des cocons lumineux dans la main gauche. Le halo verdâtre ne permettait pas d'y voir bien loin ; elle put néanmoins se faire une idée du monde qui l'entourait. Le paysage était entièrement composé de caoutchouc. Collines et montagnes, tout paraissait modelé dans un latex bleu foncé. Il n'y avait pas de maisons ni même de cabanes. Les enfants dormaient sur le sol... *et ils continuaient à rire dans leur sommeil,* comme si des rêves hilarants les visitaient en permanence !

Çà et là, traversant le paysage, on discernait l'interminable tuyau d'un tentacule au repos. De temps à autre, les ventouses expulsaient des boules jaune vif, que les enfants s'empressaient de dévorer à belles dents.

— Voilà comment la bête les nourrit, observa Peggy.

— Ils ont l'air d'aimer ça, fit le chien bleu. Tu crois qu'on peut en manger ?

— Pour le moment, il serait préférable de se montrer prudents. Je suppose que cette nourriture est droguée, elle aussi.

Le chien bleu flairait l'air ambiant, à la recherche de Sebastian.

— Les ondes télépathiques passent mal, annonça-t-il. On dirait que la Bête s'amuse à les brouiller. Peut-être est-elle en mesure d'intercepter nos communications ?

Peggy leva la tête, scrutant vainement les ténèbres.

Elle savait que le monstre se tenait là, quelque part, aussi gros qu'une montagne, mais elle ne pouvait le voir. Cette proximité l'effrayait.

« Il nous observe, songea-t-elle. Sans doute s'amuse-t-il de notre maladresse. En tout cas, il n'est pas pressé de prendre contact. Pourquoi le ferait-il, d'ailleurs, puisque le temps joue en sa faveur. Il sait que notre réserve de sève antipoison va s'épuiser. A partir de là, plus rien ne nous protégera des sortilèges du gaz hilarant et nous deviendrons comme ces petits crétins qui jouent aux kangourous : des prisonniers volontaires. »

Les deux amis étaient forcés d'avancer à pas prudents car il y avait des dormeurs dans tous les coins ! Si l'on n'y prenait pas garde, on leur marchait sur le ventre.

Des chants s'entrecroisaient dans l'obscurité. Certains très beaux, d'autres maladroits. Les chorales répétaient avant d'aller se produire devant la Dévoreuse.

« C'est sympa », songea Peggy. Aussitôt, elle tressaillit, étonnée d'avoir eu cette pensée.

— Nous sommes peut-être moins bien immunisés contre le gaz euphorisant que nous ne l'imaginions, observa le chien bleu. J'avoue que, moi aussi, je commence à trouver cette ambiance plutôt amusante.

— Buvons une nouvelle gorgée de sève ! décida la jeune fille. Il ne faut surtout pas se laisser avoir ! C'est ce que désire la Dévoreuse : nous faire perdre tout sens critique.

*

Après avoir erré deux longues heures sur la plaine caoutchouteuse, ils réussirent à faire leur jonction avec Sebastian. Le garçon portait toujours son masque respiratoire, ce qui l'avait en partie protégé des émanations hilarantes vaporisées par la Bête. Il ne consentit à l'enlever que pour embrasser Peggy qui se jeta dans ses bras.

— Oh ! zut ! se lamenta le chien bleu, nous revoilà partis pour vingt minutes d'effusions amoureuses ! C'est à croire que ces deux-là ne se sont pas vus depuis un siècle ! Un peu de tenue, je vous prie, jeunes gens !

*

— Je ne me suis pas fait mal en tombant, expliqua Sebastian lorsque les trois amis essayèrent de faire le point. Rien de ce que transportait le ballon ne s'est cassé. Les bouteilles de béthanon, la bombe, tout s'est éparpillé en rebondissant sur la plaine de caoutchouc. Je crois même que l'enveloppe du *Capitaine Fantôme* est quelque part dans le coin. On pourrait récupérer l'ensemble, mais il faudrait explorer les environs. Ce n'est pas facile dans l'obscurité. C'est un drôle d'endroit. Tous ces gosses qui sautent en l'air en riant comme des dingues. J'avoue que ça commence à me taper sur les nerfs.

— As-tu aperçu la Bête ? demanda Peggy.

— Non, mais ses tentacules sont étalés sur la lande élastique. De temps en temps, ils se redressent pour faire un tour d'horizon. Il y a un œil au bout de chacun d'eux. La Dévoreuse les utilise comme des périscopes pour surveiller ce qui se passe autour d'elle.

— Où se cache-t-elle ? s'enquit le chien.

— Au centre de la plaine, dans une espèce de nid, expliqua le garçon. Les enfants kangourous m'ont raconté ça. Ils vont la voir pour lui chanter des berceuses. D'après eux, elle n'est pas méchante. Elle s'ennuie, elle veut de la compagnie. Elle ne se sent bien qu'avec les enfants. Je ne sais pas si c'est vrai. *Peut-être est-ce seulement ce qu'elle s'applique à leur faire croire?* Elle les contrôle au moyen du gaz hilarant... et elle les empêche de grandir. Certains gosses sont là depuis dix ans et ne s'étonnent pas d'avoir toujours le même aspect. Ils ont perdu le contact avec la réalité.

— C'est un danger qui nous menace également... souligna Peggy Sue.

— Je sais, soupira Sebastian. J'ai fait l'expérience de respirer sans masque pendant deux heures. Au bout de trente minutes je trouvais le coin drôlement sympa, au bout de soixante je commençais à rigoler tout seul comme un crétin. Tout me semblait amusant : mes pieds, mes orteils. Mon gros orteil gauche, plus précisément, me faisait mourir de rire. Je ne sais pas pourquoi. Il me semble que j'aurais pu rester deux ans à le contempler en me bidonnant. C'était une expérience assez effrayante.

— Inutile de nous raconter des histoires, déclara la jeune fille, nous ne resterons pas intelligents très longtemps. Il faut d'ores et déjà organiser notre fuite. Retrouvons l'enveloppe du ballon et essayons de la réparer. Les bouteilles de béthanon nous permettront de nous envoler vers la surface.

— *Et la bombe?* s'inquiéta Sebastian.

— Je ne suis pas d'avis de l'amorcer, annonça Peggy. Massalia nous avait assuré que la Bête était un monstre sanguinaire, ça n'a pas l'air d'être vrai. Pendant que tu rassembleras les débris du ballon, je vais tenter d'en apprendre un peu plus sur cet animal pas comme les autres.

— Ça me va ! lança le garçon, maintenant que nous sommes réunis, les affaires vont reprendre !

*

D'avoir retrouvé Sebastian, Peggy Sue se sentait plus optimiste (à tort, sans doute !). Accompagnée du chien bleu, elle s'élança à la découverte de la plaine caoutchouteuse.

« Après tout, se disait-elle, c'est mieux que de s'ennuyer au collège à écouter radoter des profs ronchons. J'ai une sacrée chance de pouvoir mener une telle existence à mon âge pendant que les autres filles sont obligées d'apprendre par cœur des leçons qu'elles auront oubliées trois jours après. Ne nous plaignons pas ; beaucoup voudraient être à ma place, même si pour cela il leur fallait explorer l'intérieur d'un œuf habité par une bête gigantesque ! »

En fait, elle essayait de se donner du courage car elle éprouvait une grande appréhension à l'idée de se trouver soudain nez à nez avec la fameuse bête des souterrains.

— Nous sommes peut-être en train de nous égarer, soupira-t-elle en levant la bulle lumineuse au-dessus de sa tête. Je n'ai aucune idée de l'endroit où nous nous trouvons.

— Il n'y a qu'à suivre les tentacules, suggéra le chien, en partant de la pointe on a de grandes chances de dénicher la bestiole.

— Tu me parais bizarrement guilleret, remarqua Peggy d'un ton soupçonneux. N'aurais-tu pas respiré un peu trop de gaz ?

— Aucune idée, gloussa son compagnon à quatre pattes. Je me sens super cool.

— Hum, grommela la jeune fille, ça ne me rassure pas beaucoup.

Elle s'interrogea pour savoir s'il serait plus prudent d'avaler une nouvelle gorgée de sève ; hélas, à ce train-là, la gourde serait vide dans peu de temps. Mieux valait attendre.

— Hé ! Toi ! La fille au chien ! criaient les enfants sauteurs en rebondissant autour d'elle, viens t'amuser avec nous. On se marre bien !

Peggy sursautait chaque fois qu'ils se matérialisaient devant elle. Elle avait à peine le temps de les apercevoir qu'ils étaient déjà repartis dans les airs, comme propulsés par des ressorts invisibles.

« Comment font-ils pour ne pas vomir ? » se demanda-t-elle.

Elle avait envie de leur crier : « Mais réveillez-vous enfin ! Vous êtes prisonniers ici ! Vous croyez vous amuser alors qu'en réalité vous êtes victimes des illusions que la Bête a installées dans votre esprit. Rien n'est drôle. Vos blagues sont idiotes, et la Dévoreuse est un monstre qui vous tient sous sa domination. »

Tout à coup, quelque chose se dressa dans la nuit, lui barrant le chemin. D'abord elle eut l'illusion qu'un énorme cobra se tenait devant elle, la coiffe gonflée par la colère. A la lueur de la boule luminescente, Peggy distinguait mal les contours des objets. Elle comprit enfin qu'un tentacule s'était mis en travers de sa route comme pour lui signifier de ne pas faire un pas de plus.

— Oh-oh, chuchota le chien bleu. Serait-ce le début des hostilités ?

Peggy s'immobilisa. A trois mètres de l'endroit où elle se tenait, le bout préhensile du tentacule palpitait.

— Celui-ci ne possède ni griffes ni dents, remarqua le chien. Mais je vois ses yeux... On dirait un serpent.

— Sans doute existe-t-il différentes sortes de pattes ? supposa Peggy. Chacune correspond à un usage déterminé.

Elle se tut car elle n'aimait pas le son chevrotant de sa voix. « Je suis morte de trouille ! » s'avoua-t-elle.

A présent, le tentacule se convulsait de façon bizarre.

— Il se déforme, constata le chien bleu. Nom d'une saucisse atomique ! On dirait qu'il... *qu'il essaye de modeler quelque chose...* une sorte de bonhomme.

— Mais oui, c'est ça ! haleta l'adolescente. Regarde : la peau a changé de couleur... elle est rose, et puis une tête est en train d'apparaître.

— C'est du mimétisme [1] ou je ne m'y connais pas ! s'extasia le petit animal.

Peggy Sue fronça les sourcils. Il lui semblait reconnaître le visage qui se formait devant elle.

— J'ai déjà vu cette figure quelque part... marmonna-t-elle.

— Bien sûr ! s'exclama le chien. *C'est la tienne !* La bête est en train de modeler une poupée à ton image !

Peggy laissa échapper un cri de surprise. Mais oui ! L'extrémité du tentacule s'était peu à peu métamorphosée en une réplique parfaite d'elle-même. La Dévoreuse avait poussé le sens du détail jusqu'à activer certains pigments cachés sous sa peau pour reproduire la couleur des cheveux ou des yeux de

1. Faculté d'imiter quelque chose. Dans la nature, beaucoup d'animaux ont ce don qui leur permet d'échapper aux prédateurs. Certains se déguisent en feuille ou en branche morte. D'autres deviennent invisibles en prenant la couleur exacte du terrain sur lequel ils se déplacent.

Peggy Sue. Cela donnait une statue vivante... ou plutôt une marionnette, qui bougeait les bras et souriait avec une grâce un peu molle.

— Hé ! s'inquiéta l'adolescente, qu'est-ce que ça signifie ?

— Ça signifie que je maîtrise enfin l'art du modelage vivant, fit une voix énorme dans la tête de Peggy.

L'émission télépathique était si forte que la jeune fille crut que le sang allait lui jaillir par le nez et les oreilles. Le chien bleu poussa un couinement douloureux et se cacha le museau sous la patte.

— Qui... qui parle ? balbutia Peggy Sue en portant la main à son front afin de s'assurer qu'il n'avait pas éclaté.

— Moi... dit la voix énorme. Celle que vous surnommez la Dévoreuse. Il y a longtemps que j'attendais ce moment.

— Bon sang ! hurla la jeune fille, réduis le volume ou bien mon crâne va exploser.

— Pardon, déclara poliment la créature, mais je suis si grosse que ma voix est proportionnelle à ma masse. J'ai encore du mal à doser sa force. Au début, lors de mes premiers essais de communication, les ondes que j'émettais étaient si puissantes qu'elles faisaient bouillir le cerveau des gosses auxquels je m'adressais.

— Quoi ? hoqueta Peggy, horrifiée.

— Excuse-moi, reprit la Chose, je suis très excitée. Inutile de ruser, je préfère te dire tout de suite la vérité. Pourquoi continuer à te cacher des choses puisque, de toute manière, tu ne sortiras plus jamais d'ici ? J'ai enlevé tous ces enfants pour les étudier à ma guise. Au cours des années passées, je me suis entraînée à contrefaire leurs voix et leur apparence.

J'ai commis beaucoup d'erreurs, mais c'est pardonnable, votre anatomie est si différente de la mienne !

— Quoi, quoi ? protesta l'adolescente, mais je croyais que tu kidnappais les gosses pour qu'ils te tiennent compagnie.

— Ça, ricana la Bête, c'est ce que je leur raconte. Le gaz euphorisant que j'émets à leur intention les rend crédules. Pourvu qu'ils continuent à s'amuser, le reste les indiffère. Ce sont de jeunes crétins. Irrécupérables. Ils respirent des vapeurs hilarantes depuis tant d'années qu'ils ne pourront jamais redevenir normaux. Ils passeront le reste de leur existence à rire et à sauter sur place.

Peggy Sue lutta contre la migraine qui lui sciait la tête. Le ton employé par la bête des souterrains lui faisait froid dans le dos.

— Par tous les dieux du cosmos, balbutia-t-elle, Massalia avait raison, tu es mauvaise.

— Massalia est un vieil imbécile, décréta la Bête. Il m'imagine sous les traits d'un gros monstre stupide incapable d'aligner deux idées cohérentes. Je suis bien plus intelligente que le plus intelligent des savants terriens. Ma race existait déjà des milliers d'années avant que l'homme n'apparaisse. Je suis la dernière représentante de mon espèce, et ma mission consiste à m'emparer du cosmos tout entier.

— Mais ces enfants, bredouilla Peggy, pourquoi les avoir enlevés si ce n'est pas pour les dévorer ? A quoi te servent-ils ?

— Je les étudie, ce sont des modèles. Je les observe pour savoir comment ils bougent, comment ils parlent. J'engrange ces données. Il m'a fallu longtemps pour les assimiler et parvenir à fabriquer quelque chose de convaincant.

— A fabriquer quoi ?

— Des doubles... des sosies... Regarde celui que je viens de modeler en t'observant. Il est parfait, non ? Je suis devenue experte dans l'art du modelage. Il n'en a pas toujours été ainsi. Longtemps j'ai produit des gnomes repoussants, d'affreux lutins qui n'entretenaient aucune ressemblance avec leurs modèles. Il m'a fallu apprendre. Recommencer, et recommencer, et recommencer encore... Voilà pourquoi il me fallait tant de modèles, vous êtes si différents les uns des autres ! Impossible de s'en tenir à un ou deux sosies que j'aurais reproduits à la chaîne, non, il m'en fallait des dizaines.

— Mais dans quel but ? s'impatienta Peggy. De quoi parles-tu ?

— De mon armée d'invasion, répondit la bête gigantesque d'un ton doucereux. *De mes soldats.* Aujourd'hui j'ai presque atteint mon but : fabriquer des sosies des enfants que j'ai enlevés. Des sosies modelés à partir de ma propre chair. Des doubles qui sont en réalité des morceaux de moi-même. J'ai utilisé le bout de mes tentacules pour pétrir ces poupées, ces imitations parfaites. Dans quelques jours, je vais expédier ces marionnettes à la surface. Elles émergeront des crevasses, et tout le monde criera au miracle. Les parents tomberont à genoux devant leurs enfants retrouvés. Ils les accueilleront en sanglotant et leur ouvriront les bras. Aucun d'eux ne se doutera que ces gosses sont en réalité des répliques de leurs enfants. Leurs vrais fils, leurs vraies filles resteront ici, en bas, à rire et à sauter sur place jusqu'à la fin des temps. D'ailleurs, dans l'état où ils sont, ils ne reconnaîtraient plus leurs parents ! J'ai vidé leurs cerveaux, j'ai pillé leurs souvenirs. Ce ne sont plus que des kangourous humains aussi intelligents qu'une part de tarte aux pommes.

— C'est un plan idiot, ricana Peggy Sue. Les gens se méfieront. Tous ces gosses qui remontent par miracle, ça paraîtra suspect.

— Pas du tout, fit la créature, *puisque ce sera toi qui les auras sauvés.*

— Moi?

— Oui, toi, ton chien et ton petit ami... *ou plus exactement les sosies que je vais modeler à partir de votre apparence.* Ce tour de force n'étonnera personne puisque vous êtes des héros, n'est-ce pas? Tout le monde s'attend que vous réussissiez là où tant d'autres ont échoué. Quand vous remonterez du fond de l'œuf avec vos petits prisonniers, on vous saluera comme des demi-dieux! On vous élèvera des statues! On tournera des films pour célébrer votre triomphe. Voilà pourquoi j'avais tant besoin de vous. Il me fallait des super-héros en qui tout le monde a confiance. En allant vous chercher sur la Terre, Massalia m'a rendu, à son insu, un immense service. Votre présence sur Kandarta rendait mon plan enfin possible! Voilà pourquoi je n'ai jamais réellement cherché à vous nuire. Si j'avais voulu vous tuer, j'aurais pu le faire à la seconde même où vous avez pris pied sur l'œuf. Comme vous auriez pu trouver bizarre que je ne m'intéresse pas à vous, je vous ai juste un peu secoués, de temps en temps, pour ajouter à la vraisemblance. Rien de très méchant. Quelques illusions dans la cour de la prison... Ranuck avait ordre de vous livrer à moi, de gré ou de force. Hélas, cet imbécile a doublement échoué.

— Ne compte pas sur nous pour t'aider! hurla Peggy au comble de la colère.

— Petite idiote! ricana la Dévoreuse, je me passerai de ta permission. Je vais vous étudier, toi et tes amis, et dès que je serai satisfaite des sosies que j'aurai modelés, je déclencherai la phase finale de mon plan d'invasion. Je ramènerai mes fidèles soldats à la surface en utilisant le ballon à l'aide duquel vous vous êtes faufilés à l'intérieur de la coquille. Massalia n'y verra que du feu. Il croira avoir affaire à la vraie Peggy Sue, d'autant plus que celle-ci lui assurera que la Dévoreuse est bien morte, tuée par la bombe, et que Kandarta n'a plus rien à craindre.

— Mais quel est le but de cette machination ? murmura la jeune fille, anéantie.

— Tu n'as pas encore compris ? Chacun de ces sosies est un morceau de moi. *Chacun de ces fragments est un autre moi !* Mes « enfants » se débrouilleront pour convaincre leurs parents de quitter Kandarta et d'émigrer sur d'autres planètes du système solaire. Partout où ils iront, j'irai. Ces sosies sont des graines. Une fois sur place, ils se cacheront au fond d'une caverne bien profonde et s'endormiront d'un sommeil millénaire. Alors... au fil des siècles, ils se transformeront en une bête gigantesque, comme moi-même je l'ai fait ici. Et la planète deviendra leur œuf ! C'est ainsi que nous nous reproduisons, par scissiparité [1]. Nous nous cachons dans un terrier, une caverne, en attendant de devenir adulte. Je n'ai jamais su comment j'étais arrivée ici, au cœur de cette planète creuse, mais je m'y suis lentement développée, tel un poussin. Ma mission est d'offrir à ma race le maximum de chances de survie. J'étais la dernière, l'unique, grâce à mon stratagème, mon peuple renaîtra ! Quand nous serons assez nom-

1. Capacité pour un animal, un organisme vivant, une plante, de se reproduire à partir d'un fragment de lui-même. Ainsi, une étoile de mer coupée en morceaux donne « naissance » à autant de doubles d'elle-même qu'il y avait de morceaux ! Curieux, non ?

breux pour former une armée, nous ferons éclater nos coquilles, tous en même temps, et nous partirons à la conquête de l'Univers, en passant d'une dimension dans une autre. Rien ne pourra plus nous arrêter.

Peggy Sue aurait donné n'importe quoi pour un cachet d'aspirine tant elle avait mal à la tête.

— Quand tu auras modelé nos sosies, tu nous tueras, bien sûr ? murmura-t-elle.

— Pourquoi me donnerais-je cette peine ? ricana la Bête. Vous allez bientôt manquer de contrepoison. Quand votre gourde de sève sera vide, le gaz euphorisant vous effacera le cerveau, et vous oublierez ce que je viens de dire. Toi et tes amis n'aurez plus que deux préoccupations : rire et sauter comme des kangourous ! Vous vous ficherez bien, alors, de ce qui se passera hors de la coquille. (La Dévoreuse fit une pause avant de conclure :) Je vais me taire, maintenant, car mes émissions télépathiques pourraient détruire ta précieuse petite cervelle, et je ne veux pas que cela se produise avant que j'aie pu en extraire les souvenirs dont je nourrirai ma marionnette. Profite bien de tes derniers jours de lucidité, *Peggy-Chou.*

Le silence se fit dans l'esprit de Peggy et du chien bleu, mais les deux amis restèrent pantelants, au bord de la nausée. La tête leur tournait.

Un nouveau tentacule s'était dressé. Après avoir « bouillonné », il entreprit de façonner une effigie du chien bleu. Le modelage prit très vite forme, comme sous les doigts d'un sculpteur invisible.

— Hé ! protesta le petit animal, c'est moi, ça !

La Bête travaillait avec une extrême habileté. Elle

était capable d'imiter à merveille cheveux et pelage. Le rendu des couleurs et des textures était excellent.

— C'est terrible, haleta Peggy. Si ces deux marionnettes se rendent sur la Terre à notre place, personne ne se rendra compte de la supercherie !

— Granny Katy ne s'y laissera pas prendre ! objecta le chien bleu.

— J'en suis moins sûre que toi, surtout si ces pantins nous dérobent nos souvenirs.

L'adolescente se sentait dépassée par la situation. Elle n'avait jamais pensé que les choses prendraient cette tournure. A force d'écouter Massalia, elle avait fini par se persuader que la bête des souterrains n'était qu'un gros dragon ronchon dont la cervelle avait la taille d'un petit pois et l'intelligence d'une valise en carton. La vérité était bien différente !

Les tentacules avaient terminé leur travail de modelage. Les deux sosies avaient exactement l'apparence de leurs modèles, les vêtements et la cravate en moins. Se retournant, ils entreprirent, en se servant de leurs ongles et leurs dents, de sectionner le lien de peau qui les rattachait encore à la Bête.

— On dirait des bébés coupant eux-mêmes le cordon ombilical qui les relie à leur mère, murmura Peggy. Ils sont en train de se rendre autonomes. A présent ils vont pouvoir marcher librement, aller où bon leur semble, mais l'esprit de la Dévoreuse sera toujours en eux. En fait, ils constituent une extension de la Bête. C'est un peu comme si mon bras pouvait se détacher de mon corps et partir en exploration à travers le monde.

— Dément ! souffla le chien. Cette bestiole me ressemble comme un frère jumeau. J'ai l'impression de me contempler dans un miroir. Ça fait tout drôle.

Peggy Sue éprouvait une gêne identique car son double s'était approché d'elle pour la regarder sous le nez. La « fille » lui ressemblait trait pour trait.

— Si elle n'était pas toute nue, je n'arriverais pas à faire la différence entre elle et toi ! grommela le chien bleu.

— Moi si, lança Peggy. Elle a quelque chose de méchant dans le regard. Une panthère doit avoir ces yeux-là quand elle renifle sa proie.

Les deux amis reculèrent, mais les « marionnettes » leur emboîtèrent le pas. Furieuse, Peggy tourna le dos à son double et partit à la recherche de Sebastian. Le chien bleu l'imita... et son sosie également.

— On ne va plus pouvoir faire un pas sans les avoir sur le dos ! lança Peggy. Ils vont nous observer nuit et jour pour étudier nos attitudes, notre façon de parler. Ils sont en train d'apprendre leur rôle.

Pendant qu'ils marchaient sur la plaine, le double de Peggy s'arrêta brièvement pour dépouiller de ses vêtements un enfant qui riait dans son sommeil. Pour l'instant, les marionnettes ne semblaient pas capables de parler, mais cela ne durerait sans doute pas !

Ils trouvèrent Sebastian en train de transporter des bouteilles de béthanon. Le garçon avait commencé à rassembler les débris du *Capitaine Fantôme*. Contrairement à ce que prévoyait Peggy, il ne fut pas surpris en découvrant les doubles.

— Hé ! Trop cool ! s'exclama-t-il, comme ça, quand je serai fâché avec toi, je sortirai avec ta sœur jumelle !

— Tu n'es pas dans ton état normal, remarqua

Peggy Sue. Ton masque ne filtre plus correctement le gaz hilarant.

— Mais non ! protesta le garçon. Je me sens super bien, c'est toi qui n'as pas le sens de l'humour. Elle est cool ta sœur ! Maintenant vous serez deux pour me dorloter. Je sens que ça va bien me plaire !

— Tu n'as pas écouté mes explications ! s'impatienta Peggy. Ce qui se passe n'a rien de drôle. La Dévoreuse va envoyer ces pantins sur la Terre, à notre place. Nous, nous resterons ici, pour toujours, dans la prison du rire.

— Il est intoxiqué, constata le chien bleu. Tu parles en pure perte. La pastille de son respirateur doit être saturée... ou bien le masque est fissuré et laisse passer le gaz.

— On devrait lui donner de la sève.

— Non, il en reste à peine pour nous deux. On ne peut pas la gâcher.

*

Dès lors, il devint impossible de faire un geste sans que les sosies s'appliquent aussitôt à l'imiter ! Si Peggy s'asseyait en tailleur, la marionnette Peggy s'asseyait, si le chien bleu se grattait, la marionnette chien se grattait.

— Ouaf ! C'est tordant ! s'esclaffa Sebastian en se tenant les côtes comme s'il n'avait jamais rien vu d'aussi drôle de toute sa vie.

Peggy Sue lui prêta main-forte pour rassembler les débris du dirigeable. Caisses et bonbonnes étaient éparpillées sur plusieurs centaines de mètres. L'enveloppe du ballon, déchirée par l'explosion, n'était pas en trop mauvais état puisqu'elle ne comportait qu'un seul gros trou.

— Il y a des rustines dans la trousse à outils, fit le chien bleu. De très grosses rustines. On les collera les unes à côté des autres pour obturer la déchirure.

— La bombe se trouve dans les caisses marquées d'une tête de mort, chuchota la jeune fille. Pour qu'elle fonctionne il faut d'abord l'assembler comme un jeu de construction. J'espère que le mode d'emploi est compréhensible, nous pourrions en avoir besoin.

— Si nous étions de vrais héros nous la ferions sauter sans attendre, lança le chien bleu. Nous accepterions de nous sacrifier pour empêcher la Dévoreuse d'envahir l'Univers.

— C'est vrai, soupira Peggy Sue, mais nous ne sommes pas des héros de bande dessinée. Nous avons envie de vivre.

Peggy chargeait une bonbonne de béthanon sur son épaule quand un curieux monstre sortit de derrière un rocher caoutchouteux. Il avait l'aspect d'un enfant mais son anatomie semblait construite en dépit du bon sens. Ainsi, il avait la bouche à la place de l'œil gauche, et vice versa. Ses oreilles se dressaient sur ses épaules et ses bras touchaient le sol comme ceux d'un gorille.

— Hé ! Ne te sauve pas, dit-il à Peggy Sue d'une voix emplie de tristesse, je ne suis pas méchant. Je suis une marionnette ratée. L'une des premières que la Dévoreuse a modelées. A l'époque elle n'était pas très habile. Tu vois le résultat.

— Oh ! fit la jeune fille, excuse-moi, j'ai été surprise. Comment t'appelles-tu ?

— J'étais censé être la copie d'un garçon de dix ans nommé Alzir, mais en réalité je ne suis personne. Je n'ai pas de nom. La Bête s'est séparée de moi, et depuis j'erre sur la plaine. Nous sommes nombreux dans ce cas. Le gaz hilarant n'a aucun effet sur nous, si bien que nous n'avons même pas la consolation de rire comme des abrutis.

— Tu n'entretiens plus aucun contact avec la Bête ?

— Non, elle s'est désintéressée de nous dès qu'elle a vu que nous étions ratés. Elle nous ignore. Elle ne peut pas nous détruire parce que nous sommes des morceaux de son corps, mais elle nous a rayés de sa mémoire. Elle ne nous parle jamais.

Alzir s'assit sur une caisse. Il examina la marionnette Peggy et la marionnette chien, puis hocha la tête.

— Y'a pas à dire, ricana-t-il, la Dévoreuse a fait de sacrés progrès ! Mes copains et moi on ne risquait pas de nous prendre pour des Terriens, ça c'est sûr !

— Es-tu toujours forcé d'obéir à la Bête ? s'enquit l'adolescente.

— Non, fit Alzir en haussant les oreilles collées à ses épaules. Le contact est rompu. Nous sommes libres d'aller à notre guise, le drame c'est que nous ne pouvons aller nulle part. Et puis nos corps sont si affreux que nous éprouvons même des difficultés à nous regarder les uns les autres quand nous sommes entre nous !

— Combien êtes-vous ?

— Au moins trois cents... peut-être davantage. Dans les premiers temps la Bête ne maîtrisait pas les techniques de modelage. Nos organismes restent instables, nos organes se promènent. Parfois mes yeux changent de place, je n'y peux rien. Ou mes doigts se mettent à rétrécir. Quand ils deviennent trop petits je ne peux plus rien attraper. Nous nous regroupons. Quand on est deux ou trois c'est plus facile de s'entraider. Nos handicaps se complètent.

— Tu connais les projets de la Bête?

— Oui, mais ça ne représente pas grand-chose pour nous, les ratés. Nous n'avons aucune idée de ce qui existe hors de l'œuf. Le monde du dehors est un grand mystère. C'est normal puisque nous avons toujours vécu ici. Depuis que la Bête s'est séparée de nous, ses pensées nous sont étrangères. Je ne me sens plus forcé de partager ses idées ou de lui obéir. Parfois, j'ai envie de grimper à la surface pour voir comment c'est... mais je pense que les gens de Kandarta n'apprécieraient pas ma physionomie, alors je reste ici, dans le noir, à écouter rire les enfants kangourous.

L'armée des marionnettes

Peu à peu, d'autres « ratés » sortirent de leur cachette. C'étaient les compagnons d'Alzir. La plupart n'avaient pas de nom. Ils présentaient des difformités effrayantes. Certains changeaient de forme toutes les deux minutes, d'autres avaient l'air de flaques de boue vivantes et se déplaçaient en rampant.

— Voici les « brouillons », les ébauches modelées par la Bête, expliqua Alzir. A l'époque, elle débutait dans l'art de la sculpture organique et elle se montrait plutôt maladroite. Rien à voir avec les merveilleux sosies qu'elle a pétris en vous prenant pour modèles.

Peggy soupira. Les sosies auxquels Alzir faisait allusion lui tapaient sur les nerfs ! La « fille », en effet, avait commencé à parler. Elle répétait comme un perroquet tout ce que disait Peggy en variant les intonations. Le faux chien, lui, s'entraînait à aboyer. Il s'y prenait mal.

— On dirait une souris qui pète, ricana le chien bleu. C'est pas vraiment ça, mon p'tit pote ! Va falloir faire mieux si tu veux avoir ton diplôme !

Peggy Sue, agacée, dut bientôt reconnaître que la « fille » était habile. Elle emmagasinait mots et phrases à une vitesse hallucinante. Son vocabulaire s'étendait de minute en minute, et elle copiait avec une remarquable fidélité les gestes et les mimiques de son modèle.

— Quelle actrice ! s'exclama le chien bleu. Tu as de la chance, mon double n'est pas aussi doué. Ecoute-le ! Un cochon qui grogne.

Les choses se gâtèrent quand apparut le sosie de Sebastian, que la Dévoreuse avait modelé entre-temps.

D'emblée, le faux garçon prit place aux côtés de la marionnette Peggy et caressa le sosie chien.

« Par tous les dieux du cosmos, bredouilla Peggy Sue, ce type est la réplique exacte de Sebastian. Je pourrais m'y laisser prendre si son regard ne le trahissait pas. Il est comme la fille, *méchant.* Il a des yeux de prédateur... de tigre affamé. Hélas, sur la Terre, personne ne s'en rendra compte ! »

Il ne fallut pas longtemps pour que les deux pantins se mettent à parler. Ils échangeaient leurs impressions sur les modèles qu'ils avaient pour mission d'imiter.

— Je déteste la couleur de cheveux de cette fille, dit la fausse Peggy, j'en changerais volontiers mais notre Mère à tous, la bête des souterrains, a bien précisé que nous ne devions apporter aucune modification à la physionomie de ces trois-là.

— Je sais, fit le faux Sebastian, et c'est dommage parce que la tête du type que je suis censé jouer ne me revient pas du tout. Je n'aime pas le genre mexicain. J'aurais voulu être blond.

— Ne m'en parle pas, soupira la « fille », regarde un peu le nez de cette pauvre gamine, il est affreux. Si je voulais, je pourrais facilement l'arranger.

Et, saisissant son appendice nasal entre le pouce et l'index, elle entreprit de le modeler comme s'il s'agissait d'un morceau de cire. En trente secondes, elle en fit un superbe nez de top model.

— Hein ? triompha-t-elle, c'est pas mieux comme ça ?

— Trop cool ! approuva le « garçon », moi, c'est les yeux qui ne me vont pas, ils sont bridés, c'est moche ! Je voudrais qu'ils soient comme ça.

Et, s'attrapant le visage à deux mains, il se malaxa les sourcils pour arrondir ses paupières.

Le vrai Sebastian qui s'était assis sur une caisse pour les observer se tordait de rire.

— Ah ! s'exclamait-il, ils sont trop drôles ! J'en peux plus !

— Arrête de te bidonner, cria Peggy, ça n'a rien de marrant. Ces créatures sont en train de voler nos personnalités.

— Elle a raison ! gronda le chien bleu, ce cabot de pâte à modeler m'agace. Je crois que je vais le réduire en bouillie !

Et il se jeta sur sa doublure pour la mettre en pièces. Il dut hélas déchanter. A peine avait-il planté ses crocs dans le postérieur du sosie qu'il bondit en arrière, en crachant de dégoût.

— Berk ! s'exclama-t-il. Ce truc-là a un goût horrible ! Plus amer que le fiel ! C'est à dégobiller.

La fausse Peggy sourit et s'avança.

— Vous ne pourrez pas nous faire de mal, expliqua-t-elle avec la voix de son modèle. Nos corps sont modelés à partir de la chair de la Bête. Ils sont donc indestructibles. Les blessures que vous nous infligerez cicatriseront en quelques minutes. Cessez donc ces enfantillages. (Fixant Peggy dans les yeux, elle ajouta avec un petit sourire de mépris :) Je ne suis pas emballée d'avoir à jouer ton rôle. Tu n'es pas très belle, et ta coiffure est lamentable. Ton nez est une catastrophe et tu as trop de taches de rousseur. C'est à se demander comment Sebastian a pu tomber amoureux de toi.

— Moi je sais, intervint le sosie de Sebastian. C'est un pauvre type pas très malin, voilà tout. En fait, les Terriens sont assez stupides dans l'ensemble.

— Exact, renchérit sa compagne. Sans parler de leurs corps. Peut-on imaginer un organisme plus malcommode ? Il n'y a pas assez de membres. Deux bras, deux jambes... Que peut-on faire avec ça ? Pas grand-chose en vérité !

— En plus, ils ne peuvent pas les tordre dans tous les sens. Un tentacule, c'est beaucoup plus pratique, on peut même faire des nœuds avec ! Tu te vois faire un nœud avec ton bras ou ta jambe ?

— C'est une pauvre race, conclut la fausse Peggy. Une espèce qui ne mérite pas de vivre. Nous les dévorerons jusqu'aux derniers quand nous serons sur la Terre.

— Espérons qu'ils auront bon goût ! ricana le « garçon ».

Le faux chien, lui, ne dit rien, car il essayait toujours d'aboyer correctement, activité pour laquelle il ne semblait pas très doué.

— Bouffon ! lui cria le chien bleu.

— Ne les écoutez pas, intervint Alzir, ou ils vous rendront fous. Le mieux, c'est de faire comme s'ils n'existaient pas.

— Moi je les trouve sympas, surtout le mec, déclara Sebastian entre deux hoquets d'hilarité.

Les trois amis s'installèrent au milieu des caisses pour dormir quelques heures. Ils avaient faim. Alzir et ses compagnons leur offrirent de partager leur repas.

— Nous mangeons ces graines, expliqua-t-il en exhibant une calebasse pleine de grosses boules orangées. C'est la Dévoreuse qui les fabrique à l'intention des enfants kangourous. C'est sucré et ça contient tout ce qu'il faut pour survivre. Les tentacules les expulsent par leurs ventouses, et elles roulent sur la plaine comme des boules de billard.

Peggy songea qu'ils n'avaient pas le choix. Elle s'assit en tailleur et porta l'un des « fruits » à sa bouche.

— Ça se laisse manger, constata-t-elle. On dirait du caramel à l'orange. Je préfère ne pas savoir avec quoi c'est fait.

— Trop bon ! lança Sebastian qui se mit à rire encore plus fort.

— Nom d'une saucisse atomique ! se lamenta le chien bleu, je crois qu'il sera bientôt mûr pour jouer les kangourous.

— C'est son masque, se lamenta l'adolescente. Il ne filtre plus rien.

Les sosies les observèrent pendant qu'ils mangeaient, puis s'appliquèrent à singer leurs gestes.

— Vous ne vous nourrissez pas ? leur demanda Peggy.

— Pas à ce stade de notre évolution, lui répondit dédaigneusement la fille. Quand je deviendrai à mon tour une bête des souterrains, je dévorerai des Terriens, mais jusque-là je vivrai sur mes réserves. Je suis capable d'hiberner mille ans. D'ailleurs, à ta place j'éviterais de me gaver, tu as déjà de grosses fesses !

Peggy Sue faillit lui jeter sa boule de caramel au visage.

« Bon sang ! se disait-elle, j'ai vraiment cette tête-là ? Et toutes ces mimiques agaçantes... Je me flanquerais bien une paire de gifles. »

Le repas achevé, les « ratés » se retirèrent. Ils n'avaient pas besoin de dormir mais connaissaient cette faiblesse des Terriens. Peggy et le chien bleu s'étendirent. Malgré leur énervement ils ne tenaient plus debout. Sebastian s'endormit tout de suite. Il riait dans son sommeil.

*

Peggy Sue rêva qu'un serpent s'introduisait dans son oreille ; elle se réveilla en sursaut. Elle constata alors que le serpent en question n'était autre que l'index de son sosie !

— Hé ! s'écria-t-elle. Qu'est-ce que tu fiches ? Pourquoi m'enfonces-tu ton doigt dans l'oreille ?

— Je copie tes souvenirs, expliqua la marionnette avec un sourire aimable. Nous procédons toujours de cette manière. J'ai besoin de tout savoir sur toi pour jouer correctement ton rôle. C'est assez amusant. On a l'impression de suivre une série télé. Dans ton cas, ça s'intitulerait « les aventures d'une pauvre fille au pays des monstres » !

Incapable de résister, Peggy Sue lui décocha une gifle. Elle eut l'impression de frapper un pneu de camion.

— Ouille ! gémit-elle en massant sa paume douloureuse.

— Je t'avais prévenue, ricana le pantin, nous sommes invulnérables. Recouche-toi donc... je dois copier le reste de ta vie. J'ai un œil microscopique au bout de l'index, c'est lui qui lit ce qui est inscrit dans ta mémoire. Ton cerveau n'est pas différent d'un CD. Si l'on dispose d'une bonne tête de lecture laser, on peut copier tout ce qu'il contient.

— Fiche-moi la paix ! s'exclama Peggy. Et ne m'approche plus !

La marionnette haussa les épaules.

— Pourquoi te révolter ? s'étonna-t-elle. Je recommencerai dès que tu dormiras... et tu seras bien forcée de dormir, n'est-ce pas ?

*

Le lendemain, Peggy Sue s'éveilla avec la migraine. Les sosies bavardaient entre eux. Ils avaient l'air soucieux.

— Il y a des tas de choses que nous ne comprenons pas dans tes souvenirs, lança la « fille ». Des habitudes terriennes qui nous sont incompréhensibles. Tu dois nous expliquer le sens de tout ça, sinon nous ne pourrons pas jouer notre rôle convenablement.

Peggy fut d'abord tentée de refuser, puis elle songea qu'il serait plus habile de gagner du temps en feignant de collaborer.

— D'accord, soupira-t-elle. Qu'est-ce que vous ne comprenez pas ?

— *Les baisers...* fit son sosie. Pourquoi vous embrassez-vous ? Est-ce pour vous nourrir ? Mangez-vous les lèvres de vos petits copains ? Est-ce qu'elles repoussent ensuite ? Combien de fois doit-on s'embrasser par jour pour avoir une alimentation équilibrée ?

Peggy éclata de rire.

— Effectivement, ricana-t-elle, vous n'y comprenez pas grand-chose !

Durant une demi-heure elle essaya vainement d'expliquer à la marionnette le sens du baiser, mais la créature ne parvint pas à comprendre la nécessité de ce comportement aberrant.

« Elle n'a pas de sentiments, songea Peggy. Elle n'éprouve rien. C'est une sorte de machine vivante. »

— Si ça ne vous nourrit pas, ça ne sert à rien ! conclut son double. C'est comme *la mode*... Pourquoi êtes-vous autant obsédées par les vêtements ? Ce ne sont que des emballages, des enveloppes dont la fonction est de nous protéger du froid. Leur couleur et leur forme ont peu d'importance.

— Et la *musique !* intervint le double de Sebastian. A quoi sert-elle ? Est-ce une sorte de cri de guerre destiné à terrifier vos ennemis ?

— Vous êtes vraiment nuls ! explosa Peggy Sue. Vous ne ferez pas illusion plus d'une minute sur la Terre. On vous prendra pour des dingues et on vous enfermera dans un asile.

Les marionnettes s'entre-regardèrent, inquiètes. Le succès de leur mission était le seul point qui les préoccupait. L'adolescente vit là le moyen de négocier avec la Dévoreuse.

— Ecoutez, proposa-t-elle. Si la Bête me fournit assez de sève antidote pour que je ne me mette pas à rire comme une idiote d'ici deux jours, je m'engage à vous enseigner les coutumes terriennes.

Les sosies parurent intéressés car ils avaient tous deux conscience de ne pas être au niveau.

— D'accord, déclara la « fille », accompagne-moi, je vais faire part de ta proposition à notre Mère.

Les chien bleu sur les talons, Peggy suivit la marionnette dans la nuit des abîmes. Sans les graines luminescentes dont la plaine était parsemée, elle se serait cassé dix fois la figure avant d'avoir fait cinquante pas.

C'est ainsi qu'elle vit enfin la bête des souterrains.

Une explosion de méthane se produisit en altitude, éclairant l'espace intérieur de la coquille à la façon d'un feu d'artifice. La lueur des flammes permit à l'adolescente de distinguer une forme gigantesque dressée au centre de la plaine caoutchouteuse. C'était... c'était plus haut qu'une montagne. Cela ressemblait à une pieuvre bleue, mais aussi à un sphinx ou à un lion couché. C'était indescriptible. Le nombre des tentacules était si élevé qu'on ne pouvait se faire une idée précise de l'animal fabuleux dissimulé au cœur de ce fouillis de pseudopodes et de ventouses. La chose grouillait de toutes parts ; ses tentacules se nouaient et se dénouaient en permanence. Certains exploraient les fissures de la coquilles, d'autres traînaient sur la lande. Au pied de cette idole vivante qui paraissait surgie d'un cauchemar, des enfants, assemblés en chorales, chantaient des airs de Noël en pouffant de rire.

Peggy Sue se figea, écrasée par l'ampleur d'un tel spectacle. Elle fut presque soulagée quand les flammes du méthane s'éteignirent et que l'obscurité se réinstalla.

Elle s'aperçut qu'elle tremblait. Elle était horrifiée à l'idée de ce qui pourrait se produire si une telle créature réussissait à essaimer[1] à travers les galaxies !

La main de son double se posa sur son épaule, la faisant frissonner.

— C'est d'accord, annonça la marionnette. Je viens de recevoir une réponse télépathique. Notre Mère se charge de prélever quelques racines sur la forêt souterraine, tu disposeras ainsi de l'antidote que tu réclames. En contrepartie, tu devras donner des cours à l'armée des sosies qui attend de monter à la surface.

— Combien sont-ils ?

— Trois cents, notre Mère estime que c'est suffisant pour conquérir l'Univers. A partir de maintenant, considère-toi comme leur professeur et prépare-toi à répondre à nos questions.

— Ça va être gai ! marmonna le chien bleu dans son coin.

*

Ce fut pour Peggy Sue une expérience plutôt bizarre.

Des quatre coins de la plaine, des colonnes de marionnettes accoururent pour assister à ses cours de perfectionnement. Ces faux enfants modelés par la Bête s'asseyaient en tailleur, autour d'elle, et l'assommaient de questions saugrenues :

— Pourquoi avez-vous des cheveux de couleurs différentes ? Et à quoi servent-ils ? S'agit-il de petits tentacules encore trop faibles pour bouger ?

— Pourquoi avez-vous dix doigts et pas douze ?

— Pourquoi ne peut-on pas changer son nez de place ?

1. Se répandre.

— Pourquoi ne peut-on pas faire un nœud avec son bras ?

Peggy essayait de répondre sans s'énerver, mais les plus enragés restaient la fausse Peggy et le pseudo-Sebastian. Le « garçon » exigeait que la jeune fille lui fasse une « démonstration de baiser » car il craignait d'être ridicule s'il se trouvait obligé d'embrasser une fille.

— Je ne sais pas comment bouger mes lèvres ! gémissait-il en esquissant une grimace repoussante qui aurait aussitôt mis en fuite les jeunes Terriennes. Tu dois me montrer. Tu es le professeur !

— Pas question ! répliqua Peggy, horrifiée à l'idée de poser ses lèvres sur cette bouche fabriquée en chair de pieuvre.

— Alors, que le chien bleu me montre comment faire ! exigea le « garçon ».

— Ce n'est pas possible ! expliqua Peggy Sue, sur la Terre, les filles n'embrassent pas les chiens sur la bouche.

— Pourquoi ça ? s'étonna son interlocuteur.

Ces conversations de fous amenaient Peggy au bord de la crise de nerfs. De son côté, le chien bleu n'était pas mieux loti. Il essayait désespérément d'enseigner à son double comment se comporter en véritable animal ; hélas, la marionnette à quatre pattes censée jouer son rôle ne cessait de confondre son nez et sa queue.

— *Et la danse ?* interrogea la fausse Peggy. C'est quoi ce truc ? Ça a l'air d'être important pour vous. Pourquoi vous secouez-vous ainsi ? Pour mieux digérer ? Pour remettre vos organes en place lorsque vous êtes restés trop longtemps assis ? Pour défroisser votre peau ? Pour...

Si elle avait pu, Peggy Sue l'aurait étranglée !

*

La journée de classe terminée, Peggy et le chien bleu s'en allèrent retrouver les ratés qui — prenant le relais de Sebastian désormais trop occupé à rire — achevaient d'assembler les débris du ballon.

— Comment se présente la chose ? s'enquit-elle.

— Pas trop mal, chuchota Alzir. L'enveloppe est réparable. Il suffira de couler de la sève d'hévéa sur la déchirure pour la colmater. Il y a bien assez de béthanon pour soulever deux cents éléphants. Nous sommes en train de rafistoler la nacelle.

— Et... *la bombe ?* demanda le chien bleu.

— Je l'ai examinée, fit Alzir en hochant la tête. Elle est d'un type spécial. Il ne s'agit pas d'un explosif classique qui fait « boum » et met tout en pièces. Une telle machine infernale ne causerait aucun mal à la Bête qui absorberait le souffle de l'explosion, et s'en nourrirait. Cela ne lui ferait pas plus d'effet qu'un pétard explosant sous les fesses d'un dinosaure. Non, l'engin dont on vous a équipés est d'une autre sorte. Il se compose de trois gaz contenus dans des bonbonnes. Un mouvement d'horlogerie les mélange à une heure déterminée, selon des proportions complexes, de manière à constituer un poison qui tuera la Dévoreuse... mais aussi tous ceux qui habitent à l'intérieur de l'œuf : les sosies et les humains...

— Massalia ne savait pas qu'il y aurait des enfants, observa le chien bleu.

— De toute façon, cette bombe est une aberration, murmura Alzir. Si l'on tue la Dévoreuse, Kandarta cessera aussitôt d'être habitable. La pesanteur disparaîtra, ainsi que l'atmosphère respirable. L'œuf se changera en caillou stérile dérivant dans l'espace. A l'instant même où la bête des souterrains rendra le dernier soupir, tous les humains qui habitent à la surface de la coquille mourront étouffés, et leurs cadavres se mettront à flotter dans les airs.

— Ranuck avait donc raison, siffla Peggy. On ne peut pas tuer la Bête sans causer la destruction de Kandarta.

— Je suis désolé, s'excusa le jeune monstre. Toutefois il existe un moyen de neutraliser la Bête. Je préfère vous prévenir que ce n'est pas sans danger.

— De quoi s'agit-il?

— Il est possible, en modifiant le dosage des composants, d'obtenir un gaz qui, au lieu de tuer la Dévoreuse, l'endormira pour mille ans. Ce gaz n'aura d'effet que sur la Bête et ses créatures, les ratés, les sosies, et il sera inoffensif pour les humains.

— Cela veut dire que tu t'endormiras, toi aussi, pour mille ans... souligna Peggy Sue.

Alzir haussa les épaules.

— Quelle importance? Nous sommes si affreux, mes compagnons et moi, que nous avons le plus grand mal à nous supporter. Dormir nous épargnera tristesse et souffrance. Nous rêverons que nous sommes beaux et que tout le monde nous aime.

— C'est triste, murmura Peggy dont la gorge se noua.

— On n'y peut rien, éluda le monstre. Au moins j'aurai eu la satisfaction de me venger de celle qui m'a fait ainsi. Elle m'a joué un sale tour, je ne ferai que lui rendre la monnaie de sa pièce.

— Arriveras-tu à doser correctement le nouveau mélange? insista le chien bleu.

Alzir fit la grimace (ce qui eut pour conséquence de le rendre si laid que Peggy et le petit animal faillirent pousser un cri de terreur!).

— Il y a un risque, avoua le monstre. Rien n'est garanti. Si je me trompe, nous mourrons tous à la seconde où le gaz se répandra. Ce poison a été très habilement conçu. Il utilise des ingrédients d'une extrême rareté, les seuls qui soient capables d'attaquer l'organisme de la Dévoreuse, et je puis vous assurer qu'il n'en existe pas beaucoup. Je ferai de mon mieux, mais si je commets la moindre erreur, ce sera la mort pour tous les êtres se trouvant à l'intérieur de la coquille. Voulez-vous tout de même courir le risque?

— Oui, bredouilla Peggy. Je n'ai pas envie de rester prisonnière de l'œuf, à rire et à sauter comme un kangourou jusqu'à quatre-vingts ans !

— D'accord, fit Alzir en baissant les yeux. Mes amis et moi allons nous atteler à la fabrication de la nouvelle bombe. Si nous commettons la moindre fausse manœuvre, notre mort sera immédiate, c'est une consolation.

— Super! ricana le chien bleu, ça me remplit de joie.

— Quand la bombe sera prête, décida Peggy, nous grimperons sur le ballon. Le béthanon nous propulsera vers la surface. Tu es bien certain que les enfants humains ne souffriront pas des effets du gaz?

— Non, dès que la Dévoreuse sera endormie, elle cessera d'émettre son poison hilarant. Ses petits prisonniers s'éveilleront enfin. Ils cesseront de rire et de sauter. Vous pourrez ensuite établir une navette entre la surface et le fond de l'œuf pour les récupérer. La Bête dormira si profondément que les sauveteurs n'auront rien à craindre des tentacules. Mon plan est parfait... du moins en théorie. Le seul danger, c'est que les sosies aient vent de ce que nous complotons. Il faut observer le secret le plus absolu. Ne les laissez plus visiter votre cerveau pour enregistrer vos souvenirs car ils auraient accès à cette conversation, et notre projet tomberait à l'eau.

— D'accord, approuva Peggy Suc, nous ferons attention. Je vais essayer de jouer mon rôle d'institutrice de la manière la plus convaincante possible pour te donner le temps de fignoler la nouvelle bombe soporifique. Mais ça me fait de la peine de savoir que tu t'endormiras toi aussi.

— Ce n'est rien, fit Alzir en essayant de sourire (ce qui eut pour effet de découvrir ses crocs épouvantables). T'avoir rencontrée m'a réchauffé le cœur. Grâce à toi j'aurai fait quelque chose d'utile dans cette première partie de mon existence. Je m'en souviendrai encore quand je me réveillerai, dans mille ans.

Ils se séparèrent car ils ne voulaient pas donner l'éveil en restant trop longtemps ensemble. Peggy reprit le chemin de l'« école » pour parfaire l'éducation des sosies.

— Tu crois qu'Alzir sera capable de jouer les petits chimistes ? lui demanda mentalement le chien bleu.

— Je l'espère, soupira la jeune fille. N'oublie pas qu'il fait partie de la Bête. Il connaît donc son organisme à la perfection. Si quelqu'un sait ce qui peut lui causer préjudice, c'est bien lui.

Ils furent accueillis par les marionnettes, très excitées.

— Nous avons tout compris au sujet du baiser! annonça le sosie Peggy.

— Oui! renchérit le double de Sebastian. En fait, votre bouche est la seule ventouse dont vous disposiez, contrairement aux pieuvres qui en ont partout!

— C'est une arme! lança la marionnette Peggy, et quand vous embrassez votre ennemi, vous aspirez en fait tous les organes contenus dans son corps. Le baiser est donc un moyen de combattre et de se nourrir. *C'est ça?*

— Pas tout à fait... gémit Peggy Sue, envahie par le découragement.

Brouillard mortel

Alzir et ses compagnons monstrueux travaillèrent d'arrache-pied à remettre le ballon en état. Ce déploiement d'énergie n'inquiéta pas la Dévoreuse, car elle avait prévu, de toute manière, d'utiliser le *Capitaine Fantôme* pour expédier les marionnettes à la surface. Toutefois, n'entretenant plus de communication télépathique avec les ratés, elle ignorait que ceux-ci étaient en train de mettre au point une bombe susceptible de la plonger pour dix siècles dans un profond sommeil.

— Elle est trop sûre d'elle, c'est son point faible, expliqua le jeune monstre à Peggy Sue. Elle nous méprise, vous les humains, nous les ratés... Elle ne parvient pas à imaginer que nous puissions lui porter préjudice. A ses yeux, nous sommes bien trop faibles pour constituer un danger. A peine des vermisseaux! En ce qui nous concerne, mes compagnons et moi, elle croit que nous trimons pour rentrer dans ses bonnes grâces. Elle ne se doute pas que nous n'avons qu'une idée : nous venger!

Peggy était nerveuse. C'est en tremblant qu'elle avait vu les ratés manipuler les bonbonnes de gaz de la machine infernale. Une fausse manœuvre pouvait les tuer, *tous.* Le dosage des effluves semblait d'une extraordinaire complexité.

— Il faut programmer le minuteur pour qu'il mélange les différents gaz au bon moment, et selon les proportions exactes. Si nous nous trompons d'un demi-décilitre, ce sera la mort pour tout le monde. Au lieu de nous endormir, nous mourrons asphyxiés.

L'angoisse de Peggy Sue était d'autant plus grande que Sebastian s'était mis à sauter. Depuis deux jours il ne tenait plus en place. Refusant de boire la sève contrepoison, il jouait les kangourous en bondissant par-dessus les collines caoutchouteuses.

— Garde un œil sur lui, ordonna la jeune fille au chien bleu. Il ne faudrait pas qu'il nous file entre les doigts quand viendra le moment d'embarquer!

Elle s'angoissait à l'idée que la bête des souterrains découvre soudain le complot qui se tramait dans l'ombre. Le danger venait des sosies qui furetaient partout sitôt la classe terminée. Peggy s'évertuait à les tenir occupés le plus longtemps possible en les obligeant à danser et à chanter.

Dix fois, elle frôla la catastrophe. Enfin, Alzir lui annonça :

— C'est prêt. A toi de prendre la décision finale. Lorsque j'aurai déclenché le minuteur, plus rien ne pourra l'arrêter. Nous avons fait de notre mieux, mais je ne puis te garantir que ça va marcher. Quand le compte à rebours atteindra zéro, le gaz qui sortira des bouteilles nous tuera peut-être.

Peggy Sue hocha la tête. Elle ne reculerait pas.

— Ce serait bien que vous partiez cinq minutes avant l'explosion, insista Alzir. En cas de malheur, prendre de l'avance pourrait vous sauver la vie. Avec un peu de chance, le ballon grimpera plus vite que la nappe de gaz mortel. Ce sera une sacrée course, mais le béthanon est très volatil, il vous arrachera du sol.

— Si la Bête voit le ballon décoller, elle se doutera de quelque chose, objecta l'adolescente.

— Je lui dirai que nous procédons à des essais. Toi et tes amis, vous vous cacherez parmi les caisses. Elle n'imaginera pas une seconde que nous puissions tramer quelque chose contre elle. Elle nous croit trop idiots pour ça.

— Je l'espère, souffla Peggy guère rassurée, quand passons-nous à l'action?

— Le plus tôt possible, on ne peut pas se permettre d'attendre. Les sosies fourrent leur nez partout. S'ils s'amusent à tripoter la bombe, le pire peut arriver. Il ne faudrait pas qu'ils se mettent à tourner les robinets et modifient les dosages, ce serait une catastrophe!

— D'accord, fit Peggy Sue. Je vais prévenir Sebastian et le chien bleu. Aménage-nous une cachette au creux des caisses.

Elle partit à la recherche du petit animal. Elle n'était pas tranquille. Pendant qu'elle marchait, elle eut l'impression que l'œil énorme de la Dévoreuse la fixait dans les ténèbres. Elle s'efforçait de ne pas penser à la bombe au cas où la créature aurait été tentée de lire dans son esprit, mais cela n'arriva pas. La Bête la méprisait trop pour perdre son temps à la surveiller.

Elle trouva enfin le chien, pantelant et essoufflé, tirant une langue aussi longue que sa cravate.

— Je n'en peux plus de courir après ton petit ami, protesta-t-il. Il ne tient plus en place. Il fait des bonds démentiels. C'est comme s'il portait des bottes de sept lieues, je n'arrive pas à le suivre.

— Il faut pourtant l'attraper, haleta Peggy. Le ballon est prêt, Alzir est en train d'amorcer la bombe.

— Nom d'une saucisse atomique! grogna l'animal, nous aurions mieux fait de ficeler ce damné Sebastian dès qu'il a commencé à rigoler comme une baleine.

Les deux amis s'élancèrent, le nez en l'air, essayant d'identifier le garçon au milieu des autres sauteurs qui s'entrecroisaient dans les airs. Le manque de lumière ne facilitait pas les choses.

— Sebastian! cria Peggy, descends! J'ai quelque chose à te dire!

Mais sa voix se perdait au milieu des éclats de rire en provenance des hauteurs.

— Là! grogna enfin le chien, c'est lui!

Et il bondit sur le jeune homme à l'instant même où celui-ci touchait le sol. Peggy l'imita. A eux deux, ils plaquèrent Sebastian sur la lande caoutchouteuse pour l'empêcher de rebondir une fois de plus.

— Hé! protesta le garçon, qu'est-ce que vous faites, c'est pas marrant! Je travaille mon double looping ventral pour le grand concours annuel!

Sans lui laisser le temps de réagir, Peggy Sue l'empoigna par le bras et le chien bleu planta ses crocs dans l'une de ses chaussettes.

— Viens! ordonna l'adolescente. C'est très important. Je t'expliquerai.

Le garçon se laissa faire d'abord en maugréant. Les autres « kangourous » l'interpellèrent :

— Alors, tu te ramènes? criaient-ils entre deux éclats de rire.

Traîner Sebastian jusqu'au ballon ne fut pas une mince affaire. Il se débattait en gloussant comme un gosse de cinq ans qu'on chatouille.

— Dépêchez-vous! murmura Alzir, j'ai déclenché la minuterie. La bombe va exploser dans dix minutes. Je ne pouvais pas attendre plus longtemps, les sosies ont commencé à s'attrouper autour des bonbonnes. Ils n'arrêtent pas de demander à quoi sert ce truc. Ils croient que ce sont des toilettes publiques, comme il y en a tant sur la Terre, et exigent une démonstration! Je ne sais pas combien de temps mes camarades parviendront à les tenir éloignés des robinets. S'ils s'amusent à tripoter les valves, ils modifieront les mélanges... et nous serons tous fichus!

Peggy et le chien bleu tirèrent Sebastian vers la nacelle et le forcèrent à s'accroupir entre les caisses.

— C'est quoi ce jeu? pouffa le garçon.

Peggy lui appuya sur la tête pour l'obliger à se cacher. Glissant un œil dans l'interstice séparant deux caisses, elle put vérifier qu'Alzir avait raison de s'inquiéter. Les sosies, désœuvrés, s'étaient rassemblés autour de la machine infernale et, comme à leur habitude, posaient des questions saugrenues aux ratés qui en assuraient la garde.

— A quoi ça sert ce robinet? Et celui-là? Ça fait de la musique si on le tourne? Où fait-on pipi? Dans ce tuyau? Où est la chasse d'eau?

Au fil des minutes ils devenaient plus nombreux, et les pauvres monstres semblaient en grand danger d'être débordés.

— On y va, haleta Alzir. J'envoie le béthanon dans l'enveloppe. Le ballon va se gonfler. Restez bien cachés. Je vais me tenir à la proue. De cette manière, la Dévoreuse me verra. Elle me connaît, elle croit que je suis un lèche-bottes.

Il fallut peu de temps au béthanon pour emplir l'enveloppe qui se défroissa en chuintant.

— Oh ! le joli ballon ! crièrent les sosies. On veut grimper, nous aussi ! On veut aller se promener dans les airs !

Alzir se dépêcha de larguer les amarres et d'augmenter le débit du gaz. L'aérostat s'éleva aussitôt d'une bonne dizaine de mètres. Les marionnettes poussèrent des cris de déception.

— Quelle plaie ! ragea Alzir. Leurs beuglements vont éveiller l'attention de la Dévoreuse. La bombe devrait exploser dans cinq minutes. Si le mélange est bon, il devrait créer un nuage rose... si, au contraire, ces crétins de sosies ont tripoté les valves, le nuage sera bleu... et nous tuera tous.

Peggy Sue se mordait les lèvres, et le chien bleu tremblait du museau à la pointe de la queue. Seul Sebastian s'obstinait à pouffer de rire.

Pendant ce temps, le *Capitaine Fantôme* s'élevait dans la pénombre.

Alzir se tenait dressé à la proue, cramponné aux haubans. Il savait qu'à partir d'une certaine hauteur la fable des « essais » ne tiendrait plus. La Bête finirait par comprendre qu'elle assistait à une tentative d'évasion et réagirait en conséquence.

— Trois minutes, annonça-t-il. Dans trois minutes nous saurons si la bombe va cracher du somnifère ou du poison. J'ai fait de mon mieux. Il ne faudra pas m'en vouloir si ça rate.

Peggy se rendit compte qu'elle était en train de s'enfoncer les ongles dans les paumes. Son cœur faisait un bruit énorme dans sa poitrine.

— Une minute, annonça Alzir.

Comme chaque fois qu'il était trop ému, le chien bleu se mit à aboyer. Peggy lui serra le museau pour le faire taire.

— Oh ! gémit le jeune monstre, je crois que la Dévoreuse s'inquiète de ce qui est en train de se passer. Elle regarde dans notre direction et commence à agiter ses tentacules. Je vais augmenter le débit du gaz pour accélérer la remontée.

— Pas trop ! lui conseilla Peggy Sue. Si l'enveloppe éclate nous sommes fichus ! N'oublie pas qu'elle a été recousue.

— Dix secondes, bredouilla Alzir.

Peggy ferma les yeux et se serra contre ses amis. Au moins, si le nuage de gaz était bleu, ils auraient la consolation de mourir ensemble.

— 9, 8, 7... égrena Alzir.

Une explosion sourde ébranla les parois de la coquille. Un sifflement strident se fit entendre. La bombe venait d'exploser. Elle répandait son mélange au fond de l'œuf.

— Quelle couleur ? hurla Peggy. *Quelle couleur ?*

— Je ne vois rien ! gémit Alzir. Il fait trop sombre !

Pendant une trentaine de secondes, les fugitifs furent la proie d'une intense frayeur.

« Bleu ou rose ? se demandait Peggy Sue. Rose ou bleu... le sommeil ou la mort ? »

Par chance, une explosion de méthane se produisit en altitude, illuminant l'espace intérieur de la coquille.

— Rose ! cria le jeune monstre. Le nuage est rose... ça a marché !

N'y tenant plus, Peggy bondit hors de sa cachette pour le rejoindre à la proue de l'aérostat. Penchée au-dessus du vide, elle put vérifier qu'un brouillard rosâtre envahissait la plaine, enveloppant de ses volutes la masse hideuse de la bête des souterrains.

La Créature poussa un rugissement effroyable car elle venait de tout comprendre. Sa voix formidable éclata en échos douloureux dans l'esprit de l'adolescente.

— Tu... tu m'as bernée, petite Terrienne... chuintait-elle, mais ne te crois pas tirée d'affaire... Tu n'as pas encore gagné ! Loin de là.

— Bon sang ! hoqueta le chien bleu, elle déploie ses tentacules. Regardez ! Elle va essayer de nous attraper ! Pourquoi ne s'endort-elle pas ?

— C'est normal, gémit Alzir, elle est si grosse que le somnifère ne peut pas agir instantanément. Cela va prendre deux ou trois minutes.

— *Trois minutes !* protesta le petit animal, mais nous serons morts d'ici là ! Elle va nous mettre en pièces !

En effet, les tentacules de la Dévoreuse s'élevaient déjà à travers la nappe de brouillard en direction du ballon dirigeable. Alzir tendit la main pour augmenter le débit du béthanon, mais Peggy Sue lui saisit le poignet.

— Non ! dit-elle, l'enveloppe va éclater. On ne peut pas la dilater davantage. Si tu insistes, les coutures céderont.

L'aérostat filait vers la surface, pas assez vite cependant pour distancer les tentacules lancés à sa poursuite. Cette fois, la Bête avait déployé ses pseudopodes de combat, ceux qui se terminaient par des doigts griffus. Ces mains cauchemardesques s'ouvraient et se fermaient nerveusement dans leur hâte de s'emparer des fuyards et de les écraser.

Figée par la peur, Peggy Sue entendit les redoutables ongles racler le dessous des caisses, arrachant des morceaux de bois.

— Coucou ! cria Sebastian en se penchant par-dessus la nacelle, je suis là ! Tu ne m'attraperas pas ! Na-na-nère !

Il riait et multipliait les pieds de nez à la Bête comme si tout cela n'était qu'un grand jeu entre copains.

Le *Capitaine Fantôme* se mit à tanguer, et ses passagers durent se cramponner aux haubans pour ne pas basculer dans le vide.

« Au prochain coup, la nacelle se disloquera », songea Peggy, blême de peur.

L'une des mains écailleuses claqua à un mètre à peine de l'endroit où elle se tenait.

« Tu... tu... ne m'échapperas... p... p... pas... » fit la voix de la Dévoreuse dans son esprit.

« Elle s'endort ! constata la jeune fille. Le somnifère est en train de la paralyser. »

Déjà, les tentacules bougeaient de manière paresseuse, comme si toute énergie les quittait. Ils cessèrent bientôt de se cramponner au ballon et se replièrent lentement.

— Voilà ! annonça Alzir. Elle est endormie. Elle va rester ainsi pendant mille ans, plongée dans ses rêves. Dis-le bien aux humains qui habitent à la surface de la coquille. Il s'agit d'un répit, d'un simple répit. Dans dix siècles, la Bête se réveillera et tout recommencera. Si vos congénères ne sont pas totalement idiots, ils quitteront Kandarta pour aller s'installer sur une autre planète. Mille ans, cela leur laisse le temps d'organiser leur déménagement.

— Et toi ? s'enquit Peggy.

— Moi, fit Alzir avec un haussement d'épaules. Moi, je vais sauter par-dessus bord. Je rebondirai trois ou quatre fois sur la plaine de caoutchouc, puis je m'endormirai aux côtés de la créature qui m'a fabriqué ainsi. Je rêverai de toi pendant les mille prochaines années, c'est une perspective plutôt agréable.

— Tu ne veux pas venir avec nous ? insista la jeune fille.

— Non, merci, fit Alzir avec un pauvre sourire, ce ne serait pas raisonnable. Je ne tiens pas à finir dans un cirque ou dans un laboratoire, disséqué par des savants trop curieux. Je vais aller retrouver les miens. N'oubliez pas de redescendre chercher les enfants kangourous. D'ici dix minutes ils auront cessé de sauter et de rire. La Dévoreuse endormie, ils vont s'éveiller du maléfice qui les forçait à se comporter comme des idiots. Ils auront peur, ils ne sauront pas où ils sont. Ne tardez pas à les secourir.

Avant que Peggy ait eu le temps de répondre, Alzir enjamba la nacelle, agita la main en guise d'au revoir, et il sauta dans le vide. La nuit du fond l'avala.

— Un bon camarade, soliloqua le chien bleu. Sans lui nous n'aurions jamais pu nous en sortir.

Peggy réprima son envie de pleurer et se pencha sur Sebastian. Le garçon avait cessé de rire. Une grimace lui déforma le visage et il porta la main à son front.

— Que j'ai mal à la tête ! gémit-il. Où sommes-nous ? Je ne me souviens de rien.

— Et c'est aussi bien comme ça, ricana le chien bleu, parce que tu aurais honte de t'être comporté en vrai crétin !

Trois cachets bleus...

Trois jours plus tard, Peggy Sue et ses amis émergèrent de l'œuf par la grande crevasse qui leur avait permis d'accéder au royaume de la Dévoreuse.

Massalia et ses soldats les attendaient. Peggy leur raconta dans le détail ce qui s'était passé dans les profondeurs de la coquille.

Dans la semaine qui suivit, de grands changements se produisirent sur Kandarta. Ranuck et les compagnons de la pieuvre perdirent tous leurs pouvoirs, la neige rose cessa de tomber, et la « délicieuse gourmandise » disparut du même coup. Le brouillard qui empoisonnait les quartiers pauvres de Kromosa s'évapora. Les chats blancs reprirent leur couleur d'origine. Grâce au *Capitaine Fantôme*, l'ingénieur Hinker organisa de nombreuses expéditions de secours pour aller récupérer les enfants prisonniers de la plaine caoutchouteuse. Certains d'entre eux, qui étaient au fond depuis dix ans, furent bien surpris en retrouvant leurs parents. Aucun n'avait conscience d'être resté si longtemps prisonnier du bagne du rire. Ils n'avaient pas grandi, mais leurs anciens copains demeurés à la surface avaient aujourd'hui dix ans de plus !

Chose curieuse, Anaztaz et les siens refusèrent catégoriquement de quitter le filet ! On eut beau lui dépêcher trois ambassadeurs, le petit peuple des flûtistes se cramponna à la toile d'araignée et s'obstina à poursuivre son existence troglodyte au milieu des racines de la forêt souterraine.

— Vous devez me promettre de ne pas faire de mal aux pauvres ratés qui dorment près de la Bête, insista Peggy Sue. Sans leur aide, nous ne serions jamais ressortis de ce piège.

— J'en fais le serment, affirma le général en levant son gantelet rouillé.

— Voilà, conclut Peggy, nous avons fait notre travail. Vous disposez de mille ans pour évacuer cette planète inhabitable. Si vous êtes malins, vous ne traînerez pas ici. Isolée dans son œuf, la Dévoreuse ne fera plus de mal à personne. Ce sera comme si elle était prisonnière d'une île déserte à laquelle aucun navire n'abordera jamais. A présent, nous voulons rentrer chez nous. Ma grand-mère doit s'impatienter.

— Chose promise, chose due, énonça Anabius Torkeval Massalia en posant une petite boîte en or dans la paume de l'adolescente.

Sous le couvercle du drageoir, il y avait trois cachets bleus.

Ainsi s'achève cette aventure, mais Peggy Sue reviendra bientôt pour un nouveau voyage fantastique.

Ne manque pas le tome VII de la série :

La révolte des dragons

(Pour écrire : peggy.fantomes@wanadoo.fr)

A partir d'octobre 2004,
découvre la nouvelle série de Serge Brussolo

Elodie et le maître des rêves

Tome I :

La Princesse sans mémoire

Collégienne de douze ans, Elodie s'ennuie en classe. Rien ne l'intéresse vraiment... Depuis quelque temps, toutefois, elle fait des **rêves étranges** qui l'emmènent au **royaume des songes**, là où tout est possible. Une nuit, un curieux lapin lui déclare : « En réalité, tu es **la princesse sans mémoire.** Le Maître des rêves a effacé tous tes souvenirs avant de t'exiler dans le monde réel, voilà pourquoi tu t'embêtes tellement là-bas. Tu es trop habituée aux merveilles pour supporter une existence aussi monotone. Je vais t'aider à reconquérir ta couronne et à combattre le tyran qui t'a transformée en pauvre écolière. »

C'est pour Elodie le début d'une **formidable aventure** dans l'univers des songes, là où tout n'est que **magie, mystère et fantasmagorie !**

(pour écrire : reveuse.elodie@wanadoo.fr)

Elodie et le maître des rêves

Extrait du chapitre premier

La baignoire magique

Décidément, Elodie ne comprenait rien à ce qui lui arrivait. D'abord, elle s'était penchée sur la baignoire pour prendre son bain... puis elle avait basculé dedans, aspirée par une force mystérieuse. Oui, *basculé...* comme on tombe à la mer en passant pardessus le bastingage d'un bateau. Le plus curieux, c'était que cette fichue baignoire semblait dépourvue de fond !

« J'ai l'impression de sombrer dans un puits, songea l'adolescente en esquissant des mouvements de brasse. Ce n'est pas possible, aucune baignoire ne peut être aussi profonde ! »

Elle avait beau dire, elle n'en continuait pas moins de couler à pic dans une eau incroyablement bleue.

Elle se rappela soudain que ses parents lui avaient toujours interdit de prendre des bains. Sa mère, notamment, lui avait mille fois répété de se cantonner à l'usage de la douche pour sa toilette. Jusqu'à aujourd'hui cette interdiction lui avait paru aussi bizarre qu'incompréhensible, et, tout à l'heure, en rentrant du collège, elle avait décidé de passer outre. Elle s'en repentait amèrement en cette minute même.

Empêtrée dans son peignoir de bain en éponge rose, elle avait du mal à nager. Plus elle descendait, plus l'eau devenait froide.

« Elle est si claire que j'ai l'illusion de me noyer dans du cristal liquide, songea Elodie. Je m'enfonce depuis si longtemps que je devrais normalement manquer d'air, pourtant je ne suffoque toujours pas. C'est incompréhensible. »

Elle était à ce point stupéfaite qu'elle n'avait même pas peur.

« Je n'ai jamais entendu parler d'une baignoire qui communiquerait avec l'océan, se dit-elle. D'ailleurs, il n'y a ni poissons ni algues. En fait je ne sais pas du tout où je suis. Une chose est sûre, je continue à descendre et l'eau est de plus en plus froide. Si ça continue, je vais mourir gelée. »

Au bout d'un moment elle prit conscience qu'elle n'était pas seule. D'autres nageurs l'accompagnaient. Des enfants, mais aussi des adultes. Des hommes, des femmes, de tous âges. Ils étaient tellement transis que leur peau virait au bleuâtre.

Elodie eut soudain l'impression que ses mains se couvraient de givre, comme les boîtes de produits surgelés qu'on tire du congélateur. Son peignoir semblait saupoudré de neige.

« Ça ne tient pas debout, pensa-t-elle, la température est si basse que l'eau devrait geler. Oui, mais est-ce bien de l'eau ? »

Soudain une lumière apparut au fond du puits, et, dans la seconde qui suivit, l'adolescente émergea à la surface d'un lac.

« C'est absurde, pensa-t-elle, puisque je descendais, le ciel ne devrait pas se trouver dans ce sens... ou alors j'ai traversé la terre dans toute son épaisseur et je me trouve à présent aux antipodes ? »

Elle s'aperçut qu'elle claquait des dents et se dépêcha de grimper sur la rive. Les remous rejetèrent d'autres nageurs. Ils étaient en moins bonne forme qu'elle. Ils avaient eu si froid au cours de la plongée qu'ils avaient fini par se transformer en statues de glace. Dès que le courant les eut échoués sur la berge, ils commencèrent à fondre.

La jeune fille se redressa. Son peignoir dégoulinait. Elle avisa une pancarte plantée au bord du lac. On lisait une inscription bizarrement orthographiée :

BonobO bOnobo bonoBo boNobo

Sans savoir d'où elle tirait cette science, Elodie sut d'instinct que cela signifiait : *Lac des rêves. Baignade interdite.*

Elle savait également que ce texte avait été rédigé en langue lapin. Le lapin courant ne comportait qu'un seul mot : *bonobo* ; seule la manière dont il était prononcé ou écrit donnait à cet unique vocable des sens différents.

« Où donc ai-je appris à parler couramment la langue des lapins ? » se demanda-t-elle en tremblant de tous ses membres.

Elle regarda autour d'elle. Elle se trouvait au centre d'une lande pelée parsemée de bruyère bleue et qui courait jusqu'à la ligne d'horizon. Le ciel avait quelque chose d'insolite : les nuages s'y déplaçaient trop vite. Parfois ils se dépassaient les uns les autres telles des voitures sur une autoroute ; à d'autres moments ils faisaient des tête-à-queue... ou encore rebroussaient chemin comme s'ils se rappelaient soudain avoir oublié quelque chose chez eux.

— C'est elle ! C'est elle ! lança tout à coup une voix aigrelette dans le dos d'Elodie.

La jeune fille se retourna et aperçut trois lapins roses, aussi grands que des poneys, qui se rapprochaient en sautillant.

Celui qui allait en tête avait trois points rouges sur l'oreille droite et semblait être le chef. Il portait un sabre en bandoulière. Il s'empressa de remettre à la jeune fille un paquet de vêtements.

— Change-toi vite, ordonna-t-il, ou bien tu vas te transformer toi aussi en statue de glace. Peu de gens survivent à la traversée du lac des rêves. Il ne faut pas rester là, la lande est dangereuses. Elle a été conçue pour repousser les envahisseurs venant du Réel.

— Du Réel? bredouilla Elodie. Je n'y comprends rien. Je suis en train de rêver, c'est ça?

— Bien sûr, s'impatienta le lapin. Tu es au pays des rêves. Tu viens de traverser le grand tunnel qui relie le monde réel au royaume des songes. C'est un sacré exploit. La plupart des humains se changent en blocs de glace, ou bien se dissolvent dans l'eau comme un sucre dans une tasse de thé.

— *Ils se dissolvent?* bégaya Elodie.

— Oui, confirma le lapin. Le tunnel est rempli de nageurs dissous. C'est pour cette raison qu'il est difficile d'y nager. La colère de ceux qui y ont fondu en imprègne les eaux, et elle fait tout pour empêcher que d'autres réussissent là où les premiers ont échoué. Tu comprends?

— Je crois surtout que je suis en train de devenir folle... soupira Elodie en enfilant les vêtements secs apportés par le lapin.

— Mais non, fit l'animal. Tu es désorientée, c'est tout. Il y a très longtemps que tu n'étais pas revenue ici et tu as tout oublié, alors les choses te paraissent étranges. C'est normal puisqu'on a effacé tes souvenirs.

— On a effacé mes...

— Oui, nous sommes là pour t'aider. Si tu veux survivre tu devras nous obéir sans discuter. Tu es désormais une hors-la-loi en ton propre pays, tu n'en connais plus les règles. Tu pourrais commettre des erreurs qui te coûteraient la vie. Je suis Tinki-Pinki, sergent lapin des commandos d'élite. Ces deux-là sont mes frères. Ils ne t'adresseront jamais la parole car ils n'aiment pas bavarder avec les humains qu'ils jugent ennuyeux et grands faiseurs de catastrophes. Maintenant suis-nous. Si nous nous attardons ici on finira par nous repérer ; les nuages grouillent d'espions qui scrutent le sol à la jumelle.

Sans plus chercher à comprendre, Elodie emboîta le pas aux lapins roses qui progressaient en jetant des coups d'œil prudents de droite et de gauche.

La jeune fille les imita. De nombreux terriers trouaient le sol, entre les herbes. Elle repéra également un nombre inhabituel de grottes, de cavernes et d'entrées de souterrain.

« Le sous-sol doit être un vrai gruyère », se dit-elle.

Tout à coup, une belette surgit d'une touffe de bruyère et, après avoir hésité trois secondes, le museau frémissant, se dirigea vers l'un des terriers où elle finit par s'engouffrer. Presque aussitôt, le trou se referma comme une bouche, un horrible bruit se mastication se fit entendre. Quand le passage se rouvrit, ce fut pour cracher une poignée d'ossements...

— Alors, tu as compris ? lui lança Tinki-Pinki. *La lande est vivante.* Un vrai piège mortel. Chaque terrier, chaque caverne est une bouche affamée en attente de nourriture. Si l'on commet l'erreur d'y entrer on est aussitôt dévoré.

— Mais pourquoi ? balbutia Elodie.

— Je te l'ai déjà dit, grommela le lapin, pour empêcher les invasions. Quand les nageurs sortent du lac, ils grelottent, ils sont alors tentés de chercher refuge à l'intérieur d'une caverne pour se mettre à l'abri du vent. La lande en profite pour les manger.

— Mais personne ne fait rien pour empêcher cela ?

— Non, car la lande, lorsqu'elle est bien nourrie, donne en contrepartie de bonnes récoltes. Quand elle s'est rempli la panse, elle fait pousser des arbres à vêtements, ou des fleurs à bonbons. Les gens du coin en sont fort satisfaits. Voilà pourquoi nous tenions tellement à t'intercepter dès ta sortie du lac, nous avions peur que tu n'ailles te blottir dans une caverne cannibale pour échapper à la morsure du vent.

— Des arbres à vêtements ? s'étonna Elodie.

— Oui, fit Tinki-Pinki, ici on ne fabrique rien, tout pousse, tout est naturel. Il n'y a ni usine ni magasins. On va dans la campagne récolter ce dont on a besoin. Tu apprendras ça au fur et à mesure. Ça sera un sacré travail car je me rends compte que tu as tout oublié.

— Tu veux dire que j'étais censée savoir ces choses ?

— Oui, j'ignorais qu'on t'avait transformée à ce point. On t'a vraiment effacé la cervelle de bout en bout. C'est sûrement mieux ainsi, sinon tu n'aurais pas réussi à survivre de l'autre côté.

— Quel autre côté ?

— Le Réel... Généralement les gens qui sont nés ici ne parviennent pas à s'y adapter. Tout y est tellement ennuyeux.

— Mais je vis là-bas ! protesta Elodie.

— Non, corrigea le lapin. Tu *crois* y vivre, c'est différent. En fait, ton vrai pays c'est ici. On t'a exilée dans le Réel après avoir effacé ta mémoire. C'était une punition. Un moyen de se débarrasser de toi. Le monde réel est en quelque sorte le bagne du royaume des songes. Sa prison, si tu préfères. On t'a expédiée là-bas comme on boucle un prisonnier dans une cellule. Tu n'étais pas censée t'en échapper. C'est nous qui t'avons fait évader, en faisant couler l'eau magique du lac dans les canalisations de ta baignoire. C'était le seul moyen de te ramener ici. Le stratagème n'était pas sans danger mais il fallait tenter le coup...

Elodie hocha la tête sans se compromettre.

« Ne le contrarions pas, se disait-elle, tout cela est absurde, je vais finir par me réveiller. Je me rendrais compte alors que je me suis endormie dans mon bain, voilà tout. »

— Tu te trompes, grogna le lapin rose qui lisait dans ses pensées. Tu es faite pour vivre ici, pas là-bas. Réfléchis un peu : pourquoi crois-tu que tes parents t'interdisent de prendre des bains ?

— Parce que... bredouilla Elodie en hésitant, parce qu'ils ont peur que je m'endorme dans la baignoire et que je me noie ?

— Mais non ! Il y a une autre raison. On ne peut pas faire couler assez d'eau magique dans une douche ou un lavabo pour y prendre un bain. Pas suffisamment en tout cas pour s'y plonger en entier. Le passage d'un univers à l'autre ne peut s'accomplir si le corps du voyageur n'est pas complètement recouvert par l'eau du lac. Il suffit qu'un simple orteil reste sec et, dès lors, il devient impossible d'entreprendre la traversée entre les deux mondes. Le corps ne parvient pas à se dématérialiser.

— Tu insinues que mes parents voulaient m'empêcher de venir ici ?

— Bien sûr, ricana Tinki-Pinki. D'ailleurs ce ne sont pas tes parents. Juste des gardiens, des geôliers chargés de te surveiller. Tes vrais parents sont ici, dans le royaume des songes.

— Quoi ? hoqueta Elodie, foudroyée par la stupeur. Mes *vrais* parents ?

— Assez bavardé, coupa le lapin aux oreilles tachetées de rouge, nous parlerons de ça plus tard. Ici, ta tête est mise à prix. Si tu es capturée il t'arrivera des choses terribles. Avance en regardant tes pieds, ne lève pas le nez vers le ciel. Il faut se méfier des espions embusqués sur les nuages. En ce moment même ils nous espionnent peut-être avec des lorgnettes.

Troublée, l'adolescente se laissa conduire jusqu'à un chariot arrêté en bordure de la lande. Un cheval à crinière argentée s'y trouvait attelé. Sur la bâche recouvrant le véhicule on lisait :

Tinki-Pinki et ses frères
Les lapins jardiniers
Semences magiques en tous genres

— Grimpe et cache-toi au fond, ordonna Tinki-Pinki. Il est préférable que personne ne te reconnaisse.

— Pourquoi ? s'étonna Elodie, je suis célèbre ?

— Evidemment ! souffla le lapin, tu es la princesse Elodie III, on t'a déchue de ton titre avant de t'exiler dans le monde réel. Ici tu es considérée comme une criminelle. Si l'on te reconnaît on te dénoncera. Reste dissimulée au milieu des sacs de graines, plus tard nous verrons s'il est possible de changer ton visage.

La jeune fille fit la grimace. Elle n'avait pas envie de changer de figure, en outre elle ne comprenait pas pourquoi on la considérait ici comme une prisonnière en fuite. Les révélations de Tinki-Pinki l'avaient considérablement chamboulée. A n'en pas douter, ce lapin était fou à lier.

Ce qu'il avait dit sur les parents d'Elodie était affreux !

« Ainsi ce ne seraient pas mes vrais parents ? réfléchit l'adolescente. Ça ne tient pas debout... Je me rappelle un tas de choses qu'on a faites ensemble et... »

Hélas, au fur et à mesure qu'elle cherchait à se convaincre du bien-fondé de ses certitudes, force lui était de reconnaître qu'elle éprouvait des sentiments curieux envers son père et sa mère. Ne lui avaient-ils pas toujours semblé lointains, distants ? Souvent, elle avait eu l'impression de grandir en compagnie d'étrangers avec qui elle n'avait aucun point commun. D'ailleurs elle leur parlait peu ; eux-mêmes la côtoyaient sans jamais réellement s'intéresser à sa vie de collégienne. A plusieurs reprises il lui était arrivé de se demander si elle était vraiment leur fille...

Elle avait souvent eu honte de se poser ce genre de question, toutefois, à la lueur des révélations du lapin rose, elle prenait conscience que ses réticences n'étaient peut-être pas tout à fait privées de fondement.

La carriole avançait en cahotant à travers les bruyères. Les lapins observaient Elodie à la dérobée, avec une certaine timidité, comme si elle était réellement une altesse princière.

— Pourquoi m'aidez-vous si je suis considérée comme une hors-la-loi ? s'enquit la jeune fille.

— Nous faisons partie de tes derniers fidèles, expliqua Tinki-Pinki. Nous sommes encore une poignée à nous insurger contre le complot qui t'a privée de ton titre. Nous continuons le combat, dans l'ombre, hélas, la police secrète du tyran émiette peu à peu nos rangs. Voilà pourquoi nous avons décidé de te faire évader. Il y a des prodiges que toi seule peux accomplir, mais pour cela tu dois récupérer les souvenirs qu'on t'a volés. Sans eux, tu n'es bonne à rien.

— Qui s'est emparé du trône ?

— Ton oncle, Boromidas... Ton cher oncle que tu aimais tant et qui, en fait, n'attendait que le moment de fomenter un coup d'Etat.

Elodie fit la grimace, elle n'avait aucune idée de qui pouvait bien être ce Boromidas... Ce nom n'éveillait pas le moindre écho dans son esprit.

— La première chose à faire est d'essayer de changer ton visage, reprit le lapin. Dans quelques minutes nous atteindrons la fontaine des métamorphoses. Sur la margelle, tu trouveras un gros savon vert. Un savon magique. Si tu le fais mousser sur ta figure et que tu penses très fort au visage que tu veux avoir, tes traits se modifieront. Beaucoup de filles viennent à la fontaine pour changer de tête. La transformation ne dure que six semaines, mais ce sera suffisant pour ce qui nous occupe. L'important est qu'on ne te reconnaisse pas au détour d'une rue.

Elodie ne dit rien. Elle était tout à la fois effrayée et très excitée par ces prodiges. Dans sa vie de collégienne il ne se passait pas grand-chose, et même, à dire vrai, elle s'ennuyait ferme. Voilà qu'on lui offrait soudain l'existence d'une princesse en fuite, elle trouvait cela assez intéressant et elle espérait ne pas être trop déçue lorsqu'elle se réveillerait.

Les vêtements que lui avaient donnés les lapins étaient de facture ancienne. Ils avaient un aspect moyenâgeux. La robe lui descendait jusqu'aux pieds, quant au manteau, il comportait un capuchon bordé de fourrure blanche, très joli.

— Nous y voilà, annonça Tinki-Pinki en jetant un coup d'œil aux nuages à la recherche d'un éventuel espion. La fontaine t'attend. Mouille le savon et fais-le mousser sur ta figure. En même temps, pense très fort au visage que tu veux avoir. Quand tu auras rincé la mousse, ta tête aura changé, c'est aussi simple que ça.

— A qui dois-je penser? gémit Elodie.

— Je ne sais pas, moi, s'impatienta le lapin. J'ignore tout de ces trucs de fille... Ne pense pas à une actrice, tu es trop jeune pour avoir une tête de femme. Pense à une gamine de ton âge... Une copine, par exemple. Mais fais bien attention, si tu commets l'erreur de penser, ne serait-ce qu'une seconde, à autre chose, tu auras la tête de cette autre chose.

— Quelle autre chose?

— A un âne... ou à un singe. Si tu le fais au moment où la mousse s'étale sur ta figure, tu prendras cette tête-là!

— C'est horrible!

— Ouais. Mais n'y pense pas, c'est tout.

Elodie tapa du pied.

— Facile à dire! s'emporta-t-elle. Maintenant je vais forcément y penser. Je ne vais pas arrêter de me dire : « Je ne dois pas penser à un singe, je ne dois pas penser à un singe », et pendant que je me dirai ça, forcément j'y penserai! Tu n'aurais pas dû m'en parler!

— Peut-être bien, maugréa le lapin. Je ne connais pas grand-chose aux filles. Nous, les lapins, nous ne pensons guère qu'aux carottes.

(La suite au mois d'octobre!)

TABLE

Transcontinental
IMPRESSION
IMPRIMERIE GAGNÉ
IMPRIMÉ AU CANADA